narr studienbücher

Radegundis Stolze

Übersetzungstheorien

Eine Einführung

gnv Gunter Narr Verlag Tübingen

Die Deutsche Bibliothek - CIP-Einheitsaufnahme

Stolze, Radegundis:
Übersetzungstheorien : eine Einführung / Radegundis Stolze. –
2., vollst. überarb. und erw. Aufl. – Tübingen : Narr, 1997
   (Narr Studienbücher)
   ISBN 3-8233-4956-2

1. Auflage 1994
2., vollständig überarbeitete und erweiterte Auflage 1997

© 1997 · Gunter Narr Verlag Tübingen
Dischingerweg 5 · D-72070 Tübingen

Einbandgestaltung: Alfred Krugmann, Stuttgart
Druck: Müller + Bass, Tübingen
Verarbeitung: Nädele, Nehren
Printed in Germany

ISSN 0941-8105
ISBN 3-8233-4956-2

Inhalt

6

Der Blick auf die Texte

Der Blick auf die Disziplin

Vorwort

Für Studentinnen und Studenten des Faches Übersetzen stellt sich die wissenschaftliche Beschreibung ihres Studieninhalts am Anfang recht unübersichtlich und komplex dar. Bei einer „Einführung in die Übersetzungswissenschaft" ist die oft unvereinbare Begrifflichkeit der verschiedenen aktuellen „Schulen" der Übersetzungstheorie auffällig, die doch alle den Anspruch haben, das Gleiche, den Vorgang der Umsetzung eines Textes in eine andere Sprache, zu beschreiben. Dieses schillernde Bild wird durch das weitgehend unverbundene Nebeneinander der deutschen Übersetzungswissenschaft und von Forschungsansätzen aus anderen westeuropäischen Ländern, Nordamerika und Osteuropa, noch unklarer.

Daß hier für Studienanfänger ein gewisser Klärungsbedarf besteht, macht das Erscheinen mehrerer Überblicksversuche in der ersten Hälfte der neunziger Jahre deutlich. In der vorliegenden völlig neu bearbeiteten und stark erweiterten Auflage der „Einführung" wurden zwischenzeitlich erfolgte Weiterentwicklungen, einige bisher übersehene Strömungen und Perspektivenverschiebungen sowie neuere Literatur aufgenommen.

Die Komplexität wird besonders deutlich, wenn man Festschriften oder Kongreßakten durchsieht, die ja Beiträge von Wissenschaftlern unterschiedlicher Provenienz enthalten, die einander oft auch direkt wiedersprechen. In den einzelnen Theorien wird jeweils meist ein Gedanke besonders hervorgehoben, der an anderer Stelle zu wenig oder noch nicht gesehen worden war. Problematisch ist dann allerdings der Versuch, eine Einzelerkenntnis zum Dreh- und Angelpunkt einer allgemeinen Übersetzungstheorie zu machen. Das Erscheinungsbild einer Wissenschaft zeigt nach außenhin wenig Konturen, wenn sich in ein und demselben Sammelband zum Thema „Übersetzen" die Einzelbeiträge unversöhnlich gegenüberstehen. Dies mag mit ein Grund dafür sein, daß das Übersetzen außerhalb des Kreises der damit unmittelbar Befaßten zuweilen eher geringschätzig betrachtet worden ist.

Der interdisziplinäre Charakter der Wissenschaft vom Übersetzen, die mit unterschiedlichen Nachbardisziplinen in Kontakt steht, ist ein weiterer Grund für die Vielfalt der theoretischen Ansätze und damit auch für die Uneinheitlichkeit im Begriffsapparat. Die Fortentwicklung der noch relativ jungen Disziplin führte nicht zu einer allmählichen Herausbildung einer allgemeinen Übersetzungstheorie. Vielmehr wurden und werden ständig neue „Ansätze" entwickelt. Die fortschreitende Differenzierung der Wissenschaft bringt dabei eine Differenzierung der Wissenschaftssprache mit sich. So gilt, daß einerseits

Ähnlichkeiten zwischen verschiedenen Modellen nicht notwendig auch Übereinstimmung in der Sache und andererseits neue Terminologien nicht auf jeden Fall auch neue Erkenntnisse beinhalten.

Die Entwicklung verlief keineswegs geradlinig, sondern eher wie eine Spirale, immer wieder aus einem anderen Blickwinkel um dieselben Fragen kreisend. Viele Gedanken wurden unabhängig voneinander oft gleichzeitig geäußert, weil andere Denkrichtungen nur ungenügend zur Kenntnis genommen wurden. Andererseits wurden fremde Einsichten bei der Einarbeitung in eigene Überlegungen häufig anders bewertet, und führten dann neben begrifflicher Umdeutung auch zu neuen Schlußfolgerungen. Die Orientierung hier zu erleichtern ist ein Anliegen des vorliegenden Studienbuches, indem Querverbindungen und Berührungspunkte der verschiedenen Übersetzungstheorien hervorgehoben werden.

Theorie ist der Versuch, die vielfältigen Strukturen und Zusammenhänge eines konkreten Sachverhalts in einem abstrakten Modell darzustellen, so daß eine Problematik klar hervortritt. Doch allein die Bezeichnungen des Forschungsgegenstandes variieren zwischen Ausdrücken wie (dt.) *Übersetzungswissenschaft, Übersetzungstheorie, Translationslinguistik, Translationswissenschaft, Translationstheorie, Translatologie, Translatorik*, (engl.) *theory of translation, translation theory, translation science, translation studies, translatology*, (frz.) *traductologie, translatistique, théorie de la traduction*, (it.) *teoria della traduzione*, (sp.) *traductología, teoría de la traducción*, (pg.) *teoria da tradução*. Die Konkurrenz zwischen „Übersetzungstheorie" und „Übersetzungswissenschaft" zeigt außerdem, daß noch nicht entschieden ist, ob es sich hier um eine allgemeine, reine Theoriediskussion handelt oder vielmehr um eine angewandte Sprachwissenschaft, welche die Verbesserung konkreter Übersetzungsleistungen zum Ziel hat.

Gleiche Benennungen werden in den Geisteswissenschaften oft unterschiedlich definiert, mit anderen Inhalten versehen, ja sie wandern auch zwischen den Disziplinen. Daher wird ein wissenschaftlicher Begriff vor allem im Rahmen seiner Entstehung und seines geisteswissenschaftlichen Hintergrunds richtig verstanden. Umgekehrt sind für den Kenner der Materie die Begriffsbenennungen für sich schon ein Indiz dafür, um welche „Schule" es sich gerade handelt. So zeigt sich ein Unterschied der wissenschaftlichen Herkunft, wenn etwa vom „Übersetzer", vom „zielsprachlichen Sender" oder vom „Translator" die Rede ist. Das vorliegende Studienbuch möchte hier eine Orientierung bieten, indem Herkunft und Inhalt von Kernbegriffen erläutert und verbreitete Übersetzungstheorien vorgestellt werden. Zu diesem Zweck werden die ausgewählten theoretischen Ansätze bewußt mit reichlichen Originalzitaten vorgestellt, um die jeweilige Diktion erkennbar werden zu lassen. Damit soll der Zugang zu den Haupttexten der vorgestellten Richtungen erleichtert werden, wobei diese jeweils am Kapitelende als „Lektürehinweise" genannt sind.

Fragt man sich also, worin denn – kurz gefaßt – die wesentlichen Unterschiede zwischen den heute gängigsten Übersetzungstheorien liegen, so wird deutlich, daß kaum jemand eine klar umrissene, stringente Theorie als solche entworfen hat. Vielmehr wurde die eigene Vorstellung meist in der Diskussion konkreter Übersetzungsprobleme und nach ausführlicher kritischer Würdigung anderer Ansichten mehr oder weniger implizit mit zum Ausdruck gebracht. Kernfragen wie die Übersetzbarkeit überhaupt, die Übereinstimmung zwischen Textvorlage und Übersetzung, die Wirkung des Übersetzungstextes als einzelner sowie im Rahmen einer Nationalliteratur, konzentrieren jeweils eine Wolke unterschiedlicher Kommentare, Analysen und kritischer Darstellungen um sich, die oft genug die Verwirrung eher noch steigern, weil der eigene Standpunkt nicht klar genug definiert wird. Dies gilt auch für die wiederholten Versuche einer Aufarbeitung der Geschichte des Übersetzens, weil auch hier nicht nach „Schulen" differenziert wurde, sondern wiederum die Meinungen verschiedener Autoren zu wesentlichen Übersetzungsproblemen zusammengetragen und undifferenziert miteinander verglichen wurden.

Es gibt gewisse Grundtendenzen im Denkansatz, die herausgearbeitet werden können. Diese verständlich zu machen dient dem Bestreben, ein gewisses Vorverständnis für die Lektüre einschlägiger Werke zu entwickeln. So läßt sich in einem Überblick über die neueren übersetzungswissenschaftlichen Studien inzwischen ein gewisser Perspektivenwandel in der Problemdiskussion ausmachen.

Zunächst konzentrierte man sich auf die Sprachenpaare, die beim Übersetzen aufeinandertreffen und verglich deren Wort- und Satzstrukturen. Da aber nicht nur Wörter und Sätze, sondern Texte im Rahmen einer gesellschaftlichen Situation übertragen werden, wandte sich das wissenschaftliche Interesse produktorientiert alsbald mehr textlinguistischen Fragestellungen zu. Die Beobachtung der Vielschichtigkeit von Texten und die Einwirkung außersprachlicher Bedingtheiten hat schließlich den Blick auf die Übersetzerin und den Übersetzer selbst und prozeßorientiert auf deren Denken und Handeln gelenkt. Dabei wurden einerseits Handlungsmodelle entwickelt und andererseits auch der Versuch unternommen, das übersetzerische Denken zu analysieren, um so dem Prozeß auf die Spur zu kommen.

Zunächst geht es darum, die wichtigsten Forschungsrichtungen im einzelnen vorzustellen und zu erläutern. Nach Denkschulen geordnet werden die wesentlichen Ansatzpunkte und Grundaussagen wichtiger Autoren zum Übersetzen, ggf. mit Originaldefinitionen und Beispielen, vorgestellt und durch Angaben der wichtigsten Literatur zu jedem Kapitel ergänzt. Diese Literaturhinweise sind am Ende des Buches noch einmal in einer Gesamtbibliographie zusammengestellt. Quellenangaben zu speziellerer Literatur erscheinen in den

Anmerkungen. Kernbegriffe werden besonders hervorgehoben und erläutert. Während in den Naturwissenschaften das Erscheinungsdatum eines Beitrags auf dessen Aktualität schließen läßt, kann hier das Vorgehen nicht rein chronologisch erfolgen, da vieles gleichzeitig oder in partieller Auseinandersetzung entstanden ist. Dennoch ist natürlich auch eine gewisse zeitliche Weiterentwicklung ersichtlich.

Das vorliegende Studienbuch versucht, in die Vielfalt von mit einander konkurrierenden übersetzungstheoretischen Erörterungen eine gewisse Ordnung zu bringen, indem nach der Perspektive auf den Forschungsgegenstand (Sprachsystem, Text, Disziplin, Handlung, Übersetzer) unterschieden wird. Die Darstellung konzentriert sich absichtlich nicht auf einige wenige „Schule machende" Richtungen, denn der junge Wissenschaftler ist ja gerade mit der Vielfalt unterschiedlicher Ansätze konfrontiert. Und auch dem weniger anspruchsvollen „Neuling" muß nicht unbedingt die Anstrengung der eigenen kritischen Stellungnahme und Auswahl abgenommen werden. Eine strenge Trennung zwischen „Theoretikern" und „Didaktikern" erschien auch nicht sinnvoll, weil jeder sich als Didaktiker gerierende Autor stets auch implizit eine bestimmte Theorie vertritt (und um die geht es hier), und weil die meisten sog. Theoretiker insgeheim doch auch eine praktische Anwendung ihrer Theorie im Auge haben, sonst würden sie nicht stets ihre Modelle mit praktischen Textbeispielen ausschmücken. Praxis ohne Theorie ist funktionaler Leerlauf, und Theorie ohne Praxis ist tote Begrifflichkeit.

Die unterschiedlichen Herangehensweisen gegenwärtiger Übersetzungstheorien sowie deren Reichweite werden so deutlich gemacht und miteinander verglichen. Den Kapiteln ist jeweils ein kurzes Abstract zur Grundorientierung vorangestellt. Da in der Übersetzungswissenschaft die einzelnen Ansätze mit Autorennamen verbunden sind, werden diese in den Abschnittüberschriften genannt. Gelegentlich wird ein Ansatz auch in mehreren aufeinanderfolgenden Abschnitten behandelt. Am Ende jeden Kapitels erscheint ein kurzer Kommentar, welche die Leser und Leserinnen zu kritischer Distanz und zusammenfassendem Nachdenken anregen sollen.

Diese Einführung ist gedacht als erste Orientierung im Bereich der Übersetzungstheorien für Studierende der Übersetzerstudiengänge, der Philologien sowie für Praktiker, die schon immer einmal wissen wollten, was denn Übersetzungstheorie eigentlich soll. Allerdings ersetzt die Lektüre dieser Einführung nicht das Studium der Originale. Weil eine solche Einführung naturgemäß plakativ und verkürzend ist, möchte dieses Studienbuch zu selbständigem Weiterforschen anregen.

Darmstadt, im Juli 1997 R. Stolze

1 Zur Vorgeschichte

> Frühe Äußerungen zur Übersetzungstheorie dienen der Rechtfertigung der eigenen Arbeit und erläutern einzelne Übersetzungsprobleme. Römische Übersetzer wollten ihre Muttersprache bereichern. Zentral war jahrhundertelang die Dichotomie von wörtlicher und sinngemäßer Übersetzung, von Treue und Freiheit. Der Ausgangstext galt als 'heiliges Original'.

1.1 Der Begriff Übersetzung

Solange Menschen verschiedene Sprachen sprechen, gehört das Dolmetschen und Übersetzen zu den unentbehrlichen Bemühungen um die Überwindung der Sprachbarriere – im politischen wie im wirtschaftlichen Verkehr, bei machtpolitischer Expansion wie beim friedlichen Reisen, aber vor allem bei der Übermittlung von Philosophie, Wissenschaft und Literatur.

Doch was ist eigentlich „Übersetzen"? Nach dem Brockhaus[1] in der 16. Auflage von 1957 ist es die *„die Übertragung von Gesprochenem oder Geschriebenem aus einer Sprache in eine andere"*. In der Encyclopaedia Britannica[2] heißt es ähnlich:

> *translation,* the act or process of rendering what is expressed in one language or set of symbols by means of another language or set of symbols.

Jene unbestimmte Definition war freilich bald überholt. In der nächsten Auflage des Brockhaus von 1974[3] hieß es schon:

> *Übersetzung,* die Übertragung von Gesprochenem oder Geschriebenem aus einer Sprache (Ausgangssprache) in eine andere (durch einen Übersetzer oder Dolmetscher).

---

[1] Der Große Brockhaus, 16. Auflage, Wiesbaden 1957, Band XI, S. 714.
[2] Vgl. Micropaedia 1973, vol. 10, p. 93. In der Makropaedia wird die Übersetzung nicht einmal eines eigenen Artikels gewürdigt, sondern nur in einem sprachbezogenen Beitrag erwähnt.
[3] Brockhaus Enzyklopädie, 17. Auflage, Wiesbaden 1974, 19. Band, S. 172. – So auch im „Großen Brockhaus in 12 Bänden", 18. Auflage 1977-1981, Bd. 11, S. 562.

Dabei ist die Gefahr einer Bedeutungsverschiebung dort am geringsten, wo die Wiss. bereits durch eine einheitl. Terminologie die beste Vorarbeit für eine Ü. geleistet hat: die eindeutige Zuordnung der Wörter zu den gemeinten Sachen oder Vorstellungen. (...)

In Meyers Enzyklopädischem Lexikon[4] von 1979 wird dann unterschieden:

Die *Übersetzung* ist die Wiedergabe eines Textes in einer anderen Sprache. Sie ist Form der schriftlichen Kommunikation über Sprachgrenzen hinweg im Gegensatz zur aktuellen, mündlichen Vermittlung des Dolmetschers.

In der jetzt aktuellen Brockhaus Enzyklopädie[5] lesen wir:

1. Computerlinguistik: das Übersetzen eines größeren gesprochenen oder geschriebenen Sprachkomplexes aus einer natürl. Sprache (Quellsprache) in eine andere (Zielsprache) mit Hilfe eines Computers. Man unter scheidet dabei grundsätzlich zw. (voll-)automat. maschineller Ü. und maschinen- oder computerunterstützter Ü. (...)
2. Philologie: schriftl. Form der Vermittlung eines Textes durch Wiedergabe in einer anderen Sprache unter Berücksichtigung bestimmter Äquivalenzforderungen. Zu differenzieren sind einerseits die interlinguale (Ü. von einer Sprache in eine andere), die intersemiot. (Ü. von einem Zeichensystem in ein anderes, z. B. vom Text ins Bild) und die intralinguale Ü. (Ü. von einer Sprachstufe in eine andere, z. B. vom Althochdeutschen ins Neuhochdeutsche, vom Dialekt in die Standard- oder Hochsprache), andererseits umfaßt der Oberbegriff die unterschiedlichsten Typen von Ü., z. B. Glossen, Interlinearversion, Übertragung (Bearbeitung), Nachdichtung (Adaption) oder auch Neuvertextung (z. B. Filmsynchronisation). (...)

In den verschiedenen Bezeichnungen des Übersetzens als „Übertragung", „Wiedergabe", „Nachdichtung" oder „Form der Kommunikation" deutet sich schon an, daß die Auffassung von dem, was Übersetzer und Übersetzerinnen seit Jahrhunderten leisten, bis heute durchaus nicht einheitlich ist. Die Bezeichnungen für die schriftlich fixierte Übersetzerarbeit und die spontane mündliche Sprachmittlung, die wir heute Dolmetschen nennen, variieren in den verschiedenen Sprachen erheblich, sowohl in der oft exotischen Etymologie als auch in der Verwendung.

Dafür ist gerade das deutsche Wort *Dolmetschen* ein Paradebeispiel: Seinen Ursprung hat es wahrscheinlich im 2. Jahrtausend vor Christus in der kleinasiatischen Mitannisprache *(talami),* und von dort stammt das nordtürkische Wort *tilmaç* mit der Bedeutung „Mittelsmann, der die Verständigung

---

[4] Meyers Enzyklopädisches Lexikon, Mannheim/Wien/Zürich 1979, Bd. 24, S. 76.
[5] Brockhaus Enzyklopädie, 19. Auflage, Wiesbaden 1974-1994, 22. Band (1994), S. 542f.

zweier Parteien ermöglicht, die verschiedene Sprachen reden"; über das Magyarische gelangt dieses dann ins Mittelhochdeutsche und erscheint im 13. Jh. als *tolmetsche*.[6] In Martin Luthers berühmtem „Sendbrief vom Dolmetschen" aus dem Jahre 1530 ist dagegen von schriftlicher Übertragung die Rede, und Friedrich Schleiermacher unterschied 1813 zwischen der Arbeit des Dolmetschers als dem eher mechanischen Übertragen für den Bedarf des Geschäftslebens, und dem „eigentlichen Übersetzer vornämlich in dem Gebiete der Wissenschaft und Kunst".[7]

Heute bezeichnen wir mit „Dolmetschen" nur noch die mündliche Übertragung gesprochener Mitteilungen. Als „Konferenzdolmetschen" bezeichnet man die Tätigkeit der Sprachmittler auf internationalen Konferenzen, die meist in Form des „Simultandolmetschens" in einer Dolmetschkabine geschieht, wobei sich jeweils zwei Dolmetscher regelmäßig abwechseln. Das „Konsekutivdolmetschen" ist demgegenüber die Aufgabe, eine Rede in der Fremdsprache anzuhören, sich deren Inhalt und Aufbau zu merken, um sie hernach zusammenhängend in der eigenen Sprache wiederzugeben. Hierzu wird meist eine bestimmte „Notizentechnik" verwendet. Beim „Gesprächsdolmetschen" oder „Verhandlungsdolmetschen" geht es darum, in kleinen Gruppen oder bei Besprechungen Rede und Gegenrede dialogisch hin und her zu dolmetschen.

Das „Übersetzen" als schriftliche Übertragung unterscheidet sich vor allem dadurch vom Dolmetschen, daß die Textvorlage längere Zeit zur Verfügung steht und der Übersetzungstext nach einem ersten Entwurf überarbeitet werden kann. Während es beim Dolmetschen vor allem um zwischenmenschliche Verständigung geht, steht beim Übersetzen Genauigkeit und Wirkung der übermittelten Botschaft im Vordergrund. Die nachfolgend vorgestellten Theorien beziehen sich nur auf das Übersetzen, denn die Dolmetschwissenschaft ist ein eigenständiger Forschungsbereich.

1.2 Die historische Rolle der Übersetzer

Die ältesten erhaltenen Übersetzungen reichen bis ins 3. Jahrtausend v. Chr. zurück (altbabylonische Inschriftentafeln religiösen Gehalts in sumerischer und akkadischer Sprache). Jahrtausendelang dominierte – neben Texten wissenschaftlichen und administrativen Charakters – die Übersetzung der religiösen Literatur.

---

[6] Vgl. Eintrag „Dolmetsch" in F. KLUGE, Etymologisches Wörterbuch der deutschen Sprache, Berlin: Walter de Gruyter [19]1975, S. 137.

[7] F. SCHLEIERMACHER (1813): „Ueber die verschiedenen Methoden des Uebersezens". In: STÖRIG (1969:38-70), S. 39.

Die politische Bedeutung des Übersetzens zeigt das „Dolmetscherrelief" in einem ägyptischen Edlengrab[8], nämlich des Statthalters Haremhab in Memphis. Solche Gaugrafen leiteten große Expeditionen ins Ausland, hatten hohe Ämter in der Landesverwaltung inne, unterhielten die Handelsbeziehungen mit den benachbarten Volksgruppen. Sie führten ehrenvolle Titel, wie etwa „Präfekt von Oberägypten", „Siegelbewahrer des Delta-Königs", oder auch „Vorsteher der Dolmetscher" (KURZ 1986:73).

Das Bild zeigt auch etwas über den sozialen Status des Dolmetschers. Er ist in der Mitte des Bildes in Doppelgestalt als Hörender und als Redender abgebildet. In Altägypten wurde der Ehrentitel „Mensch" nur den eigenen Leuten zugebilligt, Fremdvölker galten schlicht als „elende Barbaren" (KURZ 1986:73), ähnlich wie auch bei den Griechen, und sind deshalb im Bild kleiner dargestellt. So ergibt sich die Kommunikationsrichtung von oben nach unten, was auch auf den Dolmetscher abfärbt. Er ist als bloßer Handlanger viel kleiner als der Gaugraf, ja sogar noch kleiner als die Ausländer, obwohl er mit denen auf gleicher Stufe redet. Dolmetschen ist eben nur eine Dienstleistung für die Verständigung, keine Tätigkeit eigenen Rechts, und zudem verdächtig.[9] Erst in dem Maße, wie Vorurteile und Mißtrauen gegenüber fremden Völkern abgebaut werden und die Kommunikation sich auf Gleichberechtigte einpendelt, wird auch die Stellung des Dolmetschers aufgewertet. Ein Dolmetscher oder Übersetzer durfte damals nicht eigenmächtig handeln. Am 3. August 1546 wurde deshalb Étienne Dolet an seinem 38. Geburtstag in Paris auf dem Scheiterhaufen hingerichtet und seine Übersetzungen verbrannt.[10]

Bis heute liegt noch keine Gesamtgeschichte des Übersetzens vor.[11] Die unermeßliche Fülle der Übersetzungen wurde und wird meist in der Stille der

---

[8] Vgl. Ingrid KURZ (1986): „Das Dolmetscher-Relief aus dem Grab des Haremhab in Memphis. Ein Beitrag zur Geschichte des Dolmetschens im alten Ägypten." In: *Babel* 2/1986, 73-77. – Das Relief zeigt einen Dolmetscher in zweifacher Haltung: einmal zum doppelt so großen Statthalter hingewendet, von dem er die Befehle entgegennimmt, die jener im Auftrag des Pharao ausspricht, dann zu den knienden Fremden gewendet, denen er die Botschaft weitersagt. Sie hatten den Pharao um Schutz gegen Eindringlinge gebeten. – Das Relief befindet sich heute im Rijksmuseum von Outheden, Leiden.

[9] Man beachte das Diktum *traduttore traditore*.

[10] Er war Gelehrter, Humanist und Übersetzer, und wurde wegen eines Zusatzes in seiner französischen Übertragung eines Platon-Dialogs von der theologischen Fakultät der Sorbonne zum Tode verurteilt. Durch die Wörter *rien du tout*, die nicht im Original erkennbar seien, stelle er die Unsterblichkeit der Seele in Frage und sei somit ein Ketzer. Er hatte übersetzt, nach dem Tode eines Menschen gäbe es „überhaupt nichts" mehr. – Vgl. E. CARY (1963): *Les grands traducteurs français*. Genève, S. 13f. – Vgl. auch Mary SNELL-HORNBY (1991). Übersetzungswissenschaft: Eine neue Disziplin für eine alte Kunst?. In: *MDÜ 1/1991*, 4-10.

[11] Vgl. jedoch neuerdings: Hans J. VERMEER (1992): *Skizzen zu einer Geschichte der Translation*. Frankfurt am Main. Band 1: Anfänge - von Mesopotamien bis Griechen-

Anonymität angefertigt. Dennoch sind Übersetzungen von allergrößter Bedeutung gewesen für die Erfindung der Schriften, die Entwicklung der Nationalsprachen und das Entstehen nationaler Literaturen, für die Verbreitung von Wissen und die Ausbreitung politischer Macht, bei der Weitergabe der Religionen und der Übertragung kultureller Werte, beim Verfassen von Wörterbüchern seit der Antike, und nicht zuletzt als Dolmetscher in diplomatischer Mission.

Heute gilt der Übersetzer- und Dolmetscherberuf als hochqualifizierte Tätigkeit, und die Leistung der Übersetzer über die Jahrhunderte wurde inzwischen auch in einem von der Unesco geförderten Buch gewürdigt.[12]Und Johann Wolfgang v. Goethe[13] hatte schon angemerkt:

> Wer die deutsche Sprache versteht und studiert befindet sich auf dem Markte, wo alle Nationen ihre Waren anbieten, er spielt den Dolmetscher, indem er sich selbst bereichert. Und so ist jeder Übersetzer anzusehen, daß er sich als Vermittler dieses allgemein geistigen Handels bemüht, und den Wechseltausch zu befördern sich zum Geschäft macht. Denn, was man auch von der Unzulänglichkeit des Übersetzens sagen mag, so ist und bleibt es doch eins der wichtigsten und würdigsten Geschäfte in dem allgemeinen Weltwesen.

1.3 Die griechisch-römische Antike als Übersetzungsepoche

Die griechisch-römische Antike ist für uns die erste historisch greifbare Übersetzungsepoche. In ihr haben sich bestimmte übersetzerische Grundkonzeptionen erstmals herausgebildet, die auch für die Folgezeit Gültigkeit behalten sollten, ja teilweise bis heute ausgeübt werden. Zugleich aber unterscheidet sich die antike Übersetzungspraxis grundsätzlich von der modernen. Die Rezeption der Griechen durch die Römer[14] diente auch dem Zweck, das Lateinische als Sprache zu bereichern, es literaturfähig zu machen, die im Griechi-

---

land; Rom und das frühe Christentum bis Hieronymus, Band 2: Altenglisch, altsächsisch, Alt- und Frühmittelhochdeutsch.

[12] *Translators through History*. Edited and directed by Jean DELISLE and Judith WOODSWORTH. Amsterdam/Philadelphia 1995.

[13] Brief vom 20. Juli 1827 an Thomas Carlyle. Zit. nach SNELL-HORNBY (1991:5) mit Verweis auf Reinhard TGAHRT (Hrsg.) (1982): *Weltliteratur. Die Lust am Übersetzen im Jahrhundert Goethes*. Katalog zur Ausstellung des Deutschen Literaturarchivs im Schiller-Nationalmuseum Marbach am Neckar, München: Kösel, S. 9.

[14] Die Geschichte dieser Rezeption beginnt mit Livius Andronicus, der im 3. Jh. v. Chr. die homerische 'Odyssee' ins Lateinische übersetzte.

schen schon vorhandenen literarischen Gattungen auf dem Wege der Übersetzung zu gewinnen (vgl. SEELE 1995:4).

Anfangs, in der archaischen Zeit, werden die griechischen Vorbilder experimentierend und bezogen auf den Textinhalt oft frei angeeignet. „Die römischen Komödiendichter waren sich durchaus ihrer Entfernung von den griechischen Vorlagen bewußt und formulierten auch explizit das Postulat der Wirkungsäquivalenz. Zeugnis hierfür sind insbesondere die Prologe des Terenz" (SEELE 1995:7). Die antiken Übersetzer wetteiferten mit ihren Originalen, amplifizierten oder reduzierten sie, modifizierten die Semantik ihres Ausgangstextes, wenn dies im eigenen oder im Interesse ihrer Leser lag. Dies konnte bis zur Parodie gehen. Daß ein und derselbe Text in mehreren Übersetzungen durch verschiedene Übersetzer je andersartig ausfällt, ist dabei eine Erfahrungstatsache.[15]

Eine stärkere Selbstreflexion römischer Übersetzer tritt erst in der klassischen Zeit auf, als die römischen Autoren sich in ihren Originalwerken mehr von den Vorbildern lösten, und umgekehrt sich in den Übersetzungen stärker um genaue Nachbildung bemühen konnten. Der wichtigste Übersetzer der klassischen Zeit war Cicero. Er übersetzte seine Vorlagen in der Regel mit starkem literarischem Gestaltungs- und oft Überbietungswillen, was durch das literarkritische Konzept der *aemulatio*, der konkurrierenden Nachbildung bedingt ist. Seine theoretischen Reflexionen über das Übersetzen sind von starkem patriotischem Selbstbewußtsein getragen. So warnt Cicero stets vor allzu sklavischer Nachahmung des originalen Wortlauts. In aller Schärfe faßte er die Antithese „*non ut interpres sed ut orator"*, man orientiere sich als Übersetzer nicht wie ein Ausleger am Wortlaut der Vorlage, sondern wie ein Redner an seinen Hörern.

---

[15] Dies zeigt die schöne Legende von der Entstehung der 'Septuaginta' (= LXX), der ca. 247 v. Chr. unter Ptolemaios II. Philadelphos von Ägypten angeblich von 72 Übersetzern auf der Insel Pharos angefertigten Übersetzung des Alten Testaments in das vom alexandrinischen Judentum gesprochene Griechisch. Es gilt als ein die Autorität des Textes bezeugendes Wunder, daß alle siebzig Übersetzer einen identischen Text geliefert haben sollen. – Nach dem *Aristeasbrief* (Aristeae Epistula, ed. Wendland 1900) läßt der König jüdische Übersetzer kommen, um den Pentateuch für die Alexandrinische Bibliothek zu übersetzen. Der Hohepriester von Jerusalem schickt 72 Männer, je 6 aus jedem der zwölf Stämme. Auf der Insel Pharos erstellen sie in 72 Tagen eine Übersetzung, die von der jüdischen Gemeinde anerkannt wird. „Sie soll als unantastbar gelten: verflucht wird, wer etwas hinzusetzt, ändert oder wegläßt." Die Erzählung des Aristeas wird von anderen aufgenommen und weiter ausgesponnen. *Josephus* zitiert ihn genau, *Philo* (um 25 v. Chr. - 40 n. Chr.) aber „macht die Übersetzung zu einem Werk göttlicher Inspiration, die Übersetzer zu Propheten: völlig getrennt arbeitend gelangen sie zu einer wörtlich übereinstimmenden Übersetzung. Seiner Auffassung folgen die christlichen Kirchenväter, die auf das ganze Alte Testament ausdehnen, was Aristeas nur vom Gesetz erzählt hatte." (WÜRTHWEIN: *Der Text des Alten Testaments*. Stuttgart 1966, S. 52).

Er forderte also nicht wörtliche Abbildung, sondern sinngemäße Wiedergabe. Gleichzeitig aber bemüht er sich insbesondere auf der Ebene des Wortschatzes um möglichst präzise Umsetzung der philosophischen Terminologie der Griechen und legt darüber in zahlreichen Äußerungen übersetzerischer Selbstreflexion Rechenschaft ab.[16] Die nachklassische Zeit hat dem nicht viel hinzuzufügen.

Grundsätzlich neue Gedanken fügt der übersetzungstheoretischen Tradition erst die christliche Ära der Spätantike hinzu. Hier wird nach der Autorität von Texten unterschieden. Wichtig war insbesondere die berühmte Epistel des Hieronymus (348-420) an Pammachius[17], wo der lateinische Bibelübersetzer einräumt:

> Ich gebe es nicht nur zu, sondern bekenne es frei heraus, daß ich bei der Übersetzung griechischer Texte – abgesehen von den Heiligen Schriften, wo auch die Wortfolge ein Mysterium ist – nicht ein Wort durch das andere, sondern einen Sinn durch den anderen ausdrücke; und ich habe in dieser Sache als Meister den Tullius (Cicero) (...).

Diese spezielle Problematik der Übersetzung der Bibel, in der schon die Wortstellung ein (unantastbares) Mysterium sei, sollte freilich auch die Übersetzer weltlicher Literatur beeinflussen. Nachdem nämlich die Übersetzer biblischer Schriften durch ihr gewissenhaftes Bemühen um adäquate Nachbildung der Originale das sprachliche Instrumentarium geschaffen hatten, konnten auch die Übersetzer weltlicher Schriften sich um ausgangssprachlich genaues Übersetzen bemühen. Weittragende Übersetzungsverfahren sind entwickelt worden. Man kann feststellen,

> daß der antike Übersetzer sich vor eine ganz ähnliche Typologie von Übersetzungsschwierigkeiten gestellt sah wie der moderne: vor lexikalische Lücken, semantische Ambivalenzen, divergierende Sprachsysteme, unübersetzbare Idiomatismen, Bilder und Metaphern, metrische Zwänge, glossierungsbedürftige Stellen usw.
> Auch wenn der antike Übersetzer sich bei der Übersetzung ganzer Texte oft unbefangen über solche Schwierigkeiten hinwegsetzte, so hat er doch zumindest punktuell schon ein weites Spektrum von Lösungsmöglichkeiten erarbeitet (SEELE 1995:17).

---

[16] Für eine sinngemäße Wiedergabe der griechischen Vorlage anstelle einer sklavisch-wörtlichen plädiert Cicero in der Schrift 'De optimo genere oratorum' und in den Prologen zu 'De finibus' und den 'Academici libri' (vgl. SEELE 1995:115).

[17] In STÖRIG (1969:1-13), hier S. 1. – Doch auch schon vor der 'Vulgata', der Bibelübersetzung des Hieronymus, hatte es seit dem 2. Jh. n. Chr. sporadisch lateinische Überset-

20

BEISPIEL

Nachstehend werden einige Übersetzungsverfahren der Antike genannt (vgl. SEELE 1995:24ff):

Im Umgang mit der **lexikalischen Lücke,** dem Fehlen eines passenden Ausdrucks in der Zielsprache, haben die Übersetzer verschiedene Strategien entwickelt:

1. das Übersetzungslehnwort *(exprimi verbum e verbo)*, das in der Regel einen zielsprachlichen Neologismus darstellt. So wurde der lateinische Wortschatz erweitert, indem Worbildungsgesetze imitiert und nach Analogie der griechischen Komposita lateinische Zusammensetzungen geformt wurden: *omnipotens, altivolans, altisonus.* Auch in der deutschen Übersetzung der Odyssee finden wir solche Ausdrücke: *die schönäugige Jungfrau Nausikaa, dir rosenfingrige Morgenröte.* Produktiv sind auch die Zusammensetzungen mit Präfix: $\alpha\nu\epsilon\varphi\epsilon\lambda o\varsigma$ - *innubilus - wolkenlos.*

2. Bei Bedeutungslehnwörtern wurden bereits existente lateinische Wörter mit neuen Bedeutungen gefüllt, so wenn z. B. griechische Götternamen *(Eρμειας)* durch lateinische ersetzt wurden *(Mercurius).*

3. Manchmal wurden lexikalische Lücken auch geschlossen, indem das griechische Wort einfach als Fremdwort, als Exotismus in den lateinischen Text aufgenommen wurde,

4. oder mit mehreren lateinischen Wörtern umschrieben wurde (Paraphrase). *(Quod uno Graeci ... idem pluribus verbis exponere).*

1.4 Verdeutschende Übersetzung

Der deutsche Bibelübersetzer Martin Luther (1483-1546) entschied sich dann sogar bei der Heiligen Schrift für die freiere Formulierung: „rem tene, verba sequentur" (erfasse die Sache, dann folgen die Worte von selbst). Für ihn war es wichtig, daß der Übersetzer eine innere Nähe zum Gegenstand der Aussage hat und ein sensibles Sprachgefühl für den Rhythmus und die Melodie des Textganzen, damit die Übersetzung auch die rechte Wirkung erzielen kann. Bei seiner zehnjährigen Arbeit an der Psalmenübersetzung wünschte er sich z. B. eine hebräische Stilkunde, die über die von ihm verwendete reine Grammatik und das Lexikon Reuchlins hinausgehen würde. In seinem „Sendbrief

zungen aus der 'Septuaginta', sowie aus dem Neuen Testament gegeben. – Vgl. B. REICKE, in: *Lexikon der Alten Welt,* S. 3223f. s. v. 'Vetus Latina'.

vom Dolmetschen" (1530)[18] verteidigt er sein Vorgehen mit vielen Beispielen gegen Kritiker, die ihm eine zu freie Übersetzung vorwarfen.

BEISPIEL

Martin Luther erklärt: „So wenn Christus spricht: *'Ex abundantia cordis os loquitur'* [Matth. 12, 34]. Wenn ich den Eseln soll folgen, die werden mir die Buchstaben vorlegen und so dolmetschen: *aus dem Überfluß des Herzens redet der Mund.* Sage mir: ist das deutsch geredet? Welcher Deutsche verstehet solches? Was ist Überfluß des Herzens für ein Ding? Das kann kein Deutscher sagen, es sei denn, er wollte sagen es bedeute, daß einer ein allzu groß Herz habe oder zu viel Herz habe; wiewohl das auch noch nicht recht ist. Denn 'Überfluß des Herzens' ist kein Deutsch, so wenig als das Deutsch ist: Überfluß des Hauses, Überfluß des Kachelofens, Überfluß der Bank, sondern s o redet die Mutter im Haus und der gemeine Mann: *Wes das Herz voll ist, des gehet der Mund über.* Das heißt gutes Deutsch geredet, des ich mich beflissen und leider nicht allwege erreicht noch getroffen habe" (S. 21ff).

Von Luther stammt auch die Bezeichnung „Verdeutschen". Er umreißt sein Übersetzungsprinzip folgendermaßen[19]:

> man mus die mutter jhm hause / die kinder auff der gassen / den gemeinen mann auff dem marckt drumb fragen / und den selbigen auff das maul sehen / wie sie reden / und darnach dolmetzschen / so verstehen sie es den / und mercken / das man Deutsch mit jn redet.

Eine solche Übersetzung ist sinngemäß, „frei". Natürlich kann eine solche Einstellung immer auch zu Fehlleistungen führen, wie das gängige Diktum „traductions – les belles infidèles" andeutet[20]. Dagegen wirkt eine Übersetzung, die sich wort„getreu" an der Form der Vorlage orientiert, „verfremdend", weil sie für den zielsprachlichen Leser befremdlich, fremdartig wirkt. Es ist nicht „seine Sprechweise". Aus diesem Spannungsverhältnis ist das Bedürfnis nach der Festlegung gültiger Maximen des Übersetzens entstanden.

   Wie ein roter Faden zieht sich seither die Auseinandersetzung über die Methode der übersetzerischen Tätigkeit durch die Geschichte der Übersetzungstheorie. Im deutschen Sprachraum hat sie sich in den beiden einander

---

[18] In STÖRIG 1969:14-32.
[19] Zit. nach KOLLER 1992:39; (modern in STÖRIG 1969:21).
[20] Übersetzungen sind angeblich wie Frauen: Manche sind zwar „schön", dem Original aber „untreu" geworden. Vgl. die einschlägige französische Literatur, etwa im Sinne von Pierre Leyris: „La traduction de poèmes c'est comme les femmes, quand elles sont belles, elles ne sont pas fidèles, quand elles sont fidèles, elles ne sont pas belles" (MOUNIN 1967).

diametral gegenüberstehenden Grundforderungen nach „wörtlicher, getreuer, verfremdender Übersetzung" einerseits und nach „freier, eindeutschender Übersetzung" andererseits verdichtet. Hiernonymus nennt das Dilemma[21]:

> Es ist schwierig, nicht irgend etwas einzubüßen, wenn man einem fremden Text Zeile für Zeile folgt, und es ist schwer zu erreichen, daß ein gelungener Ausdruck in einer anderen Sprache dieselbe Angemessenheit in der Übersetzung beibehält. Da ist etwas durch die besondere Bedeutung eines einzigen Wortes bezeichnet: in meiner Sprache habe ich aber keines, womit ich es ausdrücken könnte, und, während ich den Sinn zu treffen suche, muß ich einen langen Umweg machen und lege kaum ein kurzes Wegstück zurück.

In diesen frühen Äußerungen zum Übersetzen folgte praktisch die Theorie aus der Praxis als deren Begründung. Solche einzelfallbezogenen Hinweise dokumentierten die Übersetzungsschwierigkeiten des jeweiligen Übersetzers und zeigten den von ihm gewählten Lösungsweg auf. Das ist aber noch keine Übersetzungstheorie.

Auf der Suche nach einer Regel des Übersetzens gab es immer wieder allgemein gefaßte Grundprinzipien, die freilich in ihrer Allgemeinheit wenig über das tatsächliche Vorgehen im Einzelfall aussagen. Im 18. Jh. ist Alexander TYTLER (1791) zu nennen. Als Grundvoraussetzungen für eine gute Übersetzung forderte er, was unwiderleglich ist: Kenntnis beider Sprachen, Einblick in die angesprochene Sache, Stilsicherheit und ein Verständnis der Mitteilungsabsicht des Autors. Das Verhältnis von Textvorlage und Übersetzung faßte er bündig zusammen[22]:

> I. That the Translation should give a complete transcript of the ideas of the original work. II. That the style and manner of writing should be of the same character with that of the original. III. That the translation should have all the ease of the original composition.

Kommentar

Seit jeher haben Übersetzungen zwischen den Völkern vermittelt. Frühe Übersetzer begründeten zwar ihre Methode, doch es gelingt noch nicht, das Übersetzen als eine spezifische Sprachverwendung theoretisch aufzufassen und wissenschaftlich zu beschreiben. Die zahlreichen Anmerkungen zum Übersetzen kreisen im Grunde immer um den grundsätzlichen Streit zwischen der abbildend-wörtlichen und der sinngemäß-übertragenden, also der „treuen" und

---

[21] In STÖRIG 1969:2.
[22] A. F. TYTLER (1791): *Essay on the principles of translation*. Ed. J. F. Huntsman. Amsterdam 1978, S. 16.

der „freien" Übersetzung, was vielleicht mit einzelnen Beispielen belegt wird, aber nicht stringent theoretisch begründet wird. Als Faustregel lehrte man lange Zeit, und im schulischen Fremdsprachenunterricht teilweise bis heute, man solle „so wörtlich wie möglich und so frei wie nötig übersetzen", wobei dies eigentlich ein Zirkelschluß ist. Man könnte also sagen, sobald die Praxis nicht mehr reibungslos funktioniert, entwickelt sich ein Bewußtsein von der jeweiligen Problematik. Einsichten werden beschreibend zusammengefaßt, jedoch handelt es sich hierbei noch nicht um eine Übersetzungstheorie.

Lektürehinweise

Werner KOLLER (1992): *Einführung in die Übersetzungswissenschaft.* 4. Auflage, Heidelberg; besonders Kapitel 1.2.
Astrid SEELE (1995): *Römische Übersetzer - Nöte, Freiheiten, Absichten.* Darmstadt.
Hans J. STÖRIG (Hrsg.) (1969): *Das Problem des Übersetzens.* Darmstadt;
    darin:
    Hieronymus: „Brief an Pammachius", S. 1-13.
    Martin Luther: „Sendbrief vom Dolmetschen" (1530), S. 14-32.

Der Blick auf die Sprachsysteme

2 Relativistisch orientierte Theorien

Die deutsche Romantik betonte den eigentümlichen Geist der Sprache und sah das Übersetzen künstlerischer Werke als nur unvollkommen möglich. Die Sprachinhaltsforschung betrachtet die Sprachen als geschlossene Systeme und gelangt zum linguistischen Relativitätsprinzip der unüberwindlichen Strukturverschiedenheit. Die Dekonstruktion untersucht die Sprachstrukturen als Spiegel des Unbewußten, der Wortsinn flottiert und ist nicht eindeutig übersetzbar.

2.1 Einheit von Sprache und Denken (Humboldt)

Bis ins 19. Jahrhundert galt nur das Übersetzen der Heiligen Schrift und literarischer Kunstwerke als anspruchsvolle Aufgabe, die eine theoretische Erörterung überhaupt lohnt. Für die heiligen Schriften galt weiterhin wegen der Unantastbarkeit der Wortfolge die Interlinearversion[23], und sonst legte eine allgemeine Übersetzungsmaxime eine Art idealer Treue zum Originaltext und zum Autor zugrunde: oberstes Gebot war stets, die Stimme des Autors zu Gehör zu bringen. Dahinter steckt aber eine bestimmte Vorstellung vom „Geist der Sprache", die besonders in der deutschen Romantik formuliert wurde.

Wegweisend für dies Denken war Wilhelm von HUMBOLDT (1767-1835), der in der Einleitung[24] zu seiner Übersetzung von Aeschylos' Agamemnon (1816) feststellt, ein solches Werk sei „seiner eigenthümlichen Natur nach" unübersetzbar (ebd.:80). HUMBOLDT sieht das Denken in Abhängigkeit von der Muttersprache: „Die Sprache ist gleichsam die äußerliche Erscheinung des Geistes der Völker; ihre Sprache ist ihr Geist und ihr Geist ihre Sprache, man kann sich beide nicht identisch genug denken."[25] Sich eine Sprache aneignen,

---

[23] Das ist eine zwischen die Zeilen geschriebene wörtliche Übersetzung, besonders in frühen mittelalterlichen Handschriften.

[24] Abgedruckt in STÖRIG 1969:71-96.

[25] W. v. HUMBOLDT: Über die Verschiedenheit des menschlichen Sprachbaues und ihren Einfluß auf die geistige Entwicklung des Menschengeschlechts. Mit einem Nachwort hrsg. v. H. Nette. Darmstadt 1949, S. 60f.

in eine Kultur hineinwachsen heißt, die Wirklichkeitsauffassungen und die Sprache, in der diese Kultur tradiert wird, zu übernehmen. Die Sprache ist kein beliebig austauschbares Anhängsel der Identität, sondern grundlegend für die je besondere Erfassung von Welt, für ihre Beschreibung und ihr Verstehen durch den einzelnen. Hierauf gründet die Vorstellung von der Unübersetzbarkeit, die natürlich besonders für dichterische Texte geltend gemacht wird. HUMBOLDT[26] sagt:

> Alles Übersetzen scheint mir schlechterdings ein Versuch zur Auflösung einer unmöglichen Aufgabe. Denn jeder Übersetzer muß immer an einer der beiden Klippen scheitern, sich entweder auf Kosten des Geschmacks und der Sprache seiner Nation zu genau an sein Original oder auf Kosten seines Originals zu sehr an die Eigentümlichkeiten seiner Nation zu halten. Das Mittel hierzwischen ist nicht bloß schwer, sondern geradezu unmöglich.

Der Grund für die Unmöglichkeit liegt in der Verschiedenartigkeit der Einzelsprachen, weil „kein Wort einer Sprache vollkommen einem in einer andren Sprache gleich ist", und dies gründet in der Identität von Sprache und Denken:

> Ein Wort ist so wenig ein Zeichen eines Begriffs, dass ja der Begriff ohne dasselbe nicht entstehen, geschweige denn fest gehalten werden kann; das unbestimmte Wirken der Denkkraft zieht sich in ein Wort zusammen, wie leichte Gewölke am heitren Himmel entstehen (Einleitung, S. 80).

HUMBOLDTS für die Übersetzungstheorie eher pessimistische Vorstellung, daß der Gedanke mit der Rede eins sei, hat fortgewirkt, wenn es im Großen Brockhaus von 1980[27] zum Übersetzen heißt:

> Wenn Sprache und Gehalt eine Ganzheit bilden – das gilt für dichter. Kunstwerke so gut wie für das alltäglich in individueller, bes. auch mundartlicher Färbung Gesprochene –, kann jede Ü. nur eine möglichst starke Annäherung an das Original sein. Freie Ü. oder Nachdichtung ist der Versuch, das Original im anderen sprachl. Medium gleichsam neu zu erschaffen.

---

[26] In einem Brief an August Wilhelm v. Schlegel vom 23.7.1976, zitiert nach KOLLER (1992:159f).

[27] Der Große Brockhaus in zwölf Bänden, 18. Auflage, Wiesbaden 1980, Band 11, S. 562.

2.2 Verfremdendes Übersetzen (Schleiermacher)

Der wohl wichtigste theoretische Beitrag zum Übersetzen im 19. Jh. stammt von HUMBOLDTS Zeitgenossen Friedrich SCHLEIERMACHER (1768-1834). In seiner Abhandlung „Ueber die verschiedenen Methoden des Uebersezens" von 1813[28] stellt SCHLEIERMACHER die Prinzipien dar, die seiner Platon-Übersetzung zugrunde lagen. Er reflektiert über die Schwierigkeit, den „Geist der Ursprache" in eine Übersetzung einzubringen, und hebt auf drei Unterscheidungen ab:

(1) Zunächst unterscheidet er Texte, in denen einfaches Berichten über einen Sachverhalt im Vordergrund steht, wie beispielsweise im Wirtschaftsleben, in Zeitungsartikeln, Reiseberichten usw., von solchen Texten, in denen „des Verfassers eigenthümliche Art zu sehen" (ebd.:40) zum Ausdruck kommt, nämlich in Kunst und Wissenschaft. Bei ersteren komme es in der „Uebertragung auf ein bloßes Dolmetschen an", und es könne im Grunde nicht allzuviel falsch gemacht werden. „Deshalb ist das Uebertragen auf diesem Gebiet fast nur ein mechanisches Geschäft, welches bei mäßiger Kenntniß beider Sprachen jeder verrichten kann" (ebd.:42). Das Übertragen von Kunstwerken dagegen sei viel schwieriger und allein einer theoretischen Betrachtung wert.

(2) Die Gründe für diese Zweiteilung der Textvorkommen liegen nach SCHLEIERMACHER in verschiedenartigen Wörtern. Er unterscheidet zwischen Ausdrücken, die sich in verschiedenen Sprachen genau entsprechen, da sie sich auf genau eingrenzbare Gegenstände und Sachverhalte beziehen[29], und anderen Wörtern, welche Begriffe, Gefühle, Einstellungen erfassen und sich im Lauf der Geschichte verändern. In solchen Wörtern äußert sich der Geist der Sprache und das Denken des einzelnen. So spricht er nicht vom Griechischen oder Lateinischen als Sprachen, sondern davon, daß man „deutsch", oder „römisch" oder „hellenisch" rede (ebd.:48). Im Grunde hat SCHLEIERMACHER hier die bis heute akzeptierte Zweiteilung von Textvorkommen in den Naturwissenschaften und in den Geisteswissenschaften begründet, deren Begriffsbildung in der Tat verschieden ist.[30]

(3) In bezug auf das künstlerisch anspruchsvolle Übersetzen unterscheidet SCHLEIERMACHER zwei „Methoden", womit er das gängige Diktum von Treue

---

[28] Abgedruckt in STÖRIG 1969:38-79.
[29] F. SCHLEIERMACHER: „Alle Wörter, welche Gegenstände und Thätigkeiten ausdrükken, auf die es ankommen kann, sind gleichsam geaicht, und wenn ja leere übervorsichtige Spizfindigkeit sich noch gegen eine mögliche ungleiche Geltung der Worte verwahren wollte, so gleicht die Sache selbst alles unmittelbar aus" (In: STÖRIG 1969:42).
[30] Vgl. dazu R. STOLZE (1992): *Hermeneutisches Übersetzen*. Tübingen, S. 155-175.

oder Freiheit etwas präzisieren möchte, indem er jeweils auf das Gesamtwerk verweist.

(a) Bei der ersten Methode werde versucht, eine Übersetzung so zu gestalten, daß sie wie ein Original wirkt und den Autor „reden lassen will wie er als Deutscher zu Deutschen würde geredet und geschrieben haben" (ebd.:48), also ihn zu den Lesern hinbewegt. Ein solches Vorhaben erweist sich aber angesichts der Einheit von Denken und Reden in der „angebornen Sprache" als unmöglich (ebd.:60).

(b) Bei der anderen Methode des Verfremdens herrscht dagegen eine „Haltung der Sprache, die nicht nur nicht alltäglich ist, sondern die auch ahnden läßt, daß sie nicht ganz frei gewachsen, vielmehr zu einer fremden Ähnlichkeit hinübergebogen sei" (ebd.:55), wo also die Leser zum Autor hin bewegt werden. Nur so sei die „treue Wiedergabe" des Originals in der Zielsprache gewährleistet. Der Vorwurf der Ungelenkheit im Ausdruck sei dabei in Kauf zu nehmen, denn anders sei der „Geist der Sprache" aus dem Original gar nicht in die Übersetzung zu retten. Das eigene Idiom des Übersetzers soll mit dem fremden so verschmelzen, daß in der Übersetzung die „Ursprache" erhalten bleibt. Notwendig ist allerdings eine Bildung der Leserschaft.

> Daher erfordert diese Art zu uebersezen durchaus ein Verfahren im großen, ein Verpflanzen ganzer Litteraturen in eine Sprache, und hat also nur Sinn und Werth unter einem Volk welches entschiedene Neigung hat sich das fremde anzueignen. Einzelne Arbeiten dieser Art haben nur einen Werth als Vorläufer einer sich allgemeiner entwickelnden und ausbildenden Lust an diesem Verfahren (ebd.:57).

Die „Kennerschaft geistiger Werke" anderer Völker, die SCHLEIERMACHER voraussetzt, vermag dies dann auch zu goutieren. Durch solches Übersetzen wird die eigene Sprache bereichert, wie es ja auch schon die Römer sahen (s. Kap. 1.3).

2.3 Die Sprachinhaltsforschung (Weisgerber)

Durch verschiedene Sprachen entstehen unterschiedliche Weltansichten, ja aus dem Blickwinkel des einzelnen sogar unterschiedliche Wirklichkeiten. Als stellvertretend für eine solche Sprachauffassung sind neben HUMBOLDT (s. Kap. 2.1) und SCHLEIERMACHER (s. Kap. 2.2) auch J. Leo WEISGERBER (1899-1985) und Benjamin Lee WHORF (1897-1941) zu nennen. Sehr einleuchtend zeigt z. B. WEISGERBER, wie Sprache die Funktion erfülle, eine

Realität zu erschaffen, indem sie beobachtbare faktische Gegebenheiten ordnet.[31]

BEISPIEL

WEISGERBER verweist auf den *Sternenhimmel*, der zunächst für den Menschen ein unendliches Gewirr darstellt und erst dann begreifbar wird, wenn der Mensch zwischen den Gestirnen unterscheidet, wenn er Konstellationen wie die einzelnen Sternbilder benennt und damit bestimmt (op. cit. [4]1971: 25-72). Es handelt sich hier um ein schönes Beispiel für den menschlichen Versuch, in ein unüberschaubares Gewirr mittels der Sprache eine Ordnung, eine Struktur zu bringen. Dann wird aus dem Chaos des Faktischen ein Kosmos der Ordnung.

Entscheidend ist jeweils die Perspektive der Menschen auf die Dinge. „Ein Beispiel für eine solche kulturbedingte und sprachlich vermittelte Sehweise stellt das Wort *Unkraut* dar. Die Pflanzenwelt wird aufgrund wirtschaftlicher, vielleicht auch ästhetischer (nicht aber biologischer) Interessen in zwei Klassen eingeteilt: in Kulturpflanzen und in Pflanzen ohne wirtschaftlichen Wert" (KOLLER 1992:162).

WEISGERBER als Hauptvertreter der sogenannten Sprachinhaltsforschung oder Inhaltbezogenen Grammatik hat im Anschluß an HUMBOLDT die These von der Sprache als geistiger Zwischenwelt, vom „Weltbild der Muttersprache" entworfen. Jede Sprache gilt als ein relativ geschlossenes, gegen andere Sprachen abgegrenztes System. Dabei wird betont, daß sich nicht für jedes Wort einer Sprache in jeder anderen ein genaues Äquivalent finde, sondern daß gewisse Unterschiede auftreten. Schon Arthur SCHOPENHAUER (1788-1860) hatte Beispiele charakteristischer Wörter gesammelt[32]:

απαιδευτος, rudis, roh.
ορμη, impetus, Andrang.
μηχανη, Mittel, medium.
seccatore, Quälgeist, importun.
ingénieux, sinnreich, clever.
Geist, esprit, wit.
Witzig, facetus, plaisant.
Malice, Bosheit, wickedness.

---

[31] Vgl. L. WEISGERBER (1950): Grundzüge der inhaltbezogenen Grammatik. 4. Auflage Düsseldorf 1971 (= Von den Kräften der deutschen Sprache, I). – Ders. (1952/53): Die sprachliche Gestaltung der Welt. 4. Auflage Düsseldorf 1973 (= Von den Kräften der deutschen Sprache, II).
[32] A. SCHOPENHAUER ([2]1891): „Ueber Sprache und Worte" § 309. In: STÖRIG 1969: 101-107, S. 101.

BEISPIEL

Als Beweis für die Existenz eines einzelsprachlichen Weltbildes werden u. a. angeführt:

1. Die Unterschiede im System der Verwandtschaftsbezeichnungen und Farbskalen, von Naturerscheinungen (Schnee, Wüstenformen), usw.

2. Die Schwierigkeiten bei der anderssprachigen Wiedergabe sogenannter charakteristischer Wörter, wie z. B. *esprit, patrie, charme; cereals, gentleman, fairness; Sehnsucht, Gemütlichkeit, Weltschmerz, Innerlichkeit, Tüchtigkeit, Gestalt,* usw.

3. Die Existenz von Wortfeldern. Ein Einzelwort gewinnt seine inhaltliche Bestimmtheit erst in der Struktur eines ganzen Wortfeldes. So ist *mangelhaft* in einer viergliedrigen Skala *(mangelhaft - genügend - gut - sehr gut)* etwas anderes als in einer sechsgliedrigen Skala *(ungenügend - mangelhaft - ausreichend - befriedigend - gut - sehr gut).* Der Wortschatz einer Sprache ist in solche Wortfelder gegliedert. Einzelne Wörter sind kaum vergleichbar, weil ihr Stellenwert in den einzelsprachlichen Wortfeldern je verschieden ist (vgl. WEISGERBER 1950:68).

4. Die unterschiedlichen Konnotationsbereiche: der Franzose verbindet mit dem Wort *escargot* die Vorstellung einer Delikatesse, während der Deutsche bei *Schnecke* eher an ein unappetitliches schleimiges Lebewesen denkt.

Denken und Reden wird gleichgesetzt. Jenes Zusammenspiel von kulturbedingter Wirklichkeitserfassung und Sprachgebrauch zeigt sich besonders deutlich in Bereichen des menschlichen Lebens, wie es schon SCHLEIERMACHER im Gegensatz zu den äußeren Dingen festgestellt hatte (s. Kap 2.2). Mehrsprachige Vergleiche in diesem Sinne hat Mario WANDRUSZKA vorgelegt, dessen Bücher bezeichnende Titel haben, wie zum Beispiel: „Das Leben der Sprachen"[33]

BEISPIEL

WANDRUSZKA unterscheidet durch den Vergleich vorliegender Übersetzungen für Gefühlsbezeichnungen, wie *Hunger, Angst, Schmerz, Lust, Freude, Glück* usw., wie diese Gefühle in den verschiedenen Sprache ausgedrückt werden:

„Für die Römer war *anxius,* später *anxiosus* 'angsterfüllt, beunruhigt'. Im Spani-

---

[33]   Vgl. M. WANDRUSZKA: *Der Geist der französischen Sprache.* München (1959); Ders.: *Sprachen vergleichbar und unvergleichlich.* München 1969; Ders.: *Das Leben der Sprachen.* Stuttgart 1984; Ders.: *„Wer fremde Sprachen nicht kennt..."* Das Bild des Menschen in Europas Sprachen.* Darmstadt 1991.

schen, im Italienischen aber kann *ansioso*, im Englischen *anxious* bald 'angstvoll', bald 'begierig' sein. (...) Diese Wanderung des Wortes von 'angstvoll' bis zu 'begierig', – und oft zu einem gesellschaftlich formelhaften, liebenswürdig bemühten 'begierig', 'bestrebt' –, bezeigt uns die Dynamik des menschlichen Sprechtriebs, des spontanen Denkens in Metaphern und Metonymien, des impulsiven Sprechens und Gesprächs, die von Sprache zu Sprache zu anderen Ergebnissen geführt haben. So kann *anxiety*, weit entfernt von jeder Beklemmungsangst, die Sorge, das Bemühen sein. Im Italienischen aber bedeutet erst recht *ansia* und *ansietà*, im Spanischen *ansia* und *ansiedad* bald Beklemmung, Angst, bald Unruhe, Ungeduld, bald Begierde, Sehnsucht!" (1984:44/45).

2.4 Das linguistische Relativitätsprinzip (Sapir/Whorf-Hypothese)

Jene geistige „Zwischenwelt" zwischen Mensch und Außenwelt hat sprachlichen Charakter, und sie vermittelt den Angehörigen der Sprachgemeinschaft das „Weltbild der Muttersprache". Die Gleichsetzung von Denken und Reden und die These der mehr oder minder totalen Determiniertheit der Wirklichkeitserfassung durch die Struktur der Sprache(n) ist Gegenstand des „linguistischen Relativitätsprinzips", wie es Benjamin Lee WHORF 1956 formuliert hat[34]:

> Aus der Tatsache der Strukturverschiedenheit der Sprachen folgt, was ich das „linguistische Relativitätsprinzip" genannt habe. Es besagt, grob gesprochen, folgendes: Menschen, die Sprachen mit sehr verschiedenen Grammatiken benützen, werden durch diese Grammatiken zu typisch verschiedenen Beobachtungen und verschiedenen Bewertungen äußerlich ähnlicher Beobachtungen geführt. Sie sind daher als Beobachter einander nicht äquivalent, sondern gelangen zu irgendwie verschiedenen Ansichten von der Welt. (...) So geht zum Beispiel die Weltansicht der modernen Naturwissenschaft aus der höher spezialisierten Anwendung der grundlegenden Grammatik der westlichen indoeuropäischen Sprachen hervor (1963:20f).

Um seine These einer Kausalrelation zwischen grammatischer Struktur und Weltbild zu belegen, kontrastiert WHORF Sprach- und Denkstrukturen der Hopi-Indianer in Arizona und der Azteken in Mexiko mit dem Englischen, das

---

[34] B. L. WHORF (1956): *Language, Thought and Reality*. Cambridge, Mass. – Deutsche Teilübersetzung v. Peter Krausser (1963): *Sprache - Denken - Wirklichkeit*. Hamburg.

er als Hauptbeispiel der „SAE-Sprachen" (Standard Average European) bezeichnet. Dabei glaubte er – insbesondere hinsichtlich der Raum-Zeit-Auffassungen – grundlegende Unterschiede feststellen zu können. In seiner Sicht der Dinge wurde WHORF von E. SAPIR, seinem Lehrer an der Universität Yale, unterstützt. Deshalb hat sich für den Begriff des linguistischen Relativitätsprinzips auch die Bezeichnung „Sapir/Whorf-Hypothese" durchgesetzt. Keine zwei Sprachen und keine zwei Kulturen seien ähnlich genug, um dieselbe Wirklichkeit abzubilden. Mit dieser Hypothese hat sich die Sprachwissenschaft eingehend auseinandergesetzt, jedoch liegen bis heute kaum Untersuchungen vor, die das Relativitätsprinzip umfassend untermauert hätten.

Als direkte Konsequenz aus dem linguistischen Relativitätsprinzip folgt das Axiom, daß Sprachen ihrem Wesen nach unübersetzbar seien. Jede Übersetzung würde die sprachlichen Inhalte einer Muttersprache in solche einer anderen Muttersprache transponieren, die beide ja unterschiedliche geistige Zwischenwelten darstellen. Entscheidend ist hier, daß allein die Sprachen mit ihren Wortinhalten und ihrer Grammatik in den Blick genommen werden. Während HUMBOLDT aus sprachphilosophischen Gründen alles Übersetzen für unmöglich hielt, sehen andere, wie z. B. Mario WANDRUSZKA, noch eine gewisse Möglichkeit der Übertragung durch den „Geist der Sprache". Jene relativistische Auffassung ist weit verbreitet. Wenn aber Sprachen als direkter Ausdruck einer Kultur, einer nationalen Eigentümlichkeit gesehen werden, dann können fremde Texte immer nur annähernd übertragen werden. Die „Unübersetzbarkeit" eines fremden Weltbildes sperrt fremdsprachige Texte gegen eine Aneignung.

2.5 Formbetontes Übersetzen (Benjamin)

Diese Auffassung des Verfremdens findet sich auch bei Walter BENJAMIN (1892-1940), der sich in dem Aufsatz „Die Aufgabe des Übersetzers"[35] 1923 als Dichter gleichfalls zur Übersetzung des literarischen Kunstwerks geäußert hat. Er betont die Selbstgeltung des Kunstwerks, völlig unabhängig von dessen Rezeption: „Denn kein Gedicht gilt dem Leser, kein Bild dem Beschauer, keine Symphonie der Hörerschaft" (ebd.:156). Und dabei ist die Gestalt das wichtigste, die Mitteilung des Textes eher unwesentlich.

Seiner Sprach- und Übersetzungstheorie liegt der Gedanke zugrunde, daß das mimetische (abbildende) Prinzip für die Besonderheit der Einzelsprachen

---

[35] Abgedruckt in STÖRIG 1969:155-169.

verantwortlich sei[36] und die „onomatopoetische Erklärungsweise" dafür noch am ehesten in Frage kommt. Er hebt die Besonderheit und Nichtvertauschbarkeit des einzelnen Wortes hervor und denkt dabei vor allem an die Form, der Inhalt ist ihm weniger wichtig:

> Was aber außer der Mitteilung in einer Dichtung steht – und auch der schlechteste Übersetzer gibt zu, daß es das Wesentliche ist –, gilt es nicht allgemein als das Unfaßbare, Geheimnisvolle, 'Dichterische'? Das der Übersetzer nur wiedergeben kann, indem er auch dichtet? (Aufgabe, S. 156)

BEISPIEL

BENJAMIN kommt es darauf an, den Ausdruck des Originals, sein „Wie", in der Zielsprache nachzubilden. Er bezeichnet dieses „Wie" als „Die Art des Meinens", die er sorgfältig vom inhaltlich „Gemeinten" unterscheidet: „In 'Brot' und 'pain' ist das Gemeinte zwar dasselbe, die Art, es zu meinen, dagegen nicht. In der Art des Meinens nämlich liegt es, daß beide Worte dem Deutschen und Franzosen je etwas Verschiedenes bedeuten, daß sie für beide nicht vertauschbar sind, ja sich letzten Endes auszuschließen streben; am Gemeinten aber, daß sie, absolut genommen, das Selbe und Identische bedeuten" (Aufgabe, S. 161).

BENJAMIN betont das „Magische in der Sprache" und beruft sich auch auf SCHLEIERMACHER, der ja den Geist als wesenhaft in der Sprache gebunden sah. Er stellt sich einen Übersetzer vor, der in seiner eigenen Sprache versucht, jene „Art des Meinens" des fremden Textes nachzubilden:

> Die wahre Übersetzung ist durchscheinend, sie verdeckt nicht das Original, steht ihm nicht im Licht, sondern läßt die reine Sprache, wie verstärkt durch ihr eigenes Medium, nur um so voller aufs Original fallen. Das vermag vor allem Wörtlichkeit in der Übertragung der Syntax, und gerade sie erweist das Wort, nicht den Satz als das Urelement des Übersetzers. Denn der Satz ist die Mauer vor der Sprache des Originals, Wörtlichkeit die Arkade. (S. 166)

BENJAMINS Übersetzungstheorie hat vor allem im englischsprachigen Ausland bis heute stark nachgewirkt, wo Theorien die wörtliche Übersetzung besonders betonen. BENJAMIN meinte ja: „Die Interlinearversion des Heiligen Textes ist das Urbild oder Ideal aller Übersetzung" (S. 169). Damit aber wird Übersetzung zur Utopie.

---

[36] Vgl. W. BENJAMIN: „Über das mimetische Vermögen", in: Ders., *Gesammelte Schriften*, Bd. II.1, Frankfurt 1977, S. 212.

2.6 Dekonstruktion und Unübersetzbarkeit (Derrida)

In einer postmodernen Literaturtheorie und Philosophie, der u. a. von Jacques DERRIDA (1967) und Paul DE MAN begründeten „Dekonstruktion", wird die These von der Unübersetzbarkeit wieder aufgegriffen und der „unübersetzbare Rest" in Texten in den Vordergrund der Betrachtung gestellt. Peter V. ZIMA (1994) hat einen stringenten Überblick über die Grundaussagen und den wissenschaftstheoretischen Hintergrund der Dekonstruktion vorgelegt; vgl. ferner Philippe FORGET (Hrsg.) (1984).

Gemeinhin wird ja angenommen, daß man einen Text schon irgendwie verstehen, eben seinen Sinn erfassen und dann auch übersetzen könne. Den Grund hierfür bilden unsere Sprachkenntnisse und dann die Erfahrung durch die Tradition der Überlieferung, daß die Sprachzeichen immer wieder das Gleiche bedeuten. Verstehen sei möglich, wenn nur der gute Wille zur Verständigung vorhanden ist. Dahinter steht der philosophische Gedanke eines Logos als sinntragendem Wort, das immer schon auf die allen gemeinsame Wahrheit eines auffindlichen Sinns im Ganzen verweist.

Hier hakt die Dekonstruktion ein. Grob vereinfachend ist zu sagen, daß die Dekonstruktion sich vor allem gegen die „logozentristische" Vorstellung einer eingrenzbaren Begrifflichkeit in der Sprache wendet. In der Nachfolge Nietzsches wird auf die grundlegende Ambivalenz der Wortbedeutungen in Texten verwiesen, die sich niemals auf einen bestimmten Sinn fixieren lassen würden. Zentral ist hier der Terminus *écriture*, das Schreiben, die Schrift, das Geschriebene, der schriftliche Text. Im Gegensatz zur mündlichen Rede, wo der Sinn des Gemeinten direkt präsent und eindeutig ist, sei es das Wesen schriftlicher Texte, vieldeutig und unbeständig zu sein, da sie in immer wieder neuen Situationen stets neu und anders gelesen werden. Hinter jeder Lektüre steht eine Übertragung. Dadurch entstehe eine unabschließbare Sinnverschiebung, DERRIDA nennt es die *différance*, nach dem Verb *différer* (abweichen). Interpretativ läßt sich kein „Sinn" fixieren, da jedes Sprachzeichen auf andere verweist und jeder Autor Bedeutungen „endlos aufschieben" kann.

> Die Schrift bringt den Zerfall der semantischen Identität des Zeichens mit sich. Dessen Wiederholung in verschiedenen kommunikativen Kontexten hat abweichende Sinnzuordnungen zu Folge, welche die Identität eines Wortes erschüttern können. Derrida bezeichnet diese dekonstruierende Wiederholung als Iterabilität (itérabilité)" (ZIMA 1994:55).

Im Ergebnis entsteht eine Streuung des Sinns von Wörtern, eine *Dissémination* (DERRIDA 1981).[37]

---

[37] Vgl. J. DERRIDA (1972): *La Dissémination.* Paris.

Aus dem bisher Gesagten geht hervor, daß Derridas dissémination oder Streuung nicht mit dem semiotischen Begriff der Polysemie identisch ist, der von Greimas und Courtés als Pluri-Isotopie definiert wird: als Zusammenwirken von zwei oder mehreren heterogenen Isotopien (ZIMA 1994:72).

Wörter sind geschichtlich und bedeuten niemals nur das, was am Anfang ihres Gebrauchs stand, oder was der Autor genau damit sagen wollte, sondern ihr Sinn „flottiert" und ist oft „unentscheidbar" *(indécidable)*. In der Literaturwissenschaft wird die Textinterpretation freilich gerne auf die sog. „Autorintention" zurückgeführt, deren Festlegung von den Dekonstruktivisten als Illusion oder als Vorurteil entlarvt wird. Ist der Sinn eines Textes wirklich so sicher, gibt es da nicht Brüche *(ruptures)*? Durch die Infragestellung ihrer zentralen Begriffe werden die expliziten Behauptungen von Autoren „dekonstruiert".

Das Interesse des Interpreten verlagert sich vom Gemeinten auf die Zeichenstrukturen. Wie autonom sind diese eigentlich? Wörter können sich verselbständigen und so Gedanken, das Verstehen in neue Bahnen lenken. Wo ist dann der Sinn? Und welcher Sinn wäre dann zu übersetzen? Wie verhindere ich, daß meine Übersetzung wieder anders verstanden wird? Verwiesen wird hier gerne auf das Wortspiel und die Ironie als Motivation des Schreibens:

> Weil im Wortspiel und dessen unabsehbaren, nie ganz kontrollierbaren Konsequenzen sichtbar wird, daß kein Bewußtsein, keine Vernunft, kein Logos über die Sprache so verfügt, daß sie als Text im (guten) Willen zur Macht des hermeneutischen Regelapparats aufgehen kann, ja, daß sie den Schreibenden (ob Schriftsteller oder Interpret) immer schon hinterrücks (hinter seinem Rücken) überspielt oder – das Bild macht Sinn – übertrumpft (FORGET 1984:10).

BEISPIEL

Die Zweideutigkeit von Wörtern macht auch deren Kontext zweideutig:

Erschütterung 1) geschüttelt werden, nicht mehr unbewegt sein
2) schütter werden, es entstehen Brüche und Leerstellen

Ungerechtigkeit 1) unverdiente, nicht dem Recht entsprechende Behandlung
2) nicht mehr „recht" sein, Wahrheit wird verrückt, entstellt

gleichgültig 1) indifferent, egal, nicht interessierend
2) gleich gültig, Egalität

aufheben 1) auflösen, vernichten
2) ineinander aufgehen lassen, Synthese
3) hochheben, aufnehmen
4) aufbewahren (Schwäbisch)

<u>Aufgabe</u>	1) Vorhaben, Problemstellung, Pflicht
	2) Kapitulation vor etwas
<u>excéder</u>	1) übertreffen, hinausgehen über
	2) ein Exzeß sein, irritieren, übertrumpfen
<u>Sich auseinandersetzen mit</u>	1) sich befassen mit, die Meinung zu etwas sagen
	2) sich wegsetzen von
	3) Güter trennen (jur.)

<u>un posteur d'écriture/</u>   1) ein Schrift-steller (der entwirft, kein Garant der Wahrheit)
<u>imposteur d'écriture</u>   2) Betrüger, „Hochstapler der Schrift"
(vgl. FORGET 1984:177, Anm. 52).

<u>Gras/Sarg</u>	Das Anagramm *(Wort rückwärts gelesen)* wird auffällig, wenn in einem Roman oft Gras und Grab verbunden werden, wie z. B. in „Die Leiden des jungen Werthers" von Goethe.
<u>Trace/écart</u>	Gerne werden mit einem Anagramm auch die Spuren des Unbewußten *(traces)* im Text aufgespürt, die einen Sinnabstand *(écart)* zum bewußt Ausgesagten indizieren, die Behauptung im Text konterkarrieren, überspielen, widerlegen (vgl. FORGET 1984:172ff).

Das Bewußtsein von der prinzipiellen Nicht-Beherrschbarkeit der Sprache, der Nicht-Festlegbarkeit der Zeichen, die wir miteinander austauschen, widerlegt natürlich die Vorstellung einer bewußten kontinuierlichen Formulierung durch einen Autor. Bei einer solchen Sprachauffassung ist es nicht verwunderlich, daß DERRIDA auch die Übersetzung als eigentlich unmöglich, als eine Aporie ansieht, auch wenn er kein Übersetzungstheoretiker ist. Er knüpft an die Vorstellungen Walter BENJAMINS an, den er ausführlich kommentiert (vgl. DERRIDA 1987). Dessen Sprach- und Übersetzungstheorie (s. Kap. 2.5) liegt ja der Gedanke zu Grunde, daß das mimetische (abbildende) Prinzip für die Besonderheit der Einzelsprachen verantwortlich sei. Nicht etwa ein bestimmter Aussagewille, sondern das Unreflektierte in einem Diskurs sei das Entscheidende. Schon deswegen könne es nicht darum gehen, wie LUTHER verlangt hatte (s. Kap. 1.4), die Übersetzung den Anforderungen der Zielempfänger anzupassen.

BENJAMIN stellte sich einen Übersetzer vor, der in seiner eigenen Sprache versucht, „die Art des Meinens" des fremden Textes nachzubilden. Hier knüpft DERRIDA (1987:201) an und unterstreicht mit dem Hinweis auf den Mythos von Babel die Unmöglichkeit des Übersetzens. Es sind vielfältige Sprachen entstanden, und der Übersetzer kann sich nicht über deren Ausdrucksebenen hinwegsetzen und so tun, als gäbe es ein Verhältnis der Entsprechung zwischen den Zeichen. Insbesondere Dichtung sei unübersetzbar, und so schreibt DERRIDA[38]:

> Die Übersetzung strebt nicht danach, dies oder jenes zu sagen, diesen oder jenen Sinn zu übertragen oder eine bestimmte Bedeutung mitzuteilen, sondern sie will die Affinität zwischen den Sprachen aufzeigen und ihre Möglichkeit erkennen lassen [remarquer l'affinité entre les langues] (S. 220).

> Das stets Intakte, Unfaßbare, Unberührbare ist es, was den Übersetzer fasziniert und seine Arbeitsweise bestimmt. [Le toujours intact, l'intangible, l'intouchable, c'est-ce qui fascine et oriente le travail du traducteur] (S. 224).

Dieser „unfaßbare Rest", wir denken an das Unbewußte, beherrscht auch Paul DE MANS Kommentar zu BENJAMINS oben erwähntem Aufsatz. „Der amerikanische Dekonstruktivist deutet das Wort 'Aufgabe' in 'Die Aufgabe des Übersetzers' als 'Verzicht', als 'Kapitulation' vor dem Unübersetzbaren, das aus einer Aporie hervorgeht. Diese kommt dadurch zustande, daß die Forderung nach Originaltreue unaufhebbar der Forderung nach einer freien, der Zielsprache treuen Übertragung widerspricht. DE MAN spricht in diesem Zusammenhang von einer 'Aporie zwischen Freiheit und Treue zum Text'" (ZIMA 1994:87).

Die Dekonstruktivisten nehmen vor allem die Widerstände wahr, auf die der Übersetzer stößt. Problematisch ist es allerdings, wenn die „magische Seite der Sprache" (W. Benjamin) zu einem quasireligiösen Zauber hochstilisiert wird, um daraus die Aporie des Übersetzens abzuleiten. Dies führt für eine Theorie des Übersetzens völlig in die Sackgasse.

In Nord- und Südamerika finden diese Ideen in jüngster Zeit jedoch wieder Anklang. Die Dekonstruktion wird als relevant für die Übersetzungstheorie diskutiert, indem darin Abweichungen zwischen Ausgangstexten und Übersetzungen aufgrund eines (unwillkürlich) anderen Verständnisses, eines Lesefehlers, einer absichtlich anderen Auslegung, also „Disseminationen von Sinn" untersucht werden können. Man vergleiche hierzu die Werke von Andrew BENJAMIN (1989) und Rosemary ARROJO (1993). Sie richten ihr Augenmerk auf die Wirkungen von übersetzten Texten in einer anderen Kultur. Ein Forschungsgegenstand kann dabei die Reaktion von Autoren, Lesern und Übersetzern auf Texte aus ehemaligen europäischen Kolonialländern und der Umgang mit deren Sprache sein. In Brasilien wird beispielsweise die anverwandelnde Bearbeitung von Texten in Übersetzungen in der Tradition der antikolonialistischen Literatur neuerdings mit der Dekonstruktion theoretisch untermauert (WOLF 1997).

---

[38] J. DERRIDA: „Des tours de Babel". In: Ders.: *Psyché. Inventions de l'autre.* Paris 1987, S. 207-245.

Kommentar

Wenn Sprachen als direkter Ausdruck einer Kultur, einer nationalen Eigentümlichkeit gesehen werden, können fremde Texte immer nur annähernd übertragen werden. Auffällig bei diesen relativistischen Theorien ist die Betonung des einzelnen Wortes, in dem sich die Fremdheit des anderen Weltbildes oder die Eigenart des Dichters, ja dessen unergründliches Unbewußtes konzentriert. Dann wird das Übersetzen einer fixierten Wahrheit in der Tat unmöglich.

Lektürehinweise

Walter BENJAMIN (1923): „Die Aufgabe des Übersetzers". In: H. J. STÖRIG: *Das Problem des Übersetzens.* Darmstadt 1969, S. 156-169.

Philippe FORGET (Hrsg.) (1984): *Text und Interpretation.* München (UTB 1257).

Werner KOLLER (1992): *Einführung in die Übersetzungswissenschaft.* Heidelberg, insbesondere Kapitel 2.1.

Mario WANDRUSZKA (1984): *Das Leben der Sprachen. Vom menschlichen Sprechen und Gespräch.* Stuttgart.

B. L. WHORF (1963): *Sprache, Denken, Wirklichkeit. Beiträge zur Metalinguistik und Sprachphilosophie.* Reinbek bei Hamburg.

Peter V. ZIMA (1994): *Die Dekonstruktion.* Tübingen (UTB 1805).

3 Zeichentheorien und universalistische Übersetzungstheorie

> Die Sprache als Kommunikationsinstrument ist ein Zeichensystem, das logisch-grammatisch beschrieben werden kann. Auch die einzelnen Sprachzeichen sind analysierbar, ihr Inhalt kann in Merkmale zerlegt werden. Die allen Menschen eigene Vernunft legt das Vorhandensein außereinzelsprachlicher Universalien nahe. Im Hinblick auf dieses 'tertium comparationis' sind alle Texte prinzipiell übersetzbar. Das Übersetzen ist im Modell eine Koordination ausgangssprachlicher und zielsprachlicher Zeichen zu demselben Gemeinten.

3.1 Grammatik von Port-Royal: Universalsprache

Eine ganz andere Ausgangssituation für das Übersetzen ergibt sich, wenn man die Sprache nicht als eine Kraft ansieht, die ein Weltbild muttersprachlich determiniert (s. Kap. 2.3), sondern als kommunikatives Instrument mit der Funktion, den Gedanken Ausdruck zu verleihen, wenn es also weniger auf die verschiedenartigen Formen des Ausdrucks, als vielmehr auf die gemeinsamen Inhalte ankommt. Zwar haben sich die Einzelsprachen der Erde je nach Umständen ganz verschiedenartig herausgebildet, weshalb die Notwendigkeit des Übersetzens besteht, doch sind aufgrund der gleichen biologischen Ausstattung aller Menschen hinsichtlich ihrer Sprachfähigkeit die Grundstrukturen des sprachlichen Umgangs mit der Welt überall ähnlich, und es wurden bisher keine „irregulären Sprachen" gefunden (vgl. BUßMANN 1990:820).

Dabei wird die allen Menschen eigene Vernunft als eine Quelle der Erkenntnis angenommen. Dieses Universalitätsaxiom der Vernunft bewirkt eine überindividuelle Geltung der Sprache, weil diese aufgrund ihrer natürlichen Transparenz für die Vernunft selbst auch vernünftig und allgemein sein muß. Die dem Zeitalter der Aufklärung eigene Vorstellung allgemeiner logischer Formen, die womöglich allen Sprachen zugrunde liegen, legt das Konzept einer Universalsprache nahe. Jene Bedeutung wurde im Mittelalter der lateinischen Sprache beigemessen. Deren Machtstellung zunächst in Kirchenkreisen wurde dann auch auf die Wissenschaften der frühen Neuzeit übertragen. Latein war bis ins 16./17. Jh. die internationale Wissenschaftssprache. Descartes hat sich mit dem Projekt einer „Universalsprache" als künstliche Weltsprache beschäftigt.[39]

Die im Geiste des französischen Rationalismus 1660 verfaßte „Grammatik von Port-Royal" basiert auf dem Konzept allgemeiner logischer Formen.[40] Diese allgemeine und theoretisch-kritische Grammatik von A. Arnauld und E. Lancelot versuchte auf der Basis von Griechisch, Latein und Französisch Kategorien zu entwickeln, die für alle Sprachen Gültigkeit haben. Die Sprache ist bestimmt von ihrer instrumentalen Funktion, den Gedanken Ausdruck zu geben. Sie ist ein Zeichensystem, das so aufgebaut ist, wie es diesem Zweck am meisten entspricht.

3.2 Zeichentheorien und Organonmodell der Sprache (Saussure, Ogden/Richards, Peirce, Bühler, Morris)

Die logische Betrachtung der Sprache als ein Zeichensystem hat in unserem Jahrhundert die moderne Sprachwissenschaft hervorgebracht. Als systematische Beschreibung einzelner Sprachen gewinnt sie ihren Gegenstand nur mittelbar aus der Abstraktion der empirisch beobachtbaren Sprachäußerungen. Weichensteller war hier Ferdinand de SAUSSURES *Cours de linguistique générale* (1916).[41] Forschungsgegenstand war für ihn nicht die menschliche Rede in ihrer Gesamtheit *(langage)*, denn die erschien ihm als „ein wirrer Haufe verschiedenartiger Dinge, die unter sich durch kein Band verknüpft sind" (1967:10).

Er unterschied zwei Ebenen der Betrachtung: Objekt der Sprachwissenschaft ist das Sprachsystem *(langue)* als abstraktes Inventar von Sprachzeichen und grammatisches Regelsystem zu deren Verknüpfung, das als soziales Faktum den Individuen zur Verfügung steht. Empirisch beobachtbar sind allerdings nur die tatsächlichen Sprachäußerungen, die Rede *(parole)*. Es ent-

---

[39] Jene Denktradition, die besonders in der Aufklärung einen verständlichen Zuspruch fand, läßt sich an einigen wenigen bekannten Namen und Buchtiteln festmachen: Es zieht sich eine Linie von Descartes (1576-1650) und seinem *Discours de la méthode pour bien conduire sa raison et chercher la vérité dans les sciences* (1637) über Gottfried Wilhelm Leibniz (1646-1716) bis zu Christian F. Wolff (1679-1754) und seinem Werk *Vernünftige Gedanken von den Kräften des menschlichen Verstandes und ihrem richtigen Gebrauch in Erkenntnis der Wahrheit* (1712). In diesen Kontext gehört auch Kants Plädoyer 1784 für den Gebrauch der Vernunft.

[40] Vgl. *Grammaire générale et raisonnée ou la Grammaire de Port-Royal*, hrsg. v. H. E. BREKLE. Stuttgart 1966.

[41] Ferdinand de SAUSSURE (1916): *Cours de linguistique générale*, Paris. (Dt.: *Grundfragen der Allgemeinen Sprachwissenschaft*. Berlin 1967).

standen einige Grundbegriffe, die seither in der Sprachwissenschaft ständig wiederkehren, und auch viele Übersetzungstheorien verwenden sie oder berufen sich darauf. Um eine Verständnisbasis zu schaffen, werden sie im Folgenden kurz skizziert.

Bei der wissenschaftlichen Beschreibung von Sprache lassen sich verschiedene Perspektiven anwenden, und entsprechend sind auch die Ergebnisse verschieden. Zunächst kann man nach der Beschaffenheit der Wörter fragen. Die Wörter einer Sprache sind Zeichen, die sich auf einen Gegenstand oder Sachverhalt in der realen Welt beziehen. Nach SAUSSURE (1967:76ff) besteht jedes Sprachzeichen aus den zwei Aspekten Ausdruck/Inhalt, also aus einem materiellen (lautlich oder graphisch realisierten) Zeichenkörper oder Signifikanten *(signifiant)* und dem Zeicheninhalt, dem begrifflichen Konzept als Signifikat *(signifié)*. Die Verbindung eines Lautbildes mit einer Vorstellung ist untrennbar – wie Vorder- und Rückseite eines Blatts Papier. Dieses statische Modell geht von der stabilen Zusammengehörigkeit einer Benennung und einer Inhaltsvorstellung aus, weshalb eine Auflösung dieser Verbindung den Zeichencharakter zerstören würde. Die Vorstellung, daß eine Bedeutung immer an die Lautgestalt gebunden ist, hat die Sprachwissenschaft nachhaltig geprägt.

Präzisiert wurde die Bedeutung eines Zeichens andererseits mit Blick auf die Kommunikationssituation durch das semiotische Dreieck von OGDEN/RICHARDS von 1923[42]. Ein Zeichen (Bezeichnendes, Wort) symbolisiert den außersprachlichen Referenten (Wirklichkeit, Gemeintes) nur indirekt über den Gedanken (Bedeutung, Bezeichnetes) als dem Zeicheninhalt:

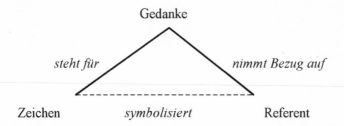

Sprachliche Ausdrücke lassen sich also nur über ihr begriffliches Konzept, ihre Bedeutung, auf die Wirklichkeit beziehen (Sprache als Kommunikationsinstrument); sie gewähren keinen direkten Zugang den Sachen selbst. Nach diesem dynamischen, einen Prozeß darstellenden Modell läßt sich die Bedeutung eines Zeichens – anders als bei SAUSSURE – nur erfassen, wenn es von einem Sprecher benutzt wird, um damit auf einen Gegenstand der außer-

---

[42] Vgl. C. K. OGDEN/L. A. RICHARDS (1923): *The Meaning of Meaning,* New York. London, [10]1949, S. 11.

sprachlichen Wirklichkeit hinzuweisen (Bezeichnungsfunktion). Die Zuordnung vom Zeichen zum Gemeinten geschieht erst durch den Zeichenbenutzer (Sprecher mit Gedanken), was durch die unterbrochene Linie im Modell graphisch dargestellt wird.

Und auch für den Hörer steht das Zeichen nicht einfach statisch „für etwas", sondern es ist eine Bezugsgröße (vgl. die Denktradition von PEIRCE[43]): erst durch Erkennen und Verstehen (Interpretation) der in ihm wirksamen Relationen wird das Sprachzeichen vom Empfänger konstituiert und gewinnt 'Bedeutung': „Nichts ist ein Zeichen, wenn es nicht als Zeichen interpretiert wird" (PEIRCE).

Eine grundlegende Eigenschaft sprachlicher Zeichen ist deren Arbitrarität: zwischen dem Bezeichnenden (Signifikant, Zeichen, Symbol) und dem Bezeichneten (Signifikat, Begriff, Gedanke) besteht eine beliebige, nicht naturnotwendige oder abbildende, sondern konventionell festgelegte Beziehung.

BEISPIEL

Die zutiefst menschliche Erfahrung von <u>Leid</u> wird in verschiedenen Sprachen mit völlig unterschiedlichen Zeichen benannt, die auch formal nicht aufeinander bezogen werden können: d. *Leid, Kummer* e. *sorrow, grief, harm* f. *peine, affliction* i. *pena, dolore*	Die Sprachzeichen selbst sind im Wortlaut nicht von der zu bezeichnenden Sache her bedingt: Die <u>Sonne</u>, auf dt. *Sonne*, engl. *sun*, franz. *soleil*, ital. *sole* bezeichnet, deren göttliches Wesen bei den Indern als *Surja*, bei den Sumerern als *Utu*, bei den Babyloniern als *Schamasch*, den Ägyptern als *Re*, den Griechen als *Helios*, den Römern als *Sol*, den Azteken als *Tonatiuh*, den Inka als *Init* und den Japanern als *Amaterasu* verehrt wurde und wird, hat schon immer die Neugier des Menschen geweckt (*DE*, 10.11.95).

Arbitrarität bedeutet freilich nicht, daß der einzelne nach freier Wahl bei der Konstruktion sprachlicher Ausdrücke verfahren könnte. In der sozialen Kommunikation erfährt er vielmehr den Zusammenhang zwischen Zeichen und Bedeutung als eine gewohnheitsmäßige, obligate Verbindung.

In einer weiteren Perspektive auf die Funktion der Zeichen in der Rede zielt schließlich BÜHLERS Organon-Modell der Sprache[44] von 1934:

---

[43] Vgl. Ch. S. PEIRCE (1931/1958): *Collected papers. 8 vol.*, Boston. – Deutsch: K.-O. APEL (Hrsg.) (1967/1970): *Schriften. Eine Auswahl. 2 Bände.*, Frankfurt. – Vgl. auch K.-O. APEL (1975): *Der Denkweg von Ch. S. Peirce.* Frankfurt. – Vgl. W. NÖTH (1975): *Semiotik. Eine Einführung mit Beispielen für Reklameanalysen.* Tübingen.

[44] Vgl. K. BÜHLER (1934): *Sprachtheorie. Die Darstellungsfunktion der Sprache.* Stuttgart 1982, S. 28.

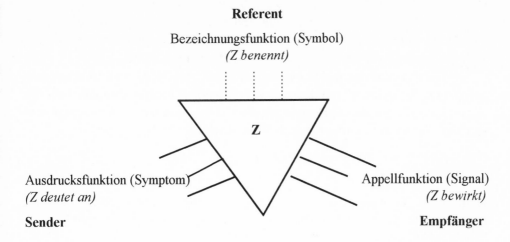

Referent

Bezeichnungsfunktion (Symbol)
(Z benennt)

Z

Ausdrucksfunktion (Symptom)
(Z deutet an)

Appellfunktion (Signal)
(Z bewirkt)

Sender

Empfänger

Das Sprachzeichen (Z) steht in einem dreifachen Verhältnis zu seiner Umgebung, genauer gesagt, es „funktioniert als Zeichen" gerade durch dieses dreifache Verhältnis. Die drei Relationen sind der Sprecher, der es äußert (Sender), der Hörer, der es aufnimmt (Empfänger) und die Gegenstände und Sachverhalte, die es bezeichnet (Referent). So steht ein Zeichen in bezug auf die Wirklichkeit in der Funktion der Bezeichnung (Symbolfunktion), in bezug auf den Sprecher soll es dessen Status kundtun in der Funktion des Ausdrucks (Symptomfunktion), in bezug auf den Hörer, bei dem es eine Reaktion bewirken will, hat es die Funktion des Appells (Signalfunktion).

3.3 Der Zeicheninhalt

In der Perspektive des Sprachanalytikers, der nach der Eigenschaft der Zeichen fragt, werden jene Zeichenfunktionen zu Aspekten des Bedeutungsinhalts. Dann werden sie als Denotation und Konnotationen bezeichnet.

Die Denotation ist der klar umrissene Bedeutungsinhalt eines Zeichens in seiner Bezeichnungsfunktion (wie z. B. 'Tisch', 'Stuhl', 'Schraube'). Die Wörter mit Zeigegestus bezeichnen Gegenstände und Sachverhalte als Träger von Qualitäten, die distinktiv aufgewiesen werden können (z. B. 'alt', 'jung', 'neu'); hierzu gehören auch alle technischen Fachausdrücke, die Termini. Dagegen bezeichnen Wörter mit abstraktem Inhalt eher Zustände und Vorgänge (z. B. Gefühlsbezeichnungen, Entwicklungen) und sind in ihrer semantischen Komplexität anders aufgebaut als Wörter mit konkreter Denotation.

Doch auch die Ausdrucks- und die Appellfunktion fließen in die Bedeutung von Wörtern als Konnotationen mit ein. So sagen die verwendeten Sprachzeichen etwas aus über den/die Sprecher/in, deren regionale und soziale Herkunft, die politische Einstellung, die Generationenzugehörigkeit, usw. Und bestimmte Sprachformen werden rhetorisch bewußt eingesetzt, um eine bestimmte Reaktion zu erwirken oder eine Wertung anzudeuten.

Die Wörter können qualitativ verschiedenen Sprachebenen (gehoben, umgangssprachlich) angehören, sie unterscheiden sich in der Gebrauchsfrequenz (usuell, selten), der stilistischen Wirkung (schriftsprachlich, veraltet, gespreizt) und nach dem Verwendungsbereich (gemeinsprachlich, fachsprachlich).

BEISPIEL

Während die Denotation „Auto", „Pkw", „Kraftfahrzeug" außersprachlich eindeutig ist, können die Wörter zu deren Benennung unterschiedliche Konnotationen hinsichtlich der Stilebene oder des Verwendungsbereichs aufzeigen, wie nachfolgende französischen Beispiele davon, daß ein Wagen nicht mehr brauchbar ist, zeigen:

1. *La voiture est abîmée* (gemeinsprachlich)
2. *Le véhicule est hors d'usage* (amtlich)
3. *L'auto est cassée* (umgangssprachlich)
4. *La guinde est déglinguée* (gesprochene Sprache)
5. *La bagnole est esquintée* (familiär)
6. *La chiotte est merdée* (Pariser Argot)
7. *La tire est bousillée* (vulgär)

Die obengenannten Zeichenmodelle sind in der neueren Sprachwissenschaft stark rezipiert worden. Als wesentliche Charakteristika sprachlicher Zeichen gelten:

(1) deren arbiträrer Charakter,
(2) die Möglichkeit, sie in Zeichenklassen einzuteilen (Strukturierung);
(3) deren Funktion, ganze Referentenklassen zu bezeichnen (begriffliche Abstrahierung), Ausnahme sind die Eigennamen;
(4) die Freiheit der Sprachzeichen, ihren Geltungsbereich zu verändern;
(5) die unterschiedliche Gliederung der Welt durch Zeichen (in verschiedenen Sprachen);
(6) die Tatsache, daß Sprache in einem sozialen Kontext funktioniert;
(7) die doppelte Beschreibungsfunktion: Beschreibung der außersprachlichen Welt und Beschreibung der Sprache selbst (Metasprache) (vgl. BUßMANN 1990:864).

Die Sprache ist also ein Instrument der Kommunikation zwischen den Menschen über die sie umgebende Welt, und als solches kann sie wissenschaftlich untersucht werden (vgl. ECO 1972). Die Lehre von den Zeichen als kommunikativen Signalen heißt nach Ch. W. MORRIS[45] Semiotik (gr. *semeion* = Zeichen). Sie gliedert sich in

Semantik   (untersucht das Verhältnis der Zeichen zu den Dingen),
Syntax   (untersucht Beziehungen der Zeichen untereinander),
Pragmatik   (untersucht Beziehungen zwischen Zeichen und Benutzer).

3.4 Generative Transformationsgrammatik (Chomsky)

Die aufklärerische Idee allgemeiner logischer Formen (s. Kap. 3.1) setzte sich bis in unser Jahrhundert fort. In einer immer noch aktuellen Variante unterliegt dieses traditionelle Konzept auch Noam CHOMSKYS Standardtheorie der Tiefenstruktur, die eine Widerspiegelung der Form des Gedankens und daher allen Menschen gemeinsam, sein soll. Der Ausdruck „Form des Gedankens" ist wichtig. Gemeint ist nämlich eine Struktur, die rein gedanklich ist und den Inhalt eines Satzes vermittelt. [46]

Ziel der von CHOMSKY (1965) entwickelten Generativen Transformationsgrammatik ist es also, durch ein System von expliziten Regeln das implizite Wissen von Sprache abzubilden und damit eine logisch begründete Theorie über das Denken der Menschen zu schaffen.

Die entsprechende Hypothese der virtuellen sprachlichen Kompetenz besagt, daß der ideale Sprachbenutzer *(native speaker)* fähig sei, mit Hilfe eines internalisierten syntaktischen Regelapparats und eines begrenzten Inventars von Elementen (Laute, Wörter) unendlich viele, verschieden kombinierbare

---

[45] Vgl. Ch. W. MORRIS (1946): *Signs, Language and Behavior*. New York.

[46] Diese Basiskomponente aus „Satzstrukturregeln und Lexikonregeln" *(phrase structure rules and lexical rules)* generiert eine „Tiefenstruktur", die dann wiederum über internalisierte Transformationsregeln in eine Oberflächenstruktur verwandelt wird. Die „Transformationsregeln", welche Tiefenstrukturen in einzelsprachlich verschiedene Oberflächenstrukturen umwandeln, können von Sprache zu Sprache ebenfalls verschieden sein, identisch sind aber die Tiefenstrukturen. In diesem dreigliedrigen Modell sollen die Satzstrukturregeln das unbewußte Wirken des menschlichen Geistes darstellen; die Tiefenstruktur bestimmt dann die den Sätzen zugrundeliegende Bedeutung, und die Oberflächenstruktur bestimmt den Wortlaut (CHOMSKY 1965:22). – Vgl. auch N. CHOMSKY (1966): *Cartesian Linguistics. A Chapter in the history of Rationalist Thought*, New York/London (dt. *Cartesianische Linguistik. Ein Kapitel in der Geschichte des Rationalismus*, Tübingen 1971). Er verweist auf die Grundgedanken der allgemeinen Grammatik. – Vgl. J. BECHERT u.a. (1970): *Einführung in die Generative Transformationsgrammatik*. München.

und variierbare Sätze grammatisch richtig zu formulieren (Performanz) und zuvor nie gehörte oder gelesene Sätze syntaktisch richtig zu deuten (vgl. hierzu auch *langue* und *parole* bei Saussure). So ist z. B. CHOMSKYS berühmt-berüchtigter Satz *„Colourless green ideas sleep furiously"* grammatisch korrekt, wenn auch sinnlos. CHOMSKY studierte eine universale Grammatik als Charakterisierung eines spezifischen Systems von Strukturen des menschlichen Geistes als Voraussetzung für die Fähigkeit zum Spracherwerb.

Auch wenn CHOMSKY keineswegs an das Übersetzen dachte, konnte er nicht verhindern, daß seine Gedanken von verschiedenen Übersetzungstheoretikern „benutzt" wurden, um eigene Vorstellungen theoretisch zu untermauern (dazu weiter unten). Die Vorstellung von Strukturen, die Menschen verschiedener Sprachen zueigen sind, konnte dies durchaus nahelegen.

3.5 Universalienforschung

Das Konzept allgemeiner logischer Formen, die allen Sprachen zugrunde liegen, führte auch zur Universalienforschung[47]. Die Versuche zur Erklärung von Universalien lassen sich auf wenige Grundmuster zurückführen: (a) Mögliche Abstammung aller Sprachen von einer gemeinsamen Ursprache, (b) gleiche Funktionen der Sprache in allen Sprachgemeinschaften, was ähnliche grammatische Strukturen bedingt, (c) gleiche biologische Ausstattung aller Menschen hinsichtlich ihrer kognitiven Prozesse und des Spracherwerbsmechanismus (vgl. BUßMANN 1990:820).

Die Forschung konzentrierte sich zunächst auf den Zeichenkörper der Sprachen, auf grammatische Universalien als Eigenschaften aller menschlichen Sprachen. Es sind dies z. B. Kasus-Numerus, Tempus, Subjekt-Objekt, Spezifizierung der Personen in Ein- und Mehrzahl, usw. Wissenschaftlich können dabei Übereinstimmungen und statistische Korrelationen zwischen den Einzelsprachen festgestellt werden.

BEISPIEL

Grundkategorien der Benennung mittels Sprachzeichen sind "Gegenstand", "Ereignis", "Eigenschaft" und "Beziehung" Diese vier "Grundkategorien" sind universal, und annähernd entsprechen ihnen die bekannten grammatischen Bezeichnungen Substantiv, Verb, Adjektiv, Präposition (vgl. NIDA/TABER 1969:35).

---

[47] G. BRETTSCHNEIDER./C. LEHMANN (Hrsg.) (1980): *Wege zur Universalienforschung.* Tübingen. – W. STEGMÜLLER (^{3}1974): *Glauben, Wissen, Erkennen. Das Universalienproblem einst und jetzt.* Darmstadt.

Die Welt der Erfahrungen läßt sich nach dieser Auffassung in jene vier Kategorien aufteilen:

1) G e g e n s t a n d bezieht sich auf diejenigen semantischen Klassen, die Dinge oder Wesen bezeichnen, die an Ereignissen beteiligt sein können, z. B. *Haus, Hund, Mann, Sonne, Stock, Wasser,* usw.;

2) E r e i g n i s bezieht sich auf die semantische Klasse, welche Handlungen, Vorgänge und Geschehnisse bezeichnet, wie *laufen, springen, töten, sprechen, scheinen erscheinen, wachsen, sterben;*

3) E i g e n s c h a f t bezieht sich auf die semantische Klasse der Ausdrücke, die als alleinigen Bezug Abstrakta, Qualitäten, Quantitäten und Abstufungen von Gegenständen, Ereignissen und anderen Abstrakta aufweisen. Zum Beispiel ist *rot* an und für sich nichts, es ist nur die Qualität, die bestimmten Gegenständen eigen ist, wie etwa ein *roter Hut.*

4) B e z i e h u n g e n sind Ausdrücke für die sinnvollen Verbindungen zwischen anderen Wortarten. Sie werden oft durch Partikel ausgedrückt (im Deutschen meist Präpositionen und Konjunktionen), sowie Affixe und Flexionsmerkmale. Viele Sprachen, auch Englisch und Französisch, benutzen die Ordnung der Satzteile, um sinnvolle Beziehungen auszudrücken (z. B. S-P-0).

Die Phonologie als weitere Teildisziplin der Sprachwissenschaft befaßt sich mit den bedeutungsunterscheidenden Sprachlauten, auch Phoneme genannt, ihren relevanten Eigenschaften, Relationen und Systemen (BUSSMANN 1990:581).

3.6 Strukturelle Semantik

Nicht abwegig ist dann der Gedanke, daß es auch universelle Bedeutungsaspekte bei den Zeicheninhalten geben könnte. CHOMSKY (s. Kap. 3.4) dachte etwa daran, daß farbbezeichnende Wörter z. B. das Farbenspektrum, das ja physisch wahrnehmbar ist, in kontinuierliche Segmente einteilen würden, die zwar in verschiedenen Vorstellungen nicht identisch, aber nachvollziehbar seien.

Noch einen Schritt weiter gehen J. J. KATZ/J. A. FODOR (1963) sowie M. BIERWISCH (1967)[48]. Wie die Lautstruktur der natürlichen Sprachen auf der

---

[48] Vgl. J. J. KATZ/J. A. FODOR (1963): „Die Struktur einer semantischen Theorie", S. 202-268; – und M. BIERWISCH (1967): „Einige semantische Universalien in deutschen Adjektiven", S. 269-318; In: H. STEGER (Hrsg..): *Vorschläge für eine strukturale Grammatik des Deutschen,* Darmstadt.

Basis eines universalen Inventars phonologischer Merkmale beschrieben werden kann, so soll das semantische Grundinventar einer Sprache als Auswahl aus einem Universalinventar semantischer Merkmale beschreibbar sein. Hierzu können Kategorien wie „belebt-unbelebt", „maskulin-feminin-neutrum", die Differenzierungen in „Subjekt-Verb-Objekt" oder auch Beschreibungskriterien des Raumes gehören (z. B. Dimensionalität, Vertikalität, Beobachterzentriertheit).

Dies ist der Forschungsgegenstand der Strukturellen Semantik.[49] In der semantischen Komponentenanalyse kann anhand der Seme als den kleinsten inhaltsunterscheidenden Merkmalen die „Bedeutung als Semstruktur" (HILTY) dargestellt werden. Die lexikalische Bedeutung ist der einer semantischen Analyse zugängliche, im Lexikon kodifizierte Teilaspekt von Bedeutung, der zusammen mit den grammatischen Bedeutungselementen (wie Modus, Tempus, Komparation) die Gesamtbedeutung sprachlicher Ausdrücke ergibt.

Analog zur Methode der Phonologie, die die Laute als Ausdrucksseite der Zeichen in einzelne phonologische Merkmale zerlegt, wird hier nach der Beschaffenheit der Inhaltsseite von Sprachzeichen gefragt. Dabei wird der Zeichencharakter aufgelöst und die Inhaltsseite nach bedeutungskonstitutiven Merkmalen als möglichen sprachlichen Korrelaten von Eigenschaften der außersprachlichen Wirklichkeit untersucht. Die Wortbedeutung wird als eine hierarchische Struktur von Bedeutungsmerkmalen aufgefaßt, die dann beim Sprechen jeweils auf eine konkrete Satzbedeutung reduziert wird.

BEISPIEL

Die Analyse des Bedeutungsinhalts von frz. *fauteuil* ergibt folgende Seme: *'avec dossier'*, *'sur pied'*, *'pour une personne'*, *'pour s'asseoir'*, *'avec bras'*, *'avec matériau rigide'*.

Mit dieser Methode können auch einzelsprachliche Wortfelder analysiert werden, wie z. B. Temperaturadjektive (*gelé, froid, frais, tiède, chaud, brûlant*), Altersadjektive (*alt, jung, neu*), Farbadjektive, Dimensionsadjektive, usw. (vgl. GECKELER 1973:25/31).

Bekannt ist auch das Beispiel von e. *bachelor*, das aus den Komponenten +männlich, +erwachsen, −verheiratet besteht. Hiergegen wird eingewendet, daß z. B. auch der Papst zwar ein „unverheirateter männlicher Erwachsener" sei, aber doch wohl nicht den Prototyp des *'bachelor'* darstelle (vgl. SNELL-HORBNY 1988:28).

---

[49] Vgl. H. GECKELER (1971): *Strukturelle Semantik und Wortfeldtheorie*, München. – L. SCHMIDT (Hrsg.) (1973): *Wortfeldforschung. Zur Geschichte und Theorie des sprachlichen Feldes*, Darmstadt. – H. GECKELER (Hrsg.) (1978): *Strukturelle Bedeutungslehre*. Darmstadt. – G. HILTY (1971): „Bedeutung als Semstruktur". In: *Vox Romanica 30*, 242-263.

Für die konkrete Bedeutung eines Wortes (Lexems) in der Rede kommt dem Kontext in seiner monosemierenden Funktion eine entscheidende Rolle zu. Die lexikalische Bedeutung eines isolierten Wortes ist „weitgespannt, vage, sozial und abstrakt". Erst im Rahmen von Sätzen und Texten, wenn ein Sprecher mit Hilfe der kontextuellen Bedeutungen seine Meinung zum Ausdruck bringt, wird der Wortinhalt „engumgrenzt, präzise, individuell und konkret" (WEINRICH 1970:16).

3.7 Die absolute Übersetzbarkeit über tertium comparationis (Koschmieder)

Die Universalientheorie (s. Kap. 3.5) und die Generative Transformations-grammatik (s. Kap. 3.4) mit ihren Untersuchungen von Aspekten, die mehreren Sprachen eigen sind, vermittelten wichtige Impulse für die Übersetzungs-theorie. Im Gegensatz zu den von der Sprachinhaltsforschung diskutierten Grenzen der Übersetzbarkeit (s. Kap. 2.3) deutet sich hier eine prinzipielle Übersetzbarkeit an. In der modernen Linguistik ist folglich die Ansicht weit verbreitet, daß alles in jeder Sprache ausdrückbar sei. Daraus läßt sich die Schlußfolgerung ableiten, daß man wohl auch jeden Text in irgendeiner Form übersetzen kann. Roman JAKOBSON unterscheidet (1959) zwischen drei Arten der Übersetzung[50]:

> Diese drei Arten der Übersetzung sind begrifflich zu unterscheiden:
> 1. Intralinguale Übersetzung oder *Umbenennung* (rewording) ist eine Inter-pretation sprachlicher Zeichen mit Hilfe anderer Zeichen derselben Spra-che.
> 2. Interlinguale Übersetzung oder *eigentliche Übersetzung* (translation proper) ist eine Interpretation sprachlicher Zeichen mit Hilfe einer anderen Sprache.
> 3. Intersemiotische Übersetzung oder *Transmutation* (transmutation) ist eine Interpretation sprachlicher Zeichen mit Hilfe von Zeichen nichtsprachlicher Zeichensysteme.

Georges MOUNIN hat die Problematik und Konsequenzen der Universali-entheorie im Hinblick auf die Übersetzbarkeit ausführlich diskutiert. Er stellt die Bezeichnungsfunktion der Sprache (s. Kap. 3.2) in den Vordergrund und nennt außersprachliche Sachverhalte mit universellem Geltungsbereich

---

[50] Vgl. R. JAKOBSON (1959): „Linguistische Aspekte der Übersetzung (On Linguistik As-pects of Translation, dt.)" In: W. WILSS (Hrsg.) (1981): *Übersetzungswissenschaft*. Darmstadt, 189-198, S. 190.

(Wissenschaften), wobei er zu dem Schluß kommt: «...il faut conclure aussi que la traduction de toute langue en toute langue est au moins possible dans le domaine des universaux ...» (1963:223). So begreift MOUNIN z. B. die interlinguale Terminologiearbeit nach dem Prinzip der Eineindeutigkeit („nur ein Wort für eine Sache und nur eine Sache für ein Wort", 1967:15) als „internationale Vereinheitlichung der Wörter" und gelangt zu der Prognose, nach Erreichen dieses Ideals werde „die wissenschaftliche und technische Übersetzung so gut wie hundertprozentig automatisierbar sein" (1967:159).

Erwin KOSCHMIEDER[51] präzisiert MOUNINS Position, indem er vom Instrumentalcharakter der Sprache ausgeht. Er definiert: „'Übersetzen' heißt nämlich: 1. zu Z^x in L^x über B^x das G finden und 2. zu demselben G in L^y über B^y das zugeordnete Z^y finden" (1965:104). Anders ausgedrückt: Übersetzen heißt, zum ausgangssprachlichen Zeichen über das ausgangssprachlich Bezeichnete das Gemeinte finden und zu demselben Gemeinten in der Zielsprache über das zielsprachlich Bezeichnete das zugeordnete zielsprachliche Zeichen finden. KOSCHMIEDERS Auffassung vom Übersetzungsvorgang kann also folgendermaßen veranschaulicht werden:

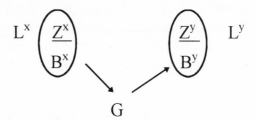

Diese Darstellung zeigt, wie KOSCHMIEDER den Übersetzungsvorgang auf seine linguistischen Grundkomponenten reduziert und die Relationen zwischen ihnen zu formulieren sucht. Weil die Zuordnung desselben Gemeinten *(tertium comparationis)* zur Ausgangs- und zur Zielsprache zwangsläufig impliziert, daß alles übersetzbar sei, erscheint es sinnvoll, den Übersetzungsprozeß als einfaches Faktorenmodell darzustellen: „Die Übersetzbarkeit eines Textes ist also durch die Existenz von syntaktischen, semantischen und erfahrungslogischen Universalkategorien gewährleistet", lautet dazu die Zusammenfassung bei WILSS (1977:56). Und Werner KOLLER entwirft ein generatives Übersetzungsmodell:

---

[51] E. KOSCHMIEDER (1965): *Beiträge zur allgemeinen Syntax,* Heidelberg: „Das Gemeinte" (1953), S. 101-106. „Das Problem der Übersetzung", 107-115.

Von der Annahme eines universalen semantischen Merkmalinventars führt ein weiterer Schritt zur Annahme, daß äquivalente Sätze oder Texte in verschiedenen Sprachen identische Repräsentationen in einer semantischen Metasprache haben, deren Einheiten universale semantische Merkmale sind. In diesem Sinne ist ein bilinguales oder multilinguales Übersetzungsmodell denkbar, in dem die einzelsprachlichen Oberflächenstrukturen auf einfachere Grundstrukturen zurückgeführt werden, die in ihrer tiefsten Schicht in der *lingua universalis*, das heißt einer interlingualen, 'sprachunabhängigen' semantischen Metasprache, repräsentiert sind.

Durch zum Teil mehreren oder allen Sprachen gemeinsame, zum Teil einzelsprachliche Ableitungsschritte – diese können in ihrem syntaktischen Teil als Transformationen aufgefaßt werden; bei der Auswahl und Spezifizierung der einzelsprachlichen semantischen Merkmale würde es sich um 'semantische Transformationen' handeln, die von der metasemantischen Repräsentation zu den einzelsprachlichen semantischen Repräsentationen führen – gelangt man von der semantischen Anfangsrepräsentation zu den phonetischen und graphischen Endrepräsentationen (1992:182).

Aber mit der wohl unwiderlegbaren Behauptung, daß letztlich jeder Text übersetzbar ist, wenn man nur die entsprechenden Regeln formuliert hätte, ist freilich noch kaum etwas darüber ausgesagt, welche Bedingungen erfüllt sein müssen, damit eine angemessene Übersetzung erzielt wird.

Kommentar

Die aufklärerische Entmythologisierung der Sprache als einem Zeichensystem zum Zweck der Kommunikation hat es ermöglicht, diese zu analysieren und wissenschaftlich zu beschreiben. Die semiotische Zeichentheorie, die Generative Transformationsgrammatik und die Universalientheorie beleuchten das Verhältnis zwischen Sprache und Denken. Sie haben damit wesentliche Anstöße zur Entwicklung einiger moderner Übersetzungstheorien gegeben, die im folgenden beschrieben werden.

Lektürehinweise

Umberto ECO (1972): *Einführung in die Semiotik.* München, Fink, [8]1994.
Horst GECKELER (1973): *Strukturelle Semantik des Französischen,* Tübingen.
Werner KOLLER (1992): *Einführung in die Übersetzungswissenschaft.* Heidelberg; besonders Kapitel 2.1.5.
Georges MOUNIN (1967): *Die Übersetzung. Geschichte, Theorie, Anwendung.* München.
Ferdinand de SAUSSURE (1967): *Grundfragen der Allgemeinen Sprachwissenschaft.* Hrsg. von P. v. Polenz. Berlin.

4 Das Modell des Übersetzungsvorgangs als interlingualer Transfer

Erste Forschungen zur Maschinellen Übersetzung gaben Anstoß zu einer Übersetzungswissenschaft als Teilgebiet der Linguistik. Hier wurde zunächst von der Leipziger Schule das kommunikationswissenschaftliche Modell des Übersetzungsvorgangs entworfen. Die Forderung nach inhaltlicher Invarianz führt zur Frage nach interlingualen Äquivalenten. Eine semiotisch orientierte Darstellung zielt auf die Transferprozedur des Übersetzens mit der Perspektive einer objektiv beschreibbaren Transfermethode als Fertigkeit.

4.1 Wissenschaftliche Maximen der modernen Linguistik, MÜ

Im Sinne des Rationalismus und der Universalientheorie (s. Kap. 3.5) ist die Sprache ein Zeichensystem zum Zwecke der Kommunikation, welches auch Gegenstand einer wissenschaftlichen Untersuchung sein kann. Die Sprachwissenschaft, die Linguistik, wie sie seit de SAUSSURE heißt, hatte sich in den 50er und 60er Jahren auch die rationalistischen Analysekriterien wie Objektivierbarkeit, Methodenstringenz, Formalisierbarkeit, Intersubjektivität und Verifizierbarkeit als „Kennzeichen der wissenschaftlichen Methode" (STACHOWITZ) zu eigen gemacht. Alle als subjektiv-zufällig geltenden Bestimmungsfaktoren in der Sprachbeschreibung waren nunmehr „unwissenschaftlich" und mußten so weit wie möglich ausgeschaltet werden. Dadurch wurde der Kreis „wissenschaftlicher Disziplinen" stark eingeschränkt. R. STACHOWITZ führt in seinem Buch über die Maschinelle Übersetzung[52] aus:

---

[52] Vgl. R. STACHOWITZ (1973): *Voraussetzungen für maschinelle Übersetzung: Probleme, Lösungen, Aussichten.* Frankfurt am Main. – Zur Maschinellen Übersetzung vgl. auch A. G. OETTINGER (1969): „Das Problem der Übersetzung", in: H. J STÖRIG (Hrsg.) (1969): *Das Problem des Übersetzens*, Darmstadt, 410-441. – Ferner W. WILSS (1977): *Übersetzungswissenschaft - Probleme und Methoden.* Kapitel XII. – WILSS (1988): *Kognition und Übersetzen. Zu Theorie und Praxis der menschlichen und der maschinellen Übersetzung.* Tübingen.

Heute wird allgemein akzeptiert, daß der Ausdruck „Wissenschaft" sich nicht länger auf eine geistige Disziplin bezieht, die sich mit einem besonderen Sachgebiet befaßt, sondern ganz allgemein auf jede Disziplin, die eine besondere Forschungsmethode verwendet, die sogenannte „wissenschaftliche Methode". Dementsprechend klassifizieren wir verschiedene Fachrichtungen danach, ob sie sich der wissenschaftlichen Methode bedienen oder nicht. Daher schließen wir Disziplinen wie die Literaturwissenschaft von den Wissenschaften aus.

Dies hatte zur Folge, daß man sich auf Texte beschränkte, die den Ansprüchen der wissenschaftlichen Beschreibbarkeit genügten. Auch die Beschreibung der Übersetzungsvorgänge sollte zur Aufgabe dieser Linguistik werden, nachdem an der Übersetzbarkeit als solcher nicht mehr gezweifelt wurde.

Der Anstoß, Übersetzen als primär oder gar ausschließlich „linguistisches" Phänomen zu erfassen und als solches zu objektivieren, ging von der Forschung zur Maschinellen Übersetzung (MÜ) aus. Deren offiziellen Auftakt kann man auf das Jahr 1948 datieren, weil Warren WEAVER in jenem Jahr in einem berühmt gewordenen Briefwechsel mit Norbert WIENER seine informationstheoretisch inspirierte Konzeption der Maschinellen Übersetzung vorlegte. Aus dem Rechner ließe sich bestimmt auch eine Maschine zur Sprachübersetzung machen. Eine natürliche Sprache sei eine Art Geheimkode, den der Computer knacken könnte: er müßte nur ein Wort durch das richtige andere ersetzen.

Die Theorie vom Übersetzen wurde gleichsam als Hilfsdisziplin der maschinellen Übersetzung konzipiert, deren Aufgabe es war, Sprache so zu formulieren und zu algorithmisieren, daß Texte vom Computer in der AS (Ausgangssprache) analysiert und in der ZS (Zielsprache) synthetisiert werden könnten. Als Ziel galt FAHQT (= Fully Automatic High Quality Translation). Der Computer tastet den zu lesenden Text in linearer Folge ab. Besondere Schwierigkeiten stellen daher zunächst die Wortart, der Numerus sowie die Verknüpfung dar.[53]

BEISPIEL

Wie ein Wort zu verstehen ist, d. h. welcher Kategorie es zugeordnet wird, hängt vom jeweiligen Kontext ab, vgl.

Nadeln haben scharfe Spitzen (Subst.); *wir spitzen die Ohren* (Verb); *ich suche einen spitzen Stock* (Adj.).
Singt die Weisen; fragt die Weisen; Sie weisen euch den Weg.

---

[53] Viele dieser Probleme sind inzwischen auch gelöst worden, und im Bereich umfangreicher, stereotyp gestalteter Fachtexte ist MÜ heute ein wertvolles Instrument zur Unterstützung der Übersetzer.

Wie schwierig das Unternehmen der Maschinellen Übersetzung ist, zeigt folgendes Beispiel eines englischen Satzes in deutscher Übertragung durch mehrere MÜ-Systeme:

Englischer Satz: *China cranked up the pressure on Taiwan today by announcing it would begin guided missile tests in the seas around the island. (May 1996)*

SchWINn Translator Pro: China krümmte hinauf der Druck eingeschaltet Taiwan heute von ankündigend es wollte beginnen Raketengeschoß testet im Meere ringsherum der Insel.

FB-Translator: Porzellan krümmte hoch der Druck eingeschaltet Taiwan heute von ankündigend es wollte starten ferngelenktes Geschoß Prüfungen im Meere herum der Insel.

German Assistant: China hat aufwärts den Druck auf Taiwan heute angekurbelt durch verkünden es würde anfangen, Fernlenkgeschoß prüft in den Meeren herum die Insel.

T 1: China drehte heute den Druck auf Taiwan an, wenn es ankündigt, daß es Lenk-Waffen-Prüfungen in den Meeren gegen die Insel anfangen würde. (Vgl. *Die ZEIT,* Mai 1996).

4.2   Das kommunikationstheoretische Modell des Übersetzungsvorgangs (Kade, Neubert)

Vor diesem wissenschaftstheoretischen Hintergrund erklärt es sich, daß eine Reihe von Übersetzungswissenschaftlern, insbesondere die „Leipziger Schule" (Otto KADE, Albrecht NEUBERT, Gert JÄGER) die Übersetzungswissenschaft als linguistische Teildisziplin verstehen und von „Translationslinguistik" sprechen. Für das Übersetzen hat KADE (1963:91) den Terminus „Translation" eingeführt. Der Gegenstand der Wissenschaft war nach JÄGER (1975:77) „die Untersuchung der Translationsprozesse als sprachliche Prozesse" und die Analyse der ihnen „zu Grunde liegenden sprachlichen Mechanismen". KADE erklärt:

> Alle Texte einer Sprache L_x (Quellensprache) können unter Wahrung des rationalen Informationsgehalts im Zuge der Translation durch Texte der Sprache L_n (Zielsprache) substituiert werden, ohne daß prinzipiell der Erfolg der Kommunikation beeinträchtigt oder gar in Frage gestellt wird (1971:26).

Später sollte dann eine Wissenschaft von der „Sprachmittlung" (Oberbegriff zu Übersetzen und Dolmetschen) begründet werden (KADE 1980). Dabei legte er eine kommunikationswissenschaftliche Auffassung zugrunde:

> Die KS [sc. Kommunikationssituation] in der ZVK [sc. zweisprachig vermittelten Kommunikation] ist deshalb das objektive Kriterium, von dem aus der Grad der möglichen und/oder notwendigen Übereinstimmung bzw. der zulässigen Nichtübereinstimmung von IKK (sc. Informationskomponenten des Kommunikats] des ZS- [sc. zielsprachigen] Textes gegenüber dem QS- [sc. quellensprachigen] Text bestimmt werden kann.
>
> In beiden Fällen wirkt das „Spannungsfeld zwischen Originalbezogenheit und Empfängergerichtetheit", jedoch haben die beiden Pole dieses Spannungsfeldes einen unterschiedlichen Stellenwert. Bei der Translation hat die Originalbezogenheit das Primat (...), beim ad. Ütr. [sc. adaptiven Übertragen] hingegen die Empfängergerichtetheit (...). Zwischen diesen beiden Polen, die infolge der Unkenntnis der objektiven Zusammenhänge den Streit um die „wörtliche" bzw. „genaue" oder „freie" Übersetzung lange Zeit nicht lösbar erscheinen ließen, bewegte sich in der langen Geschichte des Übersetzens der empirische Übersetzungsbegriff (KADE 1980:122; 158).

Zentrale Begriffe sind *Kode* und *Kodewechsel*, deren Herkunft aus Nachrichtentechnik und Kommunikationswissenschaft[54] die Zielrichtung der Translationslinguistik andeutet. Sie strebt an, den Informationsgehalt eines Textes in der Übersetzung invariant zu erhalten.

Kommunikationswissenschaft ist die Wissenschaft von Bedingungen, Struktur und Verlauf von Informationsaustausch auf der Basis von Zeichensystemen. Ein Kommunikationsmodell ist die schematische Darstellung von Kommunikationsprozessen nach der Grundformel: *„Wer* sagt *was* mit *welchen* Mitteln zu *wem* mit *welcher* Wirkungsabsicht?" (Lasswell-Formel, 1948).

Grundkomponenten des nachrichtentechnischen Kommunikationsmodells sind (a) Sender und Empfänger (Sprecher/Hörer), (b) Kanal bzw. Medium der Informationsübermittlung (akustisch, optisch, taktil), (c) Kode (Zeichenvorrat und Verknüpfungsregeln), (d) Nachricht (Mitteilungsinhalt), (e) Störungen (Rauschen), (f) pragmatische Bedeutung (Intention, Wirkung), (g) Rückkoppelung (Empfängerreaktion).

Der Kode-Begriff wurde in die Sprachwissenschaft übernommen, indem man – vereinfacht ausgedrückt – die Lexik einer Sprache mit dem Zeichenrepertoire und die Syntax mit dem Zeichenverknüpfungsmechanismus gleichsetzte. In der sprachlichen Kommunikation (Rede) dient der Kode dazu, eine

---

[54] Grundlage der meisten Kommunikationsmodelle ist das 1949 für nachrichtentechnische Zwecke entworfene Modell. Vgl. C. E. SHANNON/W. WEAVER (1949): *The mathematical theory of communication, III*. Urbana.

Nachricht (N) von einem Sender (S) zu einem Empfänger (E) zu transportieren, d. h. die Nachricht wird zu Übermittlungszwecken enkodiert (verschlüsselt) und beim Empfang wieder dekodiert (entschlüsselt). Das Kommunikationsmodell sieht so aus, wenn Sender (S) und Empfänger (E) über ein gemeinsames Zeichensystem (Sprache) verfügen:

Das Übersetzen stellt dann einen Sonderfall dar: zwischen Sender und Empfänger muß der Übersetzer (oder der Computer) treten, der einen Kodierungswechsel vornimmt, weil ja der Empfänger des Textes nicht über den gleichen Kode (Sprache) wie der Sender verfügt. Dabei muß aber der Informationsgehalt eines Textes invariant bleiben. Nach KADE (1968a:203) kann man den zweisprachigen Kommunikationsvorgang als dreiphasigen Prozeß folgendermaßen veranschaulichen:

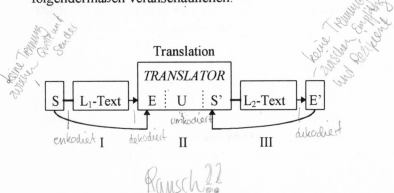

Der Übersetzer ist nicht nur „Kodeumschalter“, sondern zugleich Empfänger (E) der AS-Nachricht und Sender (S') der gleichen ZS-Nachricht, die dann vom zielsprachlichen Empfänger (E') im Verstehen wieder dekodiert wird. Diese Auffassung hat die deutsche Übersetzungswissenschaft sehr stark geprägt. Deren Interesse konzentriert sich nach WILSS[55] auf die Frage,

---

[55] Es handelt sich hier um die Darstellung einer älteren Theoriephase durch WILSS, die inzwischen als überholt gilt. Auch WILSS selbst folgt nicht dieser Konzeption.

wie man sprachlich operieren muß, um ausgangs- und zielsprachliche Textintegration zu gewährleisten und interlinguale Strukturdivergenzen auf inhaltlich
und stilistisch adäquate Weise zu neutralisieren. Die Übersetzungswissenschaft versteht Übersetzen als einen sprachlichen Formulierungsprozeß, in dessen Verlauf der Übersetzer durch eine Folge von *code-switching*-Operationen
eine von einem ausgangssprachlichen Sender (S_1) produzierte Nachricht in einer Zielsprache reproduziert und sie damit dem zielsprachlichen Empfänger
(E_2) zugänglich macht (1977:62).

4.3 Die potentiellen Entsprechungen zwischen AS und ZS (Kade)

Durch die kommunikationswissenschaftlich logische Forderung nach Invarianz
der Information entsteht das „translatorische Grundproblem" der Suche nach
Entsprechungen.

> Das Fehlen von Eins-zu-Eins-Entsprechungen wirkt sich vor allem dort nach-
> teilig aus, wo Übersetzen als ein Vorgang verstanden wird, ʻbei welchem Rei-
> hen eines Sprachinventars A durch Reihen eines Sprachinventars Z ersetzt
> werden' (...). Dies ist bei der Maschinenübersetzung der Fall, die informati-
> onstheoretisch argumentiert und den Übersetzungsprozeß als eine Folge von
> formal-mechanischen Operationen auffaßt (WILSS 1977:75).

Dieses Grundproblem rührt nach Meinung KADES von der Divergenz zwischen *langue* und *parole* her, wie sie bei SAUSSURE konzipiert ist (s. Kap.
3.2):

> Die Problematik der Translation resultiert daraus, daß bei der Umschlüsselung
> (d. h. beim Vollzug des Kodierungswechsels) im Bereich der *parole* (d. h. bei
> der Aktualisierung sprachlicher Mittel) auf der Inhaltsebene ein 1:1-Verhältnis
> zwischen AS-Elementen und ZS-Elementen erreicht werden muß, obwohl im
> Bereich der *langue* (d. h. in den Relationen zwischen AS-System und ZS-
> System die Nichtübereinstimmung der semantisch-funktionellen Seite ver-
> schiedensprachiger Zeichen (der AS-Zeichen und ZS-Zeichen) die Regel ist
> (KADE 1968:75).

Die Reichweite der Translationslinguistik wird damit auf den rein inhaltlichen
Aspekt von Texten begrenzt, der den alleinigen Bezugspunkt darstellt. So
auch bei Henri VERNAY:

> Wir definieren zunächst Übersetzen als den Akt, der eine in der Sprache A ge-
> gebene Information so in eine Sprache B überträgt, daß die in Sprache B erhal-
> tene Informationsmenge mit jener in Sprache A identisch ist (...). Wenn man
> aber die informative Äquivalenz eines ZS-Textes mit seinem AS-Text feststel-
> len will, so bedarf es eines *tertium comparationis* auf der Inhaltsebene, an dem
> sowohl AS-Text als auch ZS-Text gemessen werden können (1974:4; 5).

In seinem Übersetzungsmodell führt der Weg vom AS-Text zu einem
„Metatext" auf der langue-Ebene. Nach „Feststellung der Übereinstimmung
und Abweichung zwischen L_1- und L_2-System unter Bezug auf außereinzel-
sprachliche Kategorien der Inhaltssubstanz" (VERNAY 1974:6) ergibt sich, wie
in der Vorstellungswelt der Generativen Grammatik, deduktiv wiederum ein
ZS-Text. Sehr zahlreiche Beiträge zur Übersetzungswissenschaft entwickeln
ähnliche Modelle auf verschiedenen Stufen der Abstraktion oder Formalisie-
rung, jedoch keine explizite Anwendung auf konkrete Texte (vgl. dazu
KOSCHMIEDER, s. Kap. 3.6).

In diesem (gewiß auch vom marxistischen Weltbild geprägten) Ansatz
KADES (vgl. KADE 1971), der die sprachliche Form nur im „Dienst am Inhalt"
sieht, wird die Unterscheidung zwischen *langue* und *parole* (s. Kap. 3.2),
zwischen Sprachsystem und konkreter Rede verwischt, so daß das Übersetzen
einfach zu einem Ersatz von Sprachzeichen der einen Sprache durch solche
einer anderen wird, solange dies nur mit Bezug auf eine universale Tiefenstruktur, ein *tertium comparationis* vertretbar ist. Die theoretischen Konstrukte Tiefenstruktur-Oberflächenstruktur/ Begriff-Zeichen/ Sprachsystem-Rede
sind praktisch nur schwer auseinanderzuhalten. So formuliert KOLLER:

> Aufgabe der *linguistischen Übersetzungswissenschaft* ist die Beschreibung der
> Zuordnungsbeziehungen auf der *Systemebene (langue)*, die es, obwohl im all-
> gemeinen keine Eins-zu-eins-Beziehungen vorliegen, erlauben, auf der *Text-*
> *ebene (parole)*, d. h. der Aktualisierung der potentiellen systematischen Zu-
> ordnungen im Text, eine Eins zu-eins-Beziehung zwischen AS- und ZS-Text
> zu erhalten (1992:151).

Die „linguistische Übersetzungswissenschaft" geht also von der Grundannahme eines „Aufeinandertreffens zweier sprachlichen Systeme beim Übersetzen"
(VERNAY 1974:2) aus. Sie verlangt nach einer sprachenpaarbezogenen Beschreibung von Zuordnungsbeziehungen sprachlicher Einheiten, welche
„äquivalent" übersetzt werden sollen. Nach KADE ist die Übersetzungseinheit
„das jeweils kleinste Segment des AS-Textes, für das (...) ein Segment im ZS-
Text gesetzt werden kann, das die Bedingungen der Invarianz auf der Inhaltsebene erfüllt" (1968:90). Demnach wäre die Übersetzung äquivalent,
wenn sie aus gleichviel (äquivalenten) Übersetzungseinheiten besteht wie der

AS-Text. Damit entsteht aber ein neues Problem in der Frage, ob ein Text überhaupt restfrei in Übersetzungseinheiten zerlegt werden kann.

KADE (1968:79ff) hat vier Arten „potentieller Äquivalente" im Lexikon zwischen Einzelsprachen herausgestellt. Als potentielles Äquivalent kann gelten, was auf der Systemebene zwischen zwei Sprachen inhaltlich vergleichbar ist. KADE nennt Entsprechungen wie eins-zu-eins *(totale Äquivalenz)*, eins-zu-viele *(fakultative Äquivalenz)*, eins-zu-Teil *(approximative Äquivalenz)*, eins-zu-Null *(Null-Äquivalenz)*. Die Reaktion auf diesen Befund hängt dann von verschiedenen Faktoren ab. Normalerweise entsprechen einer isolierten AS-Einheit mehrere Entsprechungen in der ZS. Auf der Textebene erweist sich dann im problemlosen Durchschnittsfall eines dieser potentiellen Äquivalente als das zutreffende.[56]

In diesem Zusammenhang ist auf den Unterschied zwischen Übersetzungswissenschaft und kontrastiver Linguistik hinzuweisen. Hauptzielsetzung letzterer ist es, „zwei oder mehrere Sprachen auf allen Ebenen mit Hilfe der Grundlage eines *tertium comparationis* systematisch miteinander zu vergleichen"[57], und zwar unter der Zweckbestimmung des Fremdsprachenunterrichts und der Lexikographie. Der Sprachvergleich der kontrastiven Linguistik zielt auf Systemvergleich im Bereich von übereinstimmenden und divergierenden Strukturen, sie arbeitet auf der Ebene der *langue*. Demgegenüber bezieht sich die Übersetzungswissenschaft auf das Formulieren konkreter Texte auf der Ebene der *parole*. In manchen wissenschaftlichen Arbeiten werden diese Unterschiede allerdings nicht genügend deutlich.

---

[56] Die Zahl der theoretisch anzusetzenden Entsprechungstypen wird in der Literatur kontrovers diskutiert, vgl. KOLLER (1992:228f) und WILSS (1977:178).

[57] Vgl. G. NICKEL (1980): „Kontrastive Linguistik". In: *Lexikon der Germanistischen Linguistik*, hrsg. v. H. P. ALTHAUS/H. HENNE/H. E. WIEGAND. Tübingen 1980, 633.

BEISPIEL

Bei KOLLER (1992:229f) finden wir eine ausführliche Darstellung von fünf Typen der potentiellen Äquivalenz im lexikalischen Bereich mit Übersetzungsverfahren.

1. Die Eins-zu-eins-Entsprechung

AS-Ausdruck ——————→ ZS-Ausdruck

1 : 1

Äquivalenz

e. *five* -   d. *fünf*
d. *Kalenderjahr* -   f. *année civile*
f. *bouc émissaire* -   d. *Sündenbock*
d. *die Schweiz* -   f. *la Suisse*

2. Die Eins-zu-viele-Entsprechung

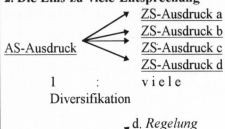

1 : v i e l e

Diversifikation

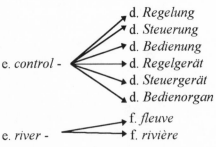

3. Die Viele-zu-eins-Entsprechung

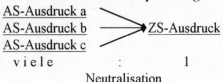

v i e l e : 1

Neutralisation

z. B.

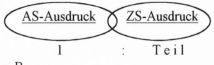

4. Die Eins-zu-Null-Entsprechung (Lücke)

AS-Ausdruck   ZS-Fehlstelle

1 : 0

z. B.

d. *Berufsverbot* -   f. ?
sw. *Ombudsman* -   d. ?
e. *layout* -   d. ?
e. *performance* (ling.) -   d. ?

5. Die Eins-zu-Teil-Entsprechung

(AS-Ausdruck ⟨ ZS-Ausdruck)

1 : T e i l

z. B.

d. *Geist* -   e. *mind*
d. *Stimmung* -   f. *ambiance*
f. *esprit* -   d. *Geist*

4.4 Translation shifts (Catford)

Ein streng linguistisch-sprachenpaarbezogener Ansatz in der Übersetzungs-theorie wurde von J. C. CATFORD (1965) entwickelt:

> Translation is an operation performed on languages: a process of substituting a text in one language for a text in another. Clearly, then, any theory of translati-on must draw upon a theory of language – a general linguistic theory (1965:1).

CATFORD befaßte sich mit den Relationen im Sprachenpaar, sowohl auf der lexikalischen als auch auf der syntaktischen Ebene. Er begründete seine Theo-rie auf dem Konzept der „Systemischen Grammatik" des britischen Linguisten M. A. K. HALLIDAY[58]. Mit dem Anspruch, die Maschinelle Übersetzung (s. Kap. 4.1) zu befördern, wird hier eine Übersetzungstheorie von der allgemei-nen Linguistik hergeleitet. Die Sprache wird auf verschiedenen Ebenen be-schrieben: Phonologie, Orthographie, Grammatik, Lexikon, Situation. Die Übersetzungstheorie wird dann als Teil der Vergleichenden Linguistik defi-niert, wobei die Beziehungen zwischen Ausgangssprache und Zielsprache bestimmt werden sollen.

> The theory of translation is concerned with a certain type of relation between languages and is consequently a branch of Comparative Linguistics. (...) *Translation* may be defined as follows: *the replacement of textual material in one language (SL) by equivalent textual material in another language (TL)* (1965:20).

Vor diesem theoretischen Hintergrund werden dann die Übersetzungsmög-lichkeiten im Hinblick auf partielle oder totale Übersetzung an Wort- und Satzbeispielen erörtert. Dabei wird unterschieden zwischen „textual equiva-lence" und „formal correspondence" als empirischem Phänomen[59]:

---

[58] Vgl. M. A. K. HALLIDAY (1961): „Categories of the Theory of Grammar." In: *Word,* vol. 17, 3/1961, 241-292. – Die „Systemische Grammatik" ist ein auf sprachtheoretischen An-sätzen von J. R. FIRTH beruhendes, von HALLIDAY ausgearbeitetes deskriptives Analyse-modell von Sprache, das davon ausgeht, daß linguistische Beschreibungen Abstraktionen sprachlicher Formen aus sprachlichen Äußerungen sind, wobei zwischen Sprache und außersprachlicher Welt eine enge Beziehung besteht, die durch den Situationskontext her-gestellt wird. Vgl. H. BUßMANN (1990): *Lexikon der Sprachwissenschaft,* Stuttgart, 767ff.

[59] Unter „formal correspondence" werden taxonomische Korrespondenzen zwischen zwei Sprachen genannt (Wortklassen, Morpheme z. B.), wodurch sprachtypologische Differen-zen meßbar sind.

A textual equivalent is any TL text or portion of text which is observed on a particular occasion, by methods described below, to be the equivalent of a given SL text or portion of text. A formal correspondent, on the other hand, is any TL category (unity, class, structure, element of structure, etc.) which can be said to occupy, as nearly as possible, the same place in the 'economy' of the TL as the given SL category occupies in the SL (1965:27).

BEISPIEL

Zur Feststellung solcher Entsprechungen ist der kompetente Sprecher zu befragen oder eine Kommutationsprobe des Austauschens von Satzelementen anzuwenden (vgl. CATFORD 1965:28):

"In place of *asking* for equivalents we may adopt a more formal procedure, namely, *commutation* and observation of concomitant variation. In other words we may systematically introduce changes into the SL text and observe what changes if any occur in the TL text as a consequence. *A textual translation equivalent* is thus: *that portion of a TL text which is changed when and only when a given portion of the SL text is changed.*

In our present example, having had *My son is six* translated into French we might ask the translation of *Your daughter is six*. The TL text this time is *Votre fille a six ans*. The changed portion of the TL text (Mon fils/Votre fille) is then taken to be the equivalent of the changed portion of the SL text (My son/Your daughter)."

Nach CATFORD ist Übersetzen das Austauschen von Textmaterial in einer Sprache durch gleichwertiges Textmaterial einer anderen Sprache, aber nur in einer vorgegebenen Situation. Der Situationskontext des Übersetzungsvorgangs ist für ihn deshalb so wichtig, weil er einen interlingualen Bedeutungstransfer, eine „transference of meaning or content, from one language or text to another" (1965:35) für nicht möglich hält. Bedeutung ist seiner Meinung nach ein rein einzelsprachliches Phänomen: „An SL text has an SL meaning and a TL text has a TL meaning" (1965:35). Bedeutung konstituiert sich dabei aus dem ganzen Netz formaler und kontextueller Bezüge, in denen eine formale linguistische Einheit steht.[60]

Also können ausgangssprachliche und zielsprachliche Spracheinheiten nur gegeneinander ausgetauscht werden, und sie sind dann äquivalent, wenn sie in einer vorgegebenen Situation funktionieren, auch wenn sie im systemlinguistischen Sinn selten die gleiche Bedeutung haben:

---

[60] Beispiel: Manche Wörter zwingen zur Angabe des Genus, in anderen Sprachen fehlt solches.

The SL and TL items rarely have 'the same meaning' in the linguistic sense; but they can function in the same situation. In total translation, SL and TL texts or items are translation equivalents when they are interchangeable in a given situation. This is why translation equivalence can nearly always be established at sentence-rank – the sentence is the grammatical unit most directly related to speechfunction within a situation (1965:49).

Allerdings gilt: "The central problem of translation-practice is that of finding TL translation equivalents" (1965:21). Nach CATFORDS Meinung ist eine Übersetzung um so besser, je mehr Situationsmerkmale in der Zielsprache linguistisch explizit und in exakt zu quantifizierender Weise wiedergegeben werden können: "Translation equivalence occurs when an SL and a TL text or item are relatable to (at least some of) the same features of substance" (1965:50). Wertet man daraufhin ein entsprechend großes Textkorpus empirisch-induktiv aus, dann kann man für Übersetzungsäquivalente Wahrscheinlichkeitswerte ermitteln, die in Form von „translation rules" (CATFORD 1965:31) generalisierbar sind. CATFORD formuliert genaue Regeln, wie ein Übersetzer ausgangssprachliche in zielsprachliche Grammatikstrukturen im Sinne einer Abweichung von der formalen Korrespondenz umwandeln kann („translation shifts"). Diese Regeln werden völlig kontextfrei für verschiedene Ebenen der Grammatik festgelegt.

BEISPIEL

Translation shifts sind beispielsweise: Passiv-Konstruktionen in der AS in Aktiv-Konstruktionen in der ZS umzuwandeln, der Wechsel von Imperfekt zu Perfekt, oder die Vertauschung der Satzglieder aufgrund grammatischer Zwänge (1965:77).

Ferner ist auch auf die grammatische Kategorie des Numerus zu achten, so daß etwa ein Singular in einem ausgangssprachlichen Text zu einem Plural im Zieltext gemacht werden muß. So könnte z. B. die biblische Ermahnung *„Liebe deinen Nächsten wie dich selbst"* bei manchen Hörern Anlaß zu der Frage geben: „Welchen nächsten?", da in vielen Sprachen ein Singular nicht in generischer Bedeutung vorkommt. So muß dieser Ausdruck bisweilen übersetzt werden als: *„Liebet eure Nächsten wie euch selbst"*.

Die Probleme der Satzlänge, Satzordnung, direkte oder indirekte Rede, sind hier typische Probleme für eine sprachenpaarbezogene Analyse von Übersetzungsprozessen. Grenzen der Übersetzbarkeit sieht CATFORD (1965:93) allerdings als schwierig zu definieren an, und diskutiert einige Disambiguierungsprobleme bei Homonymen und bei Polysemie.

CATFORD unterscheidet dabei auch zwischen wörtlicher und Wort-für-Wort-Übersetzung:

> The popular terms *free, literal,* and *word-for-word translation,* though loosely used, partly correlate with the distinctions dealt with here. A *free* translation is always *unbounded* – equivalences shunt up and down the rankscale, but tend to be at the higher ranks – sometimes between larger units than the sentence. *Word-for-word* translation generally means what it says: i. e. is essentially *rank-bound* at word-rank (but may include some morpheme-morpheme equivalences). *Literal* translation lies between these extremes; it may start, as it were, from a word-for-word translation, but make changes in conformity with TL grammar...; this may make it a group-group or clause-clause translation (1965:25).

Die Überlegungen verharren beim Einzelwort und Satz als der Basiseinheit auf der parole-Ebene. Dies hat noch wenig mit dem praktischen Übersetzen in einer Kommunikationssituation zu tun.

4.5 Übersetzen als Transferprozeß (Wilss)

Aufbauend auf dem kommunikationswissenschaftlichen Modell des Übersetzungsvorgangs (s. Kap. 4.2) geht Wolfram WILSS einen Schritt weiter und fragt nach dem Übersetzungsprozeß, der konkret dabei abläuft:

> Die zentrale Aufgabe der Übersetzungswissenschaft besteht demzufolge darin, Verfahrensweisen zu entwickeln, die es ermöglichen, vor dem Hintergrund des ausgangssprachlich Gemeinten den Transfer vom ausgangssprachlichen Text zum zielsprachlichen Text zu faktorisieren, die einzelnen Faktoren zu einem in sich schlüssigen Beschreibungs- und Erklärungsmodell zusammenzufassen und daraus Schlußfolgerungen abzuleiten, die unter verschiedenen Gesichtspunkten übersetzungstheoretisch oder sprachenpaarbezogen-deskriptiv und/oder sprachenpaarbezogen-applikativ ausgewertet werden können (1977:72f).

> [Dabei gilt,] daß Übersetzen eine spezifische Form sprachlichen Handelns und Sichverhaltens ist, die sich vom einsprachigen Handeln und Sichverhalten dadurch unterscheidet, daß der Übersetzer auf der Basis as und zs Wissens 'code-switching'-Prozesse ausführt (1988:36).

Ermittelt werden sollen also die Regeln der Abfassung von Texten, „der Gesetzmäßigkeiten der Textkonstitution als faktorisierbarer Realisationsform von Texten", als „Textverfertigungsprozedur" (WILSS 1980:16), wenn aus Tiefenstrukturen konkrete Oberflächenstrukturen gemacht werden, und folgerichtig ist das Übersetzen dann eine „Transferprozedur" (WILSS 1988:VII).

Das Übersetzen stünde auf sicherem Boden, wenn dieser zielgerichtete Prozeß objektiv steuerbar wäre, insbesondere durch die Beschreibung bestehender Regelmäßigkeiten in den Beziehungen zwischen AS- und ZS-Texten, die sodann lehr- und lernbar gemacht werden könnten. Die Übersetzungswissenschaft untersucht somit nach WILSS' Meinung „auf sprachenpaarbezogene und sprachenpaarübergreifende Weise interlinguale Transfervorgänge und die ihnen zugrundeliegenden parole-bezogenen mentalen Operationen" (1980:9).

Wenn nun jemand übersetzt, dann übersetzt er ja nicht Wörter oder Sätze, sondern Texte, daher ist auch der Übersetzungsprozeß textbezogen zu definieren. Als Begründungszusammenhang dient WILSS die „semiotische Textanalyse", denn die Erkenntnisse der sprachwissenschaftlichen Semiotik (s. Kap. 3.2) gelten nicht nur für Wörter, sondern auch auf den höheren Zeichenrängen wie Satz und Text. Er meint:

> Eine solche Definition des Übersetzungsprozesses könnte etwa folgendermaßen lauten: Übersetzen ist eine Folge von Formulierungsprozessen, die von einem schriftlichen as Text zu einem möglichst äquivalenten zielsprachlichen (zs) Text hinüberführen und – im Sinne der Morris'schen Semiotik – das syntaktische, semantische und pragmatische Verständnis der Textvorlage und eine textadäquate Transferkompetenz des Übersetzers voraussetzen. (...)
> Die übersetzungsbezogene Textlinguistik muß also versuchen, auf dem Weg über eine linguistische Analyse der Textoberfläche die textsemantischen, textfunktionalen und textpragmatischen Bedingungen der Textherstellung zu rekonstruieren und damit die Voraussetzung für die Entwicklung einer textsortenspezifischen Übersetzungsmethodik zu schaffen (WILSS 1980:14/17).

In dem Postulat, hier Gesetzmäßigkeiten zu beschreiben und zu klassifizieren, zeigt sich die geistige Nähe zum Instrumentarium der Generativen Grammatik (s. Kap. 3.3) und Forschungsansätzen der maschinellen Übersetzung. Doch WILSS (1977:95) beruft sich ausdrücklich auf das Übersetzungsmodell KOSCHMIEDERS (s. Kap. 3.6), weil dieser die Doppelfunktion des Übersetzers als Empfänger E_1 und Sender S_2 klar darstelle. Die generativistische Terminologie zeigt sich in Versuchen zur Beschreibung einer „Quasi-Selbststeuerung des Übersetzungsprozesses", von „abgeleiteten Konfigurationen" und „imitativen Übersetzungsprozeduren"; KADES „Kodierungswechsel" wird hier zu „einer Folge von *code-switching*-Operationen"; es ist weiterhin die Rede von „Sender" und „Empfänger" und auch die Lasswell-Formel (s. Kap. 4.2) wird wieder genannt:

> Die Anwendung der Lasswell-Formel auf einen Text ergibt, daß jeder Text vier Dimensionen aufweist:

1. das Textthema (Textbedeutung) (wovon handelt der betreffende Text?);
2. die Textfunktion (welche Mitteilungsabsicht im Bühler'schen Sinn hat der Textsender?);
3. die Textpragmatik (welchen Empfängerkreis hat der Sender im Auge?);
4. die Textoberfläche, in der Lexikon und Syntax integrativ zusammenwirken (WILSS 1980:17).

Der zuerst kommunikationstheoretisch analysierte „Vorgang" wird nun als eine in Faktoren zerlegbare „Prozedur" gesehen. Wird das Übersetzen als zielgerichteter Prozeß gesehen, so ist das Tun des Übersetzers ein „Verhalten", das analysiert werden kann. WILSS' Ansatz befaßt sich jedoch nicht mit der Arbeit an konkreten Textbeispielen, sondern kreist stets aufs Neue um den theoretischen Entwurf eines didaktischen Modells der Faktoren der Übersetzungsprozedur für den Übersetzungsunterricht. Die notwendige Objektivierung erfolgt wiederum mittels der semiotischen Textanalyse:

> Wenn man davon ausgeht, daß (...) der Äquivalenzbegriff in aufsteigender Reihenfolge eine syntaktische, eine lexikalische und eine stilistische (text-pragmatische) Dimension aufweist, ist es empfehlenswert, zuerst eine dreistu-fige ausgangssprachliche Textanalyse vorzunehmen und dabei die vorhandenen Transferblockierungen in ihrem jeweiligen sprachlichen und situativen Kontext zu isolieren, (...) (1977:183).

WILSS fordert einen Übersetzungsunterricht, der den modernen wissenschaft-lichen Maßstäben (s. Kap. 4.1) gerecht wird. In dem Bemühen um exakte Darstellung wird allerdings die Ausdrucksweise oft etwas unübersichtlich und schwer verständlich.

4.6 Schemabasierung des Transfers als Fertigkeit (Wilss)

Weil Übersetzungskompetenz als Können bislang noch nicht meßbar ist, sieht es WILSS als Ziel einer angewandten Übersetzungswissenschaft an, durch die Beschreibung der Transferbedingungen eine vielfach verwendbare Transfer-methodik zu entwickeln, die als „Übersetzungsfertigkeit" (WILSS 1992) auch didaktisch aufbereitet werden sollte.

Als Ausgangspunkt hierfür nennt WILSS bestimmte „Denkschemata", weil sie den Aufbau von handlungsregulierenden Lernstrategien und verhaltens-wirksamen Lerntechniken ermöglichen. Schemata werden als Bausteine der kognitiven Weltrepräsentation im Gedächtnis gespeichert. Sie basieren auf Erfahrungen und stellen die typischen Merkmale eines Weltausschnitts dar. Auch determinieren sie Standardverhaltensweisen.

Schemata entstehen durch induktive Verallgemeinerungen. Solche Verallgemeinerungen sind eine entscheidende Vorbedingung für die strukturelle Vereinheitlichung und genaue Lokalisierbarkeit von Daten unterschiedlicher Art.
Schemabildung ist das Ergebnis der Beobachtung eines Details oder vieler
Details, bis eine Struktur sich merkbar abzeichnet, eine Struktur, die im Rahmen erprobter Abstraktionsmechanismen das zunächst Besondere in den Rang
einer allgemeinen, typisierten Konfiguration erhebt. Die relative Mühelosigkeit
im Umgang mit der Sprache ist nicht zuletzt der Möglichkeit des Rückgriffs
auf Schemata zuzuschreiben; sie wirken als Entlastungsstrategien, weil sie
parallel distribuierte Intormationsverarbeitungsschritte in Gang setzen können
(WILSS 1992:168f).

Sprachliche Schemata des Formulierens sind gewiß ein Kennzeichen der modernen Sprache in den öffentlichen Medien sowie in den Fachsprachen. Der
Übersetzer arbeitet normalerweise im Rahmen einer stereotypgeprägten Gene-
ralisierung nach bestimmten Mustern. Als sprachliches Beispiel für Schemata
nennt WILSS (1992:176) die mechanische Wortbildung mit dem *-isation*-
Suffix:

Deutsch	*Englisch*	*Französisch*
Afrikanisierung	africanization	africanisation
Aktualisierung	... actualization	actualisation
Allegorisierung	... allegorization	allégorisation
Atomisierung	atomization	atomisation
Automatisierung	... automatization	automatisation
Charakterisierung	characterization	caractérisation
Computerisierung	computerization	computérisation
Dramatisierung	... dramatization	dramatisation
Destabilisierung	destabilization	déstabilisation
Dezentalisierung, etc.	decentralization ...	décentralisation ...

Beim Übersetzen gibt es nach WILSS Übergangswahrscheinlichkeiten, d. h.
bestimmte „Übersetzungsprozeduren sind erwartbarer als andere", sie entwik-
keln sich zu einem „Multioptionstyp", den man in allen möglichen Situationen
einsetzen kann. Solches schemabasiertes Verhalten könnte dann übersetzungsdidaktisch als Regelhaftigkeit angewendet und trainiert werden. Der
Begriff der so entstehenden „Fertigkeit" ist nachprüfbar[61]:

---

[61] Vgl. W. WILSS (1989): „Was ist fertigkeitsorientiertes Übersetzen?" In: *Lebende Sprachen 3/1989*, 105-113, S. 109+111. Die in Anführungszeichen gesetzten Textteile sind bei
WILSS Zitate, deren Quellenangaben hier aus Platzgründen entfallen.

Dazu gehören im Bereich des Übersetzens, von lexikalischen oder morphologischen Standardäquivalenten abgesehen, phraseologisch verfestigte, kommunikativ vorstrukturierte Formulierungen mit festen interlingualen Äquivalenzbeziehungen. Fertigkeiten schaffen sich eine eigene mentale Atmosphäre, glatt, einfach, minimalistisch, mit vom Übersetzer als „automatic conditioned response" beherrschbaren Spielzügen. Übersetzerische Tätigkeit bekommt hier den Charakter einer auf Selbstregulierungsmechanismen beruhenden Handlungsweise, die zeigt, daß Fertigkeiten nicht am „Erkenntniswert des Individuellen" orientiert sind. (...)

Von praktischer Relevanz düften solche Regelhaftigkeiten vor allem im Bereich des Fachübersetzens sein, wo interlingual aufeinander abgestimte Standardtextbausteine bei bestimmten Textsorten eingesetzt werden. Routine beim Übersetzen entspricht der modernen Forderung nach Schnelligkeit und Gleichförmigkeit im Teamwork und ist „Kriterium fertigkeitsbasierten Übersetzens" (1992:46).

So wie jeder Mensch, so ist auch der Ür [sc. Übersetzer] ein Gewohnheitstier; er handelt mit Vorliebe nach dem Prinzip „consuetudo altera natura"; er neigt dazu, konfigurierte sprachliche Erfahrungen unter vergleichbaren Gebrauchsbedingungen repetitiv einzusetzen, und er kann dies deswegen tun, weil „Gleichförmigkeit im Ablauf (...)" zu unseren primären Lebenserfahrungen zählt (1992:85).

BEISPIEL

WILSS (1992:91) verweist darauf, daß man für bestimmte Typen von syntaktischen Konfigurationen so etwas wie „übersetzungsprozessuale Paradigmen" entwickeln kann, wie folgendes Beispiel eines englischen Satzes zeigt: *Arriving at the airport, he found his plane gone.*

Mögliche Übersetzungen sind:

(a) *Am Flugplatz angekommen, stellte er fest, daß sein Flugzeug weg war;*
(b) *Als er am Flugplatz ankam, stellte er fest, daß ...*
(c) *Nach (Bei) seiner Ankunft am Flugpatz stellte er fest, daß ...*

Die Übersetzungen zeigen, daß man die englische prämodifizierende Partizipialkonstruktion mit nachgestelltem Bezugssatz auf dreierlei Weise wiedergeben kann: in Form einer modifizierenden Partizipialkonstruktion (a), eines Satzgefüges mit einem durch die Subjunktion „als" eingeleiteten Nebensatz (b), oder einer Nominalisierungsvariante mit Präposition „nach" oder „bei". Gebrauchsnormativ nicht adäquat wäre dagegen eine, vom Sprachsystem her auch mögliche, syntaktisch wörtliche Übersetzung

(d) **Am Flughafen ankommend, fand er sein Flugzeug verschwunden.*

WILSS unterscheidet die beiden grundsätzlichen Möglichkeiten, die wörtliche und die nichtwörtliche Übersetzung. Dabei ist es einleuchtend, daß die wörtliche Übersetzung weniger aufwendig ist, da sie „imitativer, assoziativer Natur" ist.

> Wo routinemäßig übersetzt wird, gilt das Prinzip der Quasi-Selbststeuerung des Übersetzungsprozesses. Wörtliche Übersetzungsprozeduren sind gleichsam außengeleitet. Anders ausgedrückt: Bei wörtlichen Übersetzungen reduziert sich der Übersetzungsprozeß auf eine Verhaltensweise, für die die betreffende as Satz-, Syntagma- oder Wortbildungskonfiguration das übersetzerische Handlungsmuster abgibt. Wo wörtlich übersetzt wird, tritt die „Unidirektionalität" des Übersetzungsprozesses außer Kraft; der Übersetzungsprozeß wird umkehrbar. Wörtliche Übersetzungsprozeduren machen den Weg zum Ziel problemlos frei, weil sie nicht heuristischer, sondern imitativer, assoziativer Natur sind. Der Ür braucht nicht mehr zu leisten, als das betreffende ausgangssprachliche Textsegment im Rahmen internalisierter, weitestgehend unreflektierter und vorhersagbarer Standardoperationen über Standardkonfigurationen substitutiv auf die ZS zu projizieren" (WILSS 1992:93f).

Die Menge der möglichen wörtlichen Übersetzungsprozeduren wäre sicher auch ein Kriterium für den Schwierigkeitsgrad eines Übersetzungstextes. WILSS beschreibt das Verhalten bei einer wörtlichen Übersetzung:

> Die erste Übersetzung bleibt vor allem auf syntaktischer Ebene möglichst nahe am Ausgangstext. Sie praktiziert weitestmögliche syntaktische Isomorphie (wörtliche Übersetzung). (...) Hier erreicht der Übersetzer auch ohne viel übersetzungskreatives Denken ein verhältnismäßig hohes Maß an übersetzerischer Effizienz und Ökonomie. Anders ausgedrückt: Er kann fast durchweg imitative und dennoch leistungsfähige Übersetzungsprozeduren praktizieren; er kommt, weil er gleichsam syntaktisch ungefiltert übersetzen kann, mit einem Bruchteil des kognitiven Inputs aus (1988:116).

Als Beispiele für die mit dem Übersetzen verbundenen allgemeinen kognitiven Phänomene nennt WILSS jeweils sprachliche Aspekte, so etwa für die kognitive Erinnerungsleistung „das Wiedererkennen von Wörtern oder von Textbausteinen" (1992:153), für Schemata und deren Verarbeitungsleichtigkeit „Baustein-briefe" sowie „Affigierungen und Syntagmen" (ebd.:172), für Kulturspezifika die „Begrüßungsformeln" (ebd.:39; 147). Die Betrachtung der Übersetzungsproblematik ist somit gänzlich auf die Sprachebene konzentriert.

Schwierigere nichtwörtliche Übersetzungsprozeduren sind immer dann erforderlich, wenn es lexikalisch an einem Äquivalent (s. Kap. 4.3) mangelt, oder wenn „eine sprachsystematische oder eine gebrauchsnormative (textsorten-spezifische) Eins-zu-Eins-Entsprechung zwischen AS und ZS fehlt und eine wörtliche (oder nicht genügend nichtwörtliche) Übersetzung einen wie immer gearteten Verstoß gegen die lexikalischen, syntaktischen, idiomatischen oder soziokulturellen Regelapparate der ZS zur Folge hätte" (WILSS 1992:64). Hier steigt der Aufwand:

> Jedes Problemlösungsverhalten schließt die Fähigkeit ein, ein Übersetzungsproblem problemgerecht in seine Elementarstrukturen aufzulösen und dann nach Rekompositionsregeln zu suchen (...). Welche Art von Kalkulation ein Übersetzer in Gang setzt, hängt von der Art der Barrieren ab, auf die er im Verlauf seiner Zielfindungsoperationen stößt (...). Es kann also vorkommen, daß ein Übersetzer mehrere Probleme gleichzeitig in Angriff nehmen muß. Übersetzungsdidaktisch ergibt sich daraus die Schlußfolgerung, daß der Übersetzer lernen muß, komplexe Suchstrategien zu entwickeln (1988:86f).

Die nichtwörtliche Übersetzungsprozedur hat den Charakter einer einzeltextspezifischen und intellektuell bestimmten Entscheidung, die jedoch nicht beliebig ist. Wegen des massiven Zeitdrucks der modernen Übersetzungspraxis sollte der Übersetzer hier jedoch auch didaktisch „konditioniert" werden. Da aber bislang „die Übersetzungsdidaktik keine überzeugenden Antworten weiß", nennt WILSS an dieser Stelle wieder die maschinelle Übersetzung und spricht von „Computerprogrammanalogie" (1992:97).

Kommentar

Die Übertragung des Anspruchs der exakten Wissenschaftlichkeit auf die Sprachbeschreibung hat die Übersetzung aus ihrer Beschränkung auf eine „Kunst", die man eben kann oder nicht, befreit und dazu geführt, daß Schaubilder und Modelltheorien neue Einsichten über das Übersetzen als zweisprachigen Kommunikationsvorgang vermitteln konnten. Das Prinzip einer identischen Weitergabe von Information in einer anderen Sprache lenkte das Augenmerk zunächst auf potentielle Äquivalenzbeziehungen im lexikalischen Bereich der Sprachen. Die Auffassung des Übersetzens als Transferprozeß eröffnet die Perspektive einer didaktischen Operationalisierung. Allerdings werden im Bereich der Modelltheorien noch kaum konkrete Übersetzungsbeispiele diskutiert.

Während die Übersetzungswissenschaft anfänglich aus Überlegungen zur Maschinellen Übersetzung hervorging und somit naturgemäß an den linguistischen Strukturgesetzmäßigkeiten orientiert war, hat sich die Forschung zu MÜ inzwischen als eigene Disziplin von der Forschung zur Humanübersetzung losgelöst.

Dem interlingualen Kommunikationsvorgang wie dem Transferprozeß liegt jeweils die Forderung nach inhaltlicher Invarianz zugrunde. Gegen diese von der Universalientheorie herrührende Vorstellung wird allerdings von der Sprachphilosophie eingewendet, es sei nicht sicher, ob identische Begriffe überhaupt erzielt werden könnten. Die Sprachphilosophie verweist auf Bedeutungsunterschiede vor einem individuell jeweils anderen Verstehenshintergrund.

Lektürehinweise

J. C. CATFORD (1965): *A Linguistic Theory of Translation. An Essay in Applied Linguistics.* London.

Werner KOLLER (1992): *Einführung in die Übersetzungswissenschaft.* Heidelberg/Wiesbaden; besonders Kap. 1.9 und 2.3.

Wolfram WILSS (1977): *Übersetzungswissenschaft, Probleme und Methoden.* Stuttgart, besonders Kap. IV.

Wolfram WILSS (1992): *Übersetzungsfertigkeit.* Tübingen.

WILSS, Wolfram (Hrsg.) (1981): *Übersetzungswissenschaft.* Darmstadt; darin die Beiträge von:

A. NEUBERT: „Pragmatische Aspekte der Übersetzung" (1968), S. 60-75;

R. JAKOBSON: „Linguistische Aspekte der Übersetzung" (1959), S. 189-198;

O. KADE: „Kommunikationswissenschaftliche Probleme der Translation" (1968), S. 199-218.

5 Die sprachenpaarbezogene Übersetzungs-
wissenschaft

Die Stylistique comparée beschreibt beispielbezogen die möglichen Übersetzungsverfahren in einem Sprachenpaar, als da sind *emprunt, calque, transposition, modulation, adaptation* u. a. in bezug auf Wörter und Syntagmen. Sie bilden das Regelwerk einer Technik des Übersetzens. Diese mikrostilistischen Kategorien werden bis heute in der Fremdsprachendidaktik, Fehleranalyse und Übersetzungskritik verwendet. Ausdrücklich werden nicht generelle, sondern sprachenpaarspezifische Übersetzungsprobleme diskutiert.

5.1 Die Stylistique comparée (Vinay/Darbelnet, Malblanc)

Beim Übersetzen als „interlingualer Kommunikationsvorgang" (s. Kap. 4.2) oder „Transferprozeß" (s. Kap. 4.5) treffen zwei Sprachen aufeinander. Es stellt sich die Frage, „wie man sprachlich operieren muß, um ausgangs- und zielsprachliche Textintegration zu gewährleisten und interlinguale Strukturdivergenzen auf inhaltlich und stilistisch adäquate Weise zu neutralisieren" (WILSS 1977:62). Für eine wissenschaftliche Beschreibung der praktischen Lösungen beim Übergang von einer Sprache zur anderen angesichts der verschiedenen potentiellen Entsprechungen in einem Sprachenpaar (s. Kap. 4.3) ist der von der sog. „Stylistique comparée" vorwiegend in französischer Sprache entwickelte übersetzungstheoretische Ansatz grundlegend geworden. Die hier eingeführten Bezeichnungen haben überall in der Übersetzungswissenschaft und vor allem in der Fremdsprachendidaktik Eingang gefunden und werden bis heute verwendet, denn jede Klassifikation fördert das Verständnis eines Problems.

Die Vertreter der Stylistique comparée initiierten eine systematische Beschreibung von Übersetzungsverfahren aufgrund des Vergleichs der Oberflächenstrukturen von Sprachen (s. Kap. 3.4). Anhand umfangreicher Beispieldiskussionen mit vorliegenden Übersetzungen oder konstruierten Beispielen zu den beiden Sprachenpaaren Englisch-Französisch (VINAY/DARBELNET 1958) und Deutsch-Französisch (MALBLANC [4]1968) gelangten sie zu dem

Ergebnis, daß alles Übersetzen, jedenfalls was die genannten Sprachenpaare betrifft, unter sieben, oft in kombinierter Form auftretenden Hauptkategorien subsumierbar ist: *emprunt, calque, traduction littérale, transposition, modulation, équivalence, adaptation.*

Sie haben den ersten umfassenden Versuch unternommen, übersetzerisches Verhalten deskriptiv zu ordnen. Dies läßt die strukturellen Unterschiede zwischen den Sprachen recht deutlich werden, wobei die Prozeduren auf der langue-Ebene jeweils mit Beispielen auf der parole-Ebene belegt werden. Die Feststellungen führten zu der Vorstellung, daß sich der Übersetzungsprozeß in einer Reihe linguistisch faßbarer Übersetzungsprozeduren *(procédés techniques de la traduction)* konkretisiert.

5.2 Die Übersetzungsprozeduren

Von der Stylistique comparée wurden folgende sieben übersetzungsprozedurale Hauptklassen gebildet, von denen die ersten drei dem Bereich der wörtlichen Übersetzung *(traduction directe)* und vier der nichtwörtlichen Übersetzung *(traduction oblique)* zuzurechnen sind. Da sich diese „Übersetzungsprozeduren" auch als eine Grundlage von WILSS' Transfermodell (s. Kap. 4.5) ansehen lassen, finden wir bei ihm (1977:101ff) eine ausführliche Darstellung. Beim Übergang von einer Sprache zur anderen auf der Ebene der Oberflächenstrukturen gibt es folgende Möglichkeiten:

1. emprunt (Direktentlehnung), d.h. die graphisch und inhaltlich unveränderte Übernahme ausgangssprachlicher Lexeme in die Zielsprache, z.B. Deutsch:

know-how	overkill	talk show
brain-drain	poster	small talk
soundtrack	jet-set	interview
establishment	ghost-writer	skyline

Sie erhalten im weiteren Verlauf der Einbürgerung durch orthographische und lautliche Angleichung an zielsprachliche Schreibmuster den Status von Lehnwörtern[62]:

escalation	> Eskalation	domino theory	> Dominotheorie
diversification	> Diversifikation	pilot study	> Pilotstudie
status symbol	> Statussymbol	interdependence	> Interdependenz

---

[62] Ein Gegenbeispiel dazu ist die Situation in Frankreich nach der „Loi Toubon", dem Sprachengesetz von 1994, wo eine französische Übersetzung zu englischsprachigen Fremdwörtern für den öffentlichen Sprachgebrauch vorgeschrieben wird. Beispiele: *computer > l'ordinateur, software > le logiciel, hardware > le materiel.*

2. calque (Lehnübersetzung)[63], d. h. die von der zielsprachlichen Sprachgemeinschaft geduldete lineare Ersetzung morphologisch analysierbarer ausgangssprachlicher Syntagmen (vorwiegend Substantiv-Zusammensetzungen und Adjektiv-Substantiv-Kollokationen). Im Deutschen z. B.[64]:

growth rate   - Wachstumsrate   developing country   - Entwicklungsland
market research   - Marktforschung   birth control   - Geburtenkontrolle

3. traduction littérale (wortgetreue Übersetzung), d. h. die Ersetzung ausgangssprachlicher syntaktischer Strukturen durch formal ensprechende, inhaltlich sinngleiche syntaktische Strukturen in der ZS. Dies entspräche WILSS' „wörtlicher Transferprozedur" (s. Kap. 4.5):

He had stolen the money   Er hatte das Geld gestohlen.
How many fish have you caught?   Wieviele Fische hast du gefangen?
Avez-vous de l'argent?   Haben Sie Geld?

4. transposition (Wortartwechsel), d. h. der Inhalt eines sprachlichen Zeichens der AS wird bei der Übersetzung sinngetreu auf sprachliche Zeichen einer anderen Wortart in der ZS übertragen:

There is absolutely *no truth* in his claim (e.)   Seine Behauptung ist absolut *unzutreffend.*

His face was *red with shame* (e.)   Ihm stand *die Schamröte* im Gesicht.

... per vivere *moderatamente* (it.)   ... um *mit Mäßigung* zu leben
... i simboli *danteschi* (it.)   ... die Symbole *bei Dante*
C'est *une vilaine chose* que de mentir (frz.)   Lügen ist *schändlich.*

K. R. BAUSCH (1968) unterscheidet außerdem zwischen verschiedenen Transpositionstypen[65]. Er präzisiert:

> Die herkömmliche vergleichende Stilistik nimmt in voneinander verschiedenen Zusammenhängen eine *inhaltliche* Charakterisierung der Transpositionsserien vor und zwar in 'substitutions', 'chassés-croisés', 'dilutions' und 'concentrations'. Daneben stehen Termini wie 'étoffement', 'amplification', 'explicitation' und 'dépouillement', 'économie' und 'implicitation' teils als von der Transposition abhängige, teils unabhängige Begriffe (1968:29).

---

[63] Vgl. *le calque – Pauspapier (zum Durchschreiben).*

[64] Dieses Wortbildungsprodukt ist auch in anderen Sprachen wirksam: *skyscraper – Wolkenkratzer – gratte-ciel – grattacielo – rascacielos.*

[65] BAUSCH (1968) fügt innerhalb der einzelnen Kategorien noch weitaus feinere Unterscheidungen ein und deckt Unstimmigkeiten im System der Stylistique comparée auf. Um der Klarheit willen wird auf eine so differenzierte Darstellung hier verzichtet.

BEISPIEL

Was eine „Transposition" als Wortartregel ist, kann im Anschluß an BAUSCH (1968) wie folgt dargestellt werden:

1. Die <u>Substitution</u> bedeutet, *ein Zeichen* einer bestimmten Wortart der Ausgangssprache wird bei der Übersetzung in die Zielsprache durch ein oder auch mehrere Zeichen *einer anderen* Wortart ersetzt, wobei die Ausgangswortart „im Ganzen substituiert" werden muß. Dies ist auch als „totale Substitution" zu sehen. Beispiel:

> Il professore S. muove dall'*idea...*   - Professor S. geht *davon* aus...
> Di qua nasce la pienezza *giovanile...* - die Fülle *der Jugend.*

2. Das <u>Chassé-croisé</u> könnte als Sonderfall der vorgenannten totalen Substitution bezeichnet werden, als die gleichzeitige totale Substitution *zweier Zeichen* aus *zwei verschiedenen* Wortarten, als syntaktische *Überkreuz-Übersetzung* quasi eine doppelte Substitution. Beispiel:

> Blériot *flew across* the Channel.
>
> Blériot *traversa* la Manche *en avion.*
>
> Er *grüßte* mich *wieder.*
>
> Il me *rendit* mon *salut.*

3. Die <u>Dilution</u> wird so definiert: Der Inhalt *eines* AS-Zeichens einer bestimmten Wortart wird bei der Übersetzung auf *mehrere Zeichen* und gleichzeitig auf *mehrere Wortarten* in der ZS verteilt. Beispiel:

> sie standen dem Tode... beinahe *schutzlos* gegenüber -
> devant la mort... ils étaient presque *sans défense.*
>
> *Taumelnd* verließ er die Schule -
> il sortit de l'école *d'un pas incertain.*
>
> eine alte *weißhaarige* Frau -
> une vieille femme *aux cheveux blancs* -
> una vecchia signora *dai capelli bianchi.*

4. Die <u>Konzentration</u> steht in Opposition zur vorgenannten Dilution. Bei dieser Übersetzungsprozedur werden die Inhalte *mehrerer Zeichen verschiedener Wortarten* der AS bei der Übersetzung auf *weniger* Zeichen und *weniger Wortarten* in der ZS zusammengezogen. Beispiel:

> Avremo delle storie *da non finire più.* - Jetzt wird eine *endlose* Geschichte daraus.
> la rigida e trasparente *notte invernale* - Die strenge, durchsichtige *Winternacht*
> navi *esenti da tale dazio* - *zollfreie* Wasserfahrzeuge.

Die Dilution bzw. Konzentration sind immer an eine totale oder partielle Substitution gekoppelt.

5. Die Amplifikation und die Explizitation stehen in der herkömmmlichen vergleichenden Stilistik als Synonyme für dilutionsähnliche Vorgänge im allgemeinen, und das 'étoffement' für Dilutionsvorgänge im besonderen bei der Übersetzung innerhalb der präpositionalen Systeme.

6. Die Ökonomie und die Implizitation stehen für konzentrationsähnliche Vorgänge im allgemeinen, und das 'dépouillement' für Konzentrationsvorgänge im besonderen innerhalb der präpositionalen Systeme.

Schließlich unterscheidet die Stylistique comparée hier noch zwischen „fakultativen und obligatorischen Transpositionen". Beide Arten betreffen eine einzelne sprachliche Einheit einer bestimmten Wortart der AS, von den entsprechenden Möglichkeiten einer ZS her gesehen. Eine fakultative Transposition liegt etwa vor, wenn eine sinngetreue Übersetzung in der gleichen Wortart möglich wäre, diese „wörtliche" Übersetzung jedoch aus subjektiven oder stilistischen Gründen vermieden wird.

BEISPIEL

... et quelques-uns arrivaient même à imaginer... qu'ils agissaient en hommes libres, qu'ils pouvaient encore choisir, qu'ils pouvaient comparer... -

...und einige stellten sich sogar vor, sie handelten als freie Menschen, sie vermochten noch eine eigene Wahl zu treffen, konnten Vergleiche anstellen (a),

... und manche glaubten sogar, noch wählen, bzw. vergleichen zu können (b).

BAUSCH (1968:43) merkt dazu an: „Wie in keinem anderen Prozess läuft der Übersetzer Gefahr, durch den stilistischen Eingriff gegen das Gesetz der sinngetreuen Wiedergabe zu verstossen. Mit Recht setzt gerade bei den fakultativen Transpositionen deshalb die Übersetzungskritik an."

„Obligatorische Transpositionen" treten bei lexikalischen Lücken oder grammatischen Strukturdivergenzen im betreffenden Sprachenpaar auf, vgl. „servitude grammaticale" (VINAY/DARBELNET 1958:31). Beispiel:

a victimless crime   ein Verbrechen, bei dem außer dem Täter selbst niemand zu Schaden kommt (*opferloses Verbrechen)

Vermassung   loss of one's identity (individuality) in society

Zersiedelung   haphazard (uncontrolled) building activity in rural areas

5. modulation, équivalence, adaptation (inhaltliche Perspektivenverschiebungen) bewirken unterschiedliche semantische Abstände zwischen dem as und zs Textsegment. „Dabei bezeichnet *modulation* einen Wechsel der Blickrichtung *(changement de point de vue)*, *équivalence* das Ersetzen einer ausgangssprachlichen Situation durch eine kommunikativ vergleichbare zielsprachliche Situation, und *adaptation* die textuelle Kompensation von soziokulturellen Unterschieden zwischen ausgangssprachlicher und zielsprachlicher Sprachgemeinschaft" (WILSS 1977:116).

BEISPIEL

Eine <u>Modulation</u> stellt beispielsweise der Wechsel von Denkkategorien in bildlichen Tiervergleichen dar:

> Ich bekomme eine *Gänse*haut   > fr. J'ai la chair de *poule*..
> Er ist arm wie eine Kirchen*maus* > fr. Il est pauvre comme un *rat* d'église.

Eine <u>équivalence</u> erfolgt vielfach beim Ersetzen von Grußformeln oder Sprichwörtern:

> dt. „*Guten Appetit!*"   > e. „*Enjoy your meal!*" „*Have a nice meal!*"
> fr. „*A bon entendeur, salut!*"   > dt. „*Wer Ohren hat, der höre!*"

Vgl. auch WILSS (1992:39): „So entspricht den deutschen Verbalstereotypen 'Guten Appetit!' und 'Gute Besserung!' im arabischen Kulturraum 'Möge Gott Dich sättigen!' und 'Möge Gott Dir Gesundheit schenken!'"

Sehr viele solcher interlingualen Entsprechungen sind mittlerweile in den Wörterbüchern dokumentiert. Wegen der nicht ganz klaren Abgrenzung der Termini in der Stylistique comparée schlägt WILSS (1977:121) ein hierarchisches Anordnungsprinzip vor, welches die kategorialen Verhältnisse durchsichtiger macht:

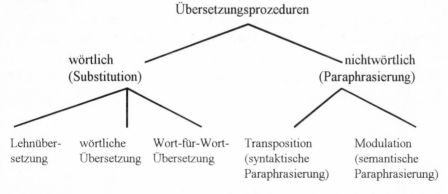

5.3 Translation rules (Newmark)

Überlegungen zur sprachenpaarbezogenen Übersetzungswissenschaft sind auch im englischen Sprachraum vorgelegt worden, z. B. von Peter NEWMARK (1988) und (1991), dem es um das Lehren der Übersetzungspraxis geht. Er hat gleichfalls sprachliche Übersetzungsverfahren, „translation procedures" (vgl. 1988:§ 7, 8) entwickelt:

1. transference	the transference of a Source Language (SL) word to a Target Language (TL) context: *le baccalauréat - the 'baccalauréat'*
2. cultural equivalent	the substitution of a TL term for an SL term: *le baccalauréat - A level*
3. through translation	the literal translation of common collocations: *la Communauté Européenne - the European Community*
4. literal translation	the translation of one item in the SL by one item in the TL: *faire un discours - eine Rede halten - make a speech*
5. functional equivalent	the use of a culturally neutral TL term to define the SL culture-specific term: *le baccalauréat - the French secondary school leaving examination*
6. descriptive equivalent	the explanation of an SL culture-specific term: *le baccalauréat - the French secondary school leaving examination in which candidates take 8-10 subjects and which is necessary to gain admission to higher education*
7. translation couplet	a strategy which combines two of the above: *baccalauréat - the 'baccalauréat', the French secondary school leaving examination.*

NEWMARKS „Übersetzungsprozeduren" sind nur zum Teil mit denen der Stylistique comparee (s. Kap. 5.2) vergleichbar.[66] Sie sind nämlich nicht deskriptiv, sondern als „Übersetzungsregeln" präskriptiv gemeint und beziehen sich semantisch auf die Übersetzung von Wörtern. In seiner Sicht ist eine „gute

---

[66] So könnte man *transference* als Direktentlehnung im *emprunt* auffassen, das *cultural equivalent* entspricht der *équivalence,* die *through translation* ist eine Lehnübersetzung als *calque,* die *literal translation* entspricht der *traduction littérale* als wortgetreuer Übersetzung, das *functional* und *descriptive equivalent* sind so etwas wie die *adaptation.*

Übersetzung" so (wörtlich) genau und sparsam wie möglich, und zwar deno-
tativ, konnotativ, referentiell und pragmatisch[67]:

> Paradoxically it is only at the level of reference, of apparently (!) extramental
> universal extracultural reality, of objects and, to a lesser extent of actions and
> events, of single nouns and verbs, and not texts, that translation and mistrans-
> lation and translation equivalence are 'on firm ground'. (...). The most im-
> portant task in revising and evaluating is to review the grammatic and lexical
> deviations from the SL text in the translation... After all allowances have been
> made for grammatical transpositions and the different semantic ranges of SL
> and TL lexical units that correspond imperfectly, I find mistrust and fear of
> literal translation can be used as a yardstick. The legitimacy of appropriate lite-
> ral translation is I think the most important and controversial issue in transla-
> tion.

NEWMARK sieht wissenschaftliche Einsichten im Dienst von Praxis und Lehre:
"Translation theory's main concern is to determine appropriate translation
methods" (1981:19). Er vertritt dabei einen rein mikrostilistischen Ansatz und
ist im Grunde ein Vertreter des „learning by doing", denn er schreibt[68]:

> You can no more teach someone to become a good translator than to become a
> good linguist. All you can do is to give some hints, give some practice and if
> you're lucky, show more or less how the job can be done.

Weil es seines Erachtens keine allgemeine Übersetzungstheorie geben kann,
denn „translation is a fractured subject which is peculiarly unsuitable for a
single integrated theory, a dogma"[69], plädiert er für das Anführen zahlreicher
Beispiele, und bekennt[70]:

> "Teaching about translation" means discussing translation, switching from ex-
> amples to generalizations and back to examples, and in the course of the
> discussion firing inspiring students to continue, to collect examples and learn
> for themselves.

---

[67] Vgl. P. NEWMARK (1988a): „Translation and Mis-translation. The review, the revision,
and the appraisal of a translation." In: *Textlinguistik und Fachsprache.* Hrsg. v. A.
ARNTZ. Hildesheim/Zürich/New York 1988, 21-33, S. 21.

[68] P. NEWMARK (1980): „Teaching specialized translation." In: *Angewandte Übersetzungswissenschaft,* hrsg. v. S.-O. POULSEN/W.WILSS. Aarhus 1980, 127.

[69] P. NEWMARK (1991a): „The Curse of Dogma in Translation Studies." In: *Lebende Sprachen 3/1991,* 101-108, S. 105.

[70] P. NEWMARK (1990): „Teaching about translation." In: *Übersetzungswissenschaft. Ergebnisse und Perspektiven.* Festschrift für W. Wilss, hrsg. v. R. ARNTZ/G. THOME. Tübingen: Narr 1990 (TBL 354), 252-259, S. 258.

Das ist das Bild eines Lehrers, der zeigt „wie man es macht" und dazu ein paar Tips aus dem Schatz seiner Erfahrung weitergibt, und von Schülern, die versuchen das Übersetzen zu lernen, indem sie übersetzen. Seine Grundprinzipien sind dabei recht allgemein[71]:

> A. The more important the language of a text, the more closely it should be translated, and its cultural component transferred.
> B. The less important the language of a text, or of any of its constituent segments, the less closely they need be translated, and the less its cultural components need to be reproduced; (...)
> C. The better written the language of a text, or of any of its segments, whatever their degree of importance, the more closely it too should be translated, provided there is identity of purpose between author and translator as well as a similar type of readership, even if it could just as well be paraphrased.

Mit „wichtiger Sprache" eines Textes sind grammatisch-syntaktische Auffälligkeiten, Betonungen, stilistische Besonderheiten sowie fachsprachliche Terminologie gemeint. Dies sollte in der Übersetzung beibehalten werden (NEWMARK 1991:1-4). Unter einem „autoritativen Text" versteht NEWMARK, wie er einmal bemerkt (1981:207), klassische Texte, Literatur, Gesetzestexte, Texte von bekannten Persönlichkeiten. Wollte ein Übersetzer diese „verbessern", wären sie nicht mehr autoritativ. Die „Autorität eines Textes" ergibt sich also aus der Stellung des Verfassers im Rahmen ausgangssprachlicher Textproduktionen.

So sammelt NEWMARK alle möglichen Einzelaspekte des Übersetzens, von denen er meint, sie könnten eine Regel bilden. Der Titel eines Aufsatzes lautet denn auch: „Twenty-three Restricted Rules of Translation"[72]. Eine „Regel" sei hier genannt:

> 7. It is the hallmark of a good translation to use resources of lexis and grammar (e.g. English verb-nouns, German *Flickwörter* like *auch, halt, eben, mal*) which are not available in the source language, and it is the mark of specious, inaccurate translation to use them where they are unnecessary. A bad translator will do anything to avoid translating word for word; a good translator only abandons a literal version when it is plainly inexact. The unit of translation cannot be generally determined, but it is always the smallest segment of the original which provides an acceptable equivalent to a segment of the target language text.

---

[71] P. NEWMARK (1991a:105), siehe Anm. 69.
[72] P. NEWMARK (1973): „Twenty-three Restricted Rules of Translation." In: *The Incorporated Linguist*, vol. 12, 1/1972, 12-19.

Solche Beobachtungen sind zwar nicht falsch, doch als Vorschriften enthalten sie einen Zirkelschluß, wenn als Regel ableitbar ist:

– Verwende möglichst häufig Flickwörter, aber nur da, wo sie notwendig sind. Wann sind sie notwendig? Wenn durch ihre Verwendung eine gute Übersetzung entsteht.

– Übersetze so wörtlich wie möglich, und so frei wie nötig. Woran erkenne ich, wann ich frei übersetzen muß? Wenn eine wörtliche Übersetzung zu einer schlechten Übersetzung führen würde.

Vielleicht hat NEWMARK seine 23 Regeln selbst als etwas unbefriedigend empfunden, denn er zog den Schluß, daß wir eben noch viel mehr Regeln brauchen. Und so schrieb er noch einen Aufsatz mit dem Titel: „Sixty Further Propositions on Translation"[73]. Daraus zwei weitere „Regeln":

> 41. The central concern of translation theory is to determine an appropriate method of translation.
> 42. Translation balancing-act –
> On the one hand, the translator should not use a synonym where a translation will do, in particular, where the translation is a 'transparently' faithful cognate or the standard dictionary equivalent and has no special connotations. On the other hand, he should not translate one-to-one where one-to-two or -three would do better, nor, reproduce a SL syntactic structure where he can recast the sentence more neatly. The above is the translator's basic tightrope, balancing pole.

Damit haben wir schon 83 Regeln, deren Anzahl gewiß beliebig zu verlängern wäre. NEWMARK versteht unter „translation theory" eine anwendungsorientierte Beschreibung praktischer Probleme.[74] Es ist typisch für die zahlreichen Schriften NEWMARKS, daß sie recht unsystematisch immer wieder neue Ideen bringen. Ob allerdings Übersetzerstudenten mit dieser Einzelfalldiskussion des Sowohl/als auch ein übergreifendes Bewußtsein vom Übersetzungsprozeß gewinnen, bleibt fraglich.

---

[73] P. NEWMARK (1979): „Sixty further Propositions on Translation (Part 2)." In: *The Incorporated Linguist*, vol. 18, 2/1979, 42-47.

[74] Zum Theoriebegriff vgl. dagegen REIß/VERMEER (1984:5): „Unter 'Theorie' versteht man die Interpretation und Verknüpfung von 'Beobachtungsdaten'. Insofern ist Theorie gegenüber der 'Praxis' ein eigenständiger Gegenstand und hat ein Anliegen sui generis. Wer derart theoretisiert, bewegt sich im Rahmen des modernen Wissenschaftsverständnisses. In dieser Hinsicht wäre es abwegig, von der Theorie zugleich eine unmittelbare Hilfestellung für die Praxis zu erwarten. Wer fragt nach dem praktischen Wert einer Theorie der Entstehung des Sonnensystems?"

5.4 Umsetzungsprozeduren (Jumpelt)

Als einer der ersten Vertreter einer linguistisch orientierten Übersetzungswissenschaft im deutschen Sprachraum wird häufig auch R. W. JUMPELT (1961) genannt, der die Übersetzung als „Gegenstand der Sprachwissenschaft" sieht. Seines Erachtens ist die Textgattung der Hauptfaktor, welcher „alle Kriterien (d. h. Übersetzungsprinzipien und -verfahren) bestimmt" (1961:24). Dazu unterscheidet er sechs „Übersetzungsgattungen"[75]. Die naturwissenschaftlich-technische Übersetzung, mit der er sich als einer Art der „pragmatischen Übersetzungsgattung" besonders befaßt, muß „primär die Inhalte der Aussagen wiedergeben" (1961:26).

JUMPELT analysiert und beschreibt im Hauptteil seines Buches die Bedingungen, Probleme und Verfahren der Herstellung von inhaltlicher Invarianz. Er konzentriert sich auf die Beschreibung jener „Umsetzungsprozeduren", die beim sprachenpaarbezogenen Übersetzen aus einer bestimmten Einzelsprache in eine andere Einzelsprache „mit einer gewissen Zwangsläufigkeit oder mit einer hohen Wahrscheinlichkeit wiederkehren" (1961:175). Ausführlich geht er auf die „Umsetzungsprozeduren" der Modulation und der Transposition ein.

> Unter dem Phänomen der *Modulation* werden inhaltliche Verschiebungen folgender Art verstanden: Während es beim dt. Verb *sich verziehen* (von Material) keine Rolle spielt, in welcher Richtung die Bewegung verläuft, muß sich der Übersetzer im Engl. entscheiden, ob es sich um *to warp* handelt (Bewegung in allen Richtungen) oder um *to twist* (nur in diagonaler Richtung) (1961:72).
>
> *Transpositionen* sind dagegen die grammatischen Veränderungen, die notwendig sind, um inhaltliche Invarianz zu gewährleisten. Man versteht darunter die Erscheinung, daß bestimmte Wortarten oder grammatische Kategorien der AS in der ZS durch andere ersetzt werden (1961:87).

In weiteren Kapiteln analysiert JUMPELT die Zuordnungen im Bereich „komplexer Sinneinheiten" (Ableitungen, Zusammensetzungen, Wortgruppen) und im Bereich der „fachsprachlichen Terminologien". JUMPELT untersucht Bedingungen und Erscheinungen, die objektivierbar und verallgemeinerbar sind und somit als „Gesetzmäßigkeiten des Übersetzens" beschrieben werden

---

[75] Vgl. R. W. JUMPELT (1961:25): „1. Die ästhetische (künstlerische) Übersetzung, 2. die religiöse Übersetzung, 3. die pragmatische Übersetzung (dazu gehören Texte der Natur- und der angewandten Wissenschaften, der Sozialwissenschaften und eine Reihe „spezieller Arten" wie offizielle Dokumente, Werbetexte, Pressenachrichten, etc.), 4. die ethnographische Übersetzung, 5. die sprachwissenschaftliche Übersetzung, 6. die geisteswissenschaftliche Übersetzung".

können, jedoch eingeschränkt auf naturwissenschaftlich-technische Texte. Daher hat sein Beitrag wohl mehr Bedeutung gehabt für die Beschreibung solcher Texte als für die Entwicklung einer Übersetzungstheorie. Die von JUMPELT analysierten „Gesetzmäßigkeiten" sind nicht so sehr syntaktischer Natur, sondern beziehen sich insbesondere auf die „Benennungsgrundsätze" (Wortbildung und Anwendung von Termini).

Ein Problem der sprachenpaarbezogenen Übersetzungswissenschaft ist die unterschiedliche Verwendung der Bezeichnungen für die Übersetzungs-(Umsetzungs)prozeduren, z. B. Modulation, Transposition, Substitution, Adaptation. Hier hat jeder Autor kleine begriffliche Abweichungen eingebracht, doch die Benennungen wandern dessen ungeachtet weiter.

BEISPIEL

JUMPELT nennt Beispiele für Übersetzungen Englisch-Deutsch:

As the pressure *increases* –> mit *dem Ansteigen* des Druckes (e. Verb –> dt. Substantiv);

Thoroughly mix the solution by *running* the pump to circulate the mixture with the feed-cock closed –> Die Lösung gründlich durchmischen, indem man die Pumpe bei geschlossenem Hahn *laufen läßt* (e. ing-Form –> dt. finite Konstruktion).

muscular activity –> *Muskeltätigkeit,*
electrical engineer –> *Elektroingenieur* (e. Adj.+Subst. –> dt. Zusammensetzung)
(vgl. 1961:87;94;101).

5.5 Übersetzungsdidaktik und Fehleranalyse (Truffaut, Friederich, Gallagher)

Die Kategorien der vergleichenden Stilistik wurden zur Basis der didaktisch ausgerichteten sprachenpaarbezogenen Übersetzungswissenschaft, indem daraus „eine übersetzungsunterrichtlich nutzbare Technik des Übersetzens abzuleiten" war (WILSS 1977:117). VINAY/DARBELNET (1958:24f) hatten selbst schon eine Anwendung ihrer Methode bei der „traduction scolaire" vorgeschlagen. Zahlreiche Lehrbücher zum Übersetzen berufen sich ausdrücklich auf die Stylistique comparée.

BEISPIEL

Entsprechende Titel lauten etwa:

Louis TRUFFAUT: *Grundprobleme der Deutsch-Französischen Übersetzung*, München 1963;
Wolf FRIEDERICH: *Technik des Übersetzens (Englisch und Deutsch)*. München 1969;
Wolfram WILSS: *Übersetzungswissenschaft. Kapitel IX: „Didaktik des Übersetzens"* und *X: „Fehleranalyse"*. Stuttgart 1977;
Käthe HENSCHELMANN: *Technik des Übersetzens Französisch-Deutsch*, Heidelberg 1980;
John Desmond GALLAGHER: *Cours de Traduction allemand-français*. München/ Wien 1981;
Ders., *German-English Translation*. München/Wien 1982.

Was früher eine individuelle Methode der Übersetzung war (s. Kap. 1.3), wird jetzt zu einer „Technik des Übersetzens". Die Darstellungsweise solcher Lehrbücher ist dabei immer wieder recht ähnlich. Aus einem Text mit Übersetzung werden die Sätze Wort für Wort oder nach Syntagmen besprochen und mit der Musterübersetzung verglichen, oder es werden zu bestimmten Wortarten verschiedene Beispiele diskutiert.[76]

Übersetzungsdidaktische Feststellungen, ob eine zielsprachliche Formulierung ein Fremdwort ist, ein Anglizismus/Gallizismus/Germanismus sei, eine Lehnübersetzung oder eine Umschreibung, ein Faux Ami, ein idiomatischer Ausdruck, eine wörtliche Übersetzung oder nicht, ob sie einen Wandel der Satzperspektive darstellt, usw., gehören in dieses Denkschema, denn sie stehen vor dem Hintergrund der vergleichenden Stilistik im Rahmen der sprachenpaarbezogenen Übersetzungswissenschaft.

Zu den Schwerpunkten der Fehleranalyse gehört die Interferenzforschung, d. h. die Untersuchung stilistischer Fehlleistungen in Übersetzungen durch Beeinflussung von der Ausgangssprache her.

---

[76] Vgl. WILSS (1992: 208): „Die Fehleranalyse ist ein Mittel, durch den Nachvollzug von Transferprozeduren im Rahmen einer 'autorisierten Interpretation' (Corder) die Bedingungen der Rezeption eines AT und die Produktion eines ZT zu untersuchen, Transfervorgänge a posteriori zu faktorisieren und die Ursachen (und Gesetzmäßigkeiten) übersetzerischer Fehlleistungen anzugeben."

BEISPIEL

Bei TRUFFAUT (1963) sieht das etwa so aus:

(S. 9): Article défini - 1. Le français présente d'assez nombreuses différences avec l'allemand sur l'emploi de l'article défini. Prenons quelques exemples:

Ich habe Ihnen dieses Paket mit der Bahn geschickt.	*Je vous ai envoyé ce paquet par chemin de fer.*
Wir sind mit dem Zug nach Venedig gefahren.	*Nous sommes allés à Venise par le train. (ou: en train.)*

(S. 57): Possibilités de traduction pour „müssen", „sollen", „wollen", „können", „mögen" et „dürfen". - *Müssen, sollen, wollen, können, mögen* et *dürfen* sont loin d'avoir pour seuls équivalents français: *devoir, vouloir* et *pouvoir*. Pour éviter le contresens ou le germanisme, il y a souvent lieu de recourir à une autre traduction. Voici quelques exemples:

Die europäische Einheit bringt große und unerwartete Schwierigkeiten mit sich, aber sie muß sein.	*L'unification européenne suscite des difficultés importantes et inattendue, mais elle se fera.*

(S. 44): La traduction du pronom personnel allemand, objet indirect. L'exigence d'explicitation, avons-nous dit, est plus grande en français qu'en allemand. Il y a donc parfois lieu de préciser dans la traduction des expressions telles que: *für Sie, durch ihn* etc. Le français peut remplacer le pronom personnel allemand par un adjectif possessif qu'il fera se rapporter à un substantif suggéré par le contexte. Il n'y a là rien d'absolu. C'est une question de niveau de style.

Der junge Musiker hat Erfolg, ein Werk von ihm ist kürzlich uraufgeführt worden.	*Le jeune musicien a du succès; une oeuvre de sa composition vient d'être exécutée pour la première fois.*
Heute morgen ist ein Paket für Sie gebracht worden.	*On a déposé ce matin un paquet à votre adresse. (Ou: pour vous.)*

Bei HENSCHELMANN (1980) finden sich Kapitel zu Fragen wie „Textsyntax und Übersetzen", „Funktionsverbgefüge und ihre Übersetzungsmöglichkeiten", „Übersetzung des Relationsadjektivs", „Nominalsyntagmen mit de und ihre Entsprechungen im Deutschen", „Der Plural im Französischen und seine Übersetzungsmöglichkeiten", usw.

Bei GALLAGHER (1981) finden sich Vorschläge zur französischen Übersetzung von dt. *bei*. Das liest sich dann zum Übungssatz (4) aus Text 11: „*Da sie eigentlich nicht streiken dürfen, ist diese Form äußerster 'Pflichterfüllung' ihr Ersatz für den Streik, zu dem sie sich, wie sie immer wieder betonen, genauso berechtigt glauben wie andere Angestellte. Bei solchen Unternehmungen ist der richtige Moment wichtig.*" wie folgt (S. 37/39). [Zu diesem Satz folgen 2 volle Seiten an Erläuterungen.]

Davon auszugsweise:

„[...] *Bei solchen Unternehmungen:* Il n'y a pas en français de traduction commode de la proposition *bei.* Dans le cas présent, le sens de ce mot est à la limite des notions du temporel et du conditionnel. Force est donc de recourir à une traduction oblique. Les particularités de l'équation de traduction apparaissent clairement dans le schéma suivant:

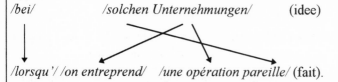

/bei/ /solchen Unternehmungen/ (idee)

/lorsqu'/ /on entreprend/ /une opération pareille/ (fait).

Le procédé auquel nous avons eu recours ici relève à la fois de la modulation et de la transposition. La modulation consiste en l'occurence dans le passage de l'idée au fait: le syntagme allemand présent l'action sous un angle plus particulier". (...)

Die so durchgesprochenen Satzglieder werden am Ende wieder puzzleartig zum Mustersatz zusammengesetzt, und der Text besteht aus den Sätzen 1 - n.

Solche Analysen im Sinne der vergleichenden Stilistik betrachten die Satzstrukturen wie unter einem Vergrößerungsglas äußerst genau, denn nur so ist der Gefahr eines Verlustes von „lexical and grammatical meaning" und von „overtranslation or undertranslation" (NEWMARK) zu entgehen. Es ist auch ein Kennzeichen der Stylistique comparee, daß ihre Vertreter die reichliche Verwendung von Beispielmaterial propagieren und die abstrakte „reine Theorie" ablehnen. So kann GALLAGHER jeweils aus einer größeren Anzahl gefundener Beispieltexte die Übersetzungsregel herleiten.

Kommentar

Die sprachenpaarbezogene Übersetzungswissenschaft ist mikrostilistisch orientiert und steht dem Sprachvergleich und der kontrastiven Grammatik sehr nahe. Sie klassifiziert deskriptiv das Verhalten von Übersetzern und verwendet die gewonnenen Kategorien dann präskriptiv für die Übersetzungsdidaktik. Daher wird hier von einer „Technik des Übersetzens" anhand des Vergleichs von Oberflächenstrukturen auf der Textebene gesprochen, im Sinne erlernbarer Prozeduren zur Herstellung einer inhaltlich genauen Übersetzung. Die Strukturverschiedenheiten im Sprachenpaar sowie die Interferenzproblematik können damit sehr gut herausgearbeitet werden[77], und in der konkreten Übersetzerpraxis stellen sie auch oft das Hauptproblem dar.

Die Bindung an die ausgangssprachlichen Strukturen erscheint als ein Garant für die unverfälschte Weitergabe des Textinhalts. Entsprechend steht die Forderung dieser Übersetzungswissenschaft nach der „Herstellung von eigentlichen Übersetzungswörterbüchern" im Raum. Ein solches Arbeiten mit Oberflächenstrukturen entspringt der Vorstellung, daß mit der Summe der festgestellten, vor allem syntaktischen, Einzelmerkmale das dahinterliegende „Gemeinte", die gedankliche Tiefenstruktur, quasi objektiv und restlos gegeben sei. Diese Vorstellung kommt von SAUSSURES Theorie des unauflösbaren Zeichens (s. Kap. 3.2) sowie von CHOMSKYS Arbeiten über Oberflächen- und Tiefenstrukturen (s. Kap. 3.3) her. Oft wird hier auch CATFORD zitiert, der allerdings eine etwas andere Grundauffassung hatte (s. Kap. 4.4). Die Untersuchungen sind ausschließlich an Wörtern und syntaktischen Fügungen orientiert, so daß ein Blick auf satzübergreifende Einheiten noch kaum zustande kommt.

Es darf auch nicht vergessen werden, daß die Ausführungen der einzelnen Autoren jeweils von einem unterschiedlichen Anliegen her erfolgen. So besitzen Ausdrücke wie Transposition oder Modulation bei NEWMARK, JUMPELT oder TRUFFAUT nicht unbedingt eine identische Bedeutung. Ganz allgemein wird jedoch die Übersetzung als eine Reproduktion des Originals angesehen, deren Gesetzmäßigkeiten in der sprachenpaarbezogenen Übersetzungswissenschaft beschrieben werden.

Lektürehinweise

André MALBLANC ([4]1968): *Stylistique comparée du français et de l'allemand.* Paris.
Peter NEWMARK (1988): *A Textbook of Translation.* London.
Louis TRUFFAUT (1963): *Grundprobleme der Deutsch-Französischen Übersetzung.* München: Hueber.
J. P. VINAY/ J. DARBELNET (1958, [4]1968): *Stylistique comparée du français et de l'anglais.* Méthode de traduction. Paris.
Wolfram WILSS (1977): *Übersetzungswissenschaft. Probleme und Methoden.* Stuttgart; besonders Kapitel V und X.

---

[77] J. P. VINAY/J. DARBELNET sagen selbst: „On peut considérer un troisième rôle de la traduction. La comparaison de deux langues, si elle est pratiquée avec réflexion, permet de mieux faire ressortir les caractères et le comportement de chacune" (1958:24f).

Der Blick auf die Texte

6 Die Übersetzungswissenschaft im Zeichen der Äquivalenzdiskussion

> Zur Wahrung von Inhalts- und Wirkungsgleichheit von Texten schlägt Nida die 'dynamische Äquivalenz' vor, wo mit einer veränderten sprachlichen Form die Textbotschaft erhalten werden soll. Als Methode dient die syntaktische Analyse, der Transfer von Grundstrukturen und die stilistische Bearbeitung des Zieltextes. Koller nennt normative Äquivalenzforderungen für Texte.

6.1 Ausgangspunkt Bibelübersetzung (Nida)

Das Übersetzen soll anhand linguistischer Methoden überprüfbar und lehrbar gemacht werden (s. Kap. 5.5). Doch es genügt nicht, nur sprachliche Strukturen miteinander zu vergleichen: übersetzt werden nicht Grammatikformen, sondern Texte, die einen gewissen Inhalt und eine Wirkung transportieren. Von den Bedürfnissen der Praxis her gesehen interessiert daher eher das Verhältnis zwischen Übersetzungstext und Original, es geht um das Problem der „Äquivalenz". Weil der Aufbau der Einzelsprachen verschieden ist, können Übersetzungen nicht identisch sein.

Grundlegend für eine systematische Übersetzungsforschung waren u. a. die Erfahrungen mit der Bibelübersetzung. Die Wahrheit der geschriebenen Botschaft sollte in vielen Sprachen unverändert den Menschen nahegebracht werden, doch hier stieß man auf vielerlei kulturelle Verständnisbarrieren. Die Adressaten reagierten anders als beabsichtigt. Um eine wissenschaftliche Grundlage für Bibelübersetzungen zu schaffen, hat Eugen A. NIDA im Auftrag der amerikanischen Bibelgesellschaft 1964 in seinem Buch „Toward a Science of Translating" versucht, das Übersetzen analytisch zu beschreiben. Seinen Ansatz hatte er schon 1947 in Grundsätzen entwickelt.[78] Die Begegnung mit CHOMSKYS Denken (s. Kap. 3.3), führten ihn dann zu einer „wissenschaftlichen" Grundlegung seiner Überlegungen. Seine Erkenntnisse wurden

---

[78] Siehe E. A. NIDA (1947): *Bible Translating. An Analysis of Principles and procedures with Special Reference to Aboriginal Languages.* New York.

1969 zusammen mit Charles R. TABER didaktisch aufbereitet in *The Theory and Practice of Translation* (dt. *Theorie und Praxis des Übersetzens*, 1969). Dieses Buch sollte als Arbeitsgrundlage für „Redaktionskomitees" der Bibelübersetzung dienen.

Aufgrund der Verständigungsschwierigkeiten vieler Missionare, die sich in ihrer Verkündigung sehr wörtlich an ihre Bibel hielten, wurde wieder deutlich, daß jede Sprache an ihr eigenes Weltbild gebunden ist (s. Kap. 2.1). Andererseits hatte aber die Linguistik betont, daß es eine prinzipielle Übersetzbarkeit geben muß (s. Kap. 3.7). Im Sinne des kommunikationswissenschaftlichen Modells der Nachrichtenübermittlung (s. Kap. 4.2) ändert sich beim Übersetzen nur die Form, nicht aber der Inhalt. Denn: „Alle Aussagen einer Sprache können auch in einer anderen gemacht werden, wenn nicht die Form ein wesentlicher Bestandteil der Botschaft ist" (NIDA/TABER 1969:4). Dies führt auch zu einer neuen Einstellung zu den Ausgangssprachen, weg vom 'heiligen Original': „Die Sprachen der Bibel unterliegen den gleichen Beschränkungen wie jede andere natürliche Sprache. Die Verfasser der biblischen Bücher erwarteten, verstanden zu werden" (ebd.:6). Die vordringliche Absicht, die „Bot-schaft" *(message)* wiederzugeben, zwingt freilich zu einer ganzen Reihe von Anpassungen in der Sprache. „Der Übersetzer muß sich um Gleichwertigkeit und nicht um Gleichheit bemühen" (1969:11). So lautet die berühmte Definition des Übersetzens bei NIDA/TABER:

> Translating consists in reproducing in the receptor language the closest natural equivalent of the source language message, first in terms of meaning and secondly in terms of style (p. 12).

> Übersetzen heißt, in der Empfängersprache das beste natürlichste (sic) Gegenstück zur Ausgangsbotschaft zu schaffen, erstens was den Sinn und zweitens was den Stil anbelangt (S. 11).

Diese in der Literatur wohl am meisten zitierte Definition impliziert das Prinzip der „dynamischen Äquivalenz". Bei NIDA werden zweierlei Entsprechungen unterschieden:

> Formal equivalence focuses attention on the message itself, in both form and content. In such a translation one is concerned with such correspondences as poetry to poetry, sentence to sentence, and concept to concept. Viewed from this formal orientation, one is concerned that the message in the receptor language should match als closely as possible the different elements in the source language. (...) A translation of dynamic equivalence aims at complete naturalness of expression, and tries to relate the receptor to modes of behavior relevant within the context of his own culture; it does not insist that he understand the cultural patterns of the source language context in order to comprehend the message (NIDA 1964:159).

NIDA interessiert sich vor allem für das Funktionieren der Zeichen in der Zielsprache (Appellfunktion, s. Kap. 3.2) und weniger für den Bedeutungsinhalt als solchen. Die „formale Äquivalenz" erinnert an SCHLEIERMACHERS verfremdende Übersetzungsmethode (s. Kap. 2.2), während „dynamische Äquivalenz" der Methode des Verdeutschens bei LUTHER (s. Kap. 1.4) entspricht. Die geforderte „Gleichwertigkeit" meint natürlichen Klang in der Zielsprache, d. h. daß eine Übersetzung wie ein Original klingen sollte, damit die Empfänger der Botschaft hier möglichst gleichartig reagieren wie die Empfänger in der Ausgangskultur (NIDA/TABER 1969:169). Damit wird im Grunde die ursprüngliche Botschaft auf ihre Funktion reduziert. So entsteht ein „System von Prioritäten" für den Übersetzer:

> 1) kontextgemäße Übereinstimmung ist wichtiger als wörtliche Übereinstimmung; 2) dynamische Gleichwertigkeit ist wichtiger als formale Übereinstimmung; 3) die fürs Ohr bestimmte Form der Sprache hat Vorrang vor der geschriebenen; 4) Formen, die von den vorgesehenen Hörern der Übersetzung gebraucht und anerkannt werden, haben Vorrang vor traditionellen Formen, auch wenn diese größeres Ansehen genießen (NIDA/TABER 1969:13).

Das Übersetzen wird sowohl vom Aspekt der sprachlichen Formen her, als auch unter Einbezug der Reaktion der Empfänger und der Situation der Übermittlung betrachtet.

6.2 Die Übersetzungsmethode (Nida/Taber)

Als Übersetzungsmethode wird vor dem Hintergrund der Generativen Transformationsgrammatik (s. Kap. 3.4), die vereinfacht übernommen wird, ein Verfahren empfohlen, das aus drei Phasen besteht: einer Analyse, der Übertragung, und dem Neuaufbau. NIDA hat gewisse Ähnlichkeiten zwischen Sprachen entdeckt und setzt diese nun mit den Tiefenstrukturen *(kernels)* gleich.

> It may be said, therefore, that in comparison with the theoretical possibilities for diversities of structures languages show certain amazing similarities, including especially (1) remarkably similar kernel structures from which all other structures are developed by permutations, replacements, additions, and deletions, and (2) on their simplest structural levels a high degree of parallelism between formal classes of words (e.g. nouns, verbs, adjectives, etc.) and the basic function classes in transforms: objects, events, abstracts, and relationals (NIDA 1964:68).

In dem Buch von NIDA/TABER wird die Übersetzungsmethode anhand zahlreicher Beispiele biblischer Texte entfaltet. Das zugrundeliegende Dreischritt-

Modell unterscheidet sich vom Zweischritt-Modell KOSCHMIEDERS (s. Kap.
3.7), wo das 'Gemeinte' direkt über ein *tertium comparationis* zugeordnet
wird.

Es werden mittels intuitiv begründeter Rückführungen von Sätzen aus der
Oberflächenstruktur (A) in Elementarsätze einfachere Strukturen *(near-
kernels)* gebildet, die in einem zweiten Schritt in einfache zielsprachliche
Strukturen umgesetzt werden, aus denen dann in einem dritten Schritt die
Übersetzung (B) wieder aufgebaut wird. NIDA/TABER (1969:32) verwenden
folgende Darstellung:

1.) In der **Analysephase** bedient sich der Übersetzer der intuitiv umschrei-
benden Rückumformung in Elementarsätze zum Zweck der Erhellung des
inhärenten Sinngehalts von Wortverbindungen (Syntagmen), z. B. der bekannten Wendung „der Wille Gottes":

> Was ist die Beziehung z. B. zwischen *Gott* und *Wille* in der Wendung *der
> Wille Gottes*? Offensichtlich ist es „Gott", der zweite Bestandteil, der den er-
> sten Bestandteil „will". Wir können auch sagen: „B tut A", d. h. „Gott will".
> (...) In der Wendung *der Gott des Friedens* reden wir nicht von einem friedli-
> chen Gott, sondern von Gott, der Frieden schafft oder verursacht. Die Bezie-
> hung zwischen A und B in diesem Beispiel ist fast genau das Gegenteil der
> Beziehung in *der Wille Gottes*; denn in *der Gott des Friedens* müssen wir sa-
> gen A verursacht B (NIDA/TABER 1969:34).

Eine der wichtigsten Erkenntnisse der Transformationsgrammatik ist die Tatsache, daß es in allen Sprachen weniger als ein Dutzend syntaktischer Grundstrukturen gibt, aus denen mit Hilfe der Transformationen alle die vielfältigen
Konstruktionen gebildet werden.

BEISPIEL

Im Deutschen z. B. kommen folgende Elementarsatzformen vor:

1. *Hans läuft schnell.* (Handlung einer Person)
2. *Hans schlägt Willi.* (Handlung mit zwei Personen)
3. *Hans gibt Willi einen Ball.* (Person und Sache)
4. *Hans hat einen Hund.* (Besitz)

5. *Hans ist im Haus.* (Ort)
6. *Hans ist krank.* (Eigenschaft)
7. *Hans ist ein Junge.* (Klassifizierung)
8. *Hans ist mein Vater.* (Relation)

Vergleichbare Sätze gibt es in vielen Sprachen. Auf der Ebene der <u>Elementarsätze</u> findet sich mehr Übereinstimmung zwischen den Einzelsprachen als auf der Ebene der Oberflächenstrukturen.

Beziehungen innerhalb syntaktischer Wortverbindungen werden durch Rücktransformierung in sog. „Elementarsätze" oder „Kernsätze" erhellt, vgl. NIDA/TABER (1969:36): „Wenn wir die oben genannten Wendungen im Hinblick auf ihre einfachsten und eindeutigsten Beziehungen gliedern, erhalten wir folgende Reihe":

Biblische Wendung	*eindeutig gekennzeichnete Beziehung*
1. der Wille Gottes	Gott will
2. der Bau des Hauses	(jemand) baut das Haus
3. der Gott des Friedens	Gott schafft/verursacht Frieden
4. der Heilige Geist der Verheißung	(Gott) verhieß den Heiligen Geist
5. das Wort der Wahrheit	das Wort ist wahr
6. der Reichtum seiner Gnade	er erweist Gnade in reichem Maße
7. die Männer der Stadt	die Männer wohnen in/stammen aus der Stadt
8. der Berg des Tempels	der Tempel steht auf dem Berg
9. der Herr des Sabbats, [etc.]	einer, der den Sabbat anordnet [etc.]"

NIDA geht es also um die Suche nach der inhärenten Bedeutung syntaktischer Fügungen, ganz anders als etwa beim Vergleich der Syntax in der Stylistique comparée (s. Kap. 5.2). Bei der Frage nach der Wortbedeutung[79] verweisen NIDA/TABER auf die Kennzeichnung durch Syntax und Sinnbeziehungen in Begriffsklassen:

> Wie ein Wort zu verstehen ist, d. h. welcher Kategorie es zugeordnet wird, hängt völlig vom jeweiligen Kontext ab. Z. B. in dem Satz *ich sehe die Sonne* bezeichnet die Lautung *sonne* einen Gegenstand; in *ich sonne mich gerne* steht sie für ein Ereignis; und in *das ist doch sonnenklar* dient sie als Teil eines Abstraktums (NIDA/TABER 1969:35).

---

[79] Die semantische Komponentenanalyse (s. Kap. 3.5) wird zur Beschreibung von Wortfeldern verwendet. Zu unterscheiden sind auch die wörtlichen und die bildlichen Bedeutungen von Ausdrücken, z. B. „es ist ein Fuchs" (Tier) vs „er ist ein Fuchs" (Mensch). Wichtig sind schließlich die „mitempfundenen Bedeutungen", die auch Konnotationen und Assoziationen der Zeichen genannt werden (s. Kap. 3.2).

98

2.) In der **Transferphase** sind dann die gewonnenen Elementarsätze in der Zielsprache stilistisch so zu bearbeiten, daß die Formulierungen für die anvisierten Empfänger verständlich sind. Dabei werden viele Anpassungen nötig, idiomatische Redewendungen gehen verloren, Bedeutungskomponenten von Wörtern werden verschoben, oft müssen Erläuterungen in den Text eingebaut oder dieser mit Fußnoten ergänzt werden. Durch die Analyse werden komprimierte Wendungen notwendig vereinfacht, aber auch klarer verständlich. Natürlich entgehen solche Vereinfachungen oft nicht dem Vorwurf der Banalisierung, weil einem Text durch die interpretierende Festlegung auf *eine* Bedeutung seine Tiefe genommen wird. Andererseits verliert eine dunkle Formulierung auch ihre Wirkung auf den Leser und die Leserin.

BEISPIEL

Zu welchem Ergebnis solche analytischen Vereinfachungen im Transfer führen, zeigt der Vergleich einer <u>Bibelstelle aus dem Hebräerbrief, Kapitel 11, Verse 1-3</u> in der Übersetzung Martin Luthers und in anderen Übersetzungen.

Vor allem am Anfang der siebziger Jahre wurde mit neuen Bibelübersetzungen im Gefolge NIDAS versucht, die Botschaft verständlicher zu machen. (Die Übertragungen Luthers und die Einheitsübersetzung sind die gegenwärtig in deutschen Kirchen verwendeten Textfassungen):

Luther, rev. Fassung 1985
Es ist aber der Glaube eine feste Zuversicht auf das, was man hofft, und ein Nichtzweifeln an dem, was man nicht sieht. [2]Durch diesen Glauben haben die Vorfahren Gottes Zeugnis empfangen. [3]Durch den Glauben erkennen wir, daß die Welt durch Gottes Wort geschaffen ist, so daß alles, was man sieht, aus nichts geworden ist.

Kath. Einheitsübersetzung, 1980
Glaube aber ist: Feststehen in dem, was man erhofft, Überzeugtsein von Dingen, die man nicht sieht. [2]Aufgrund dieses Glaubens haben die Alten ein ruhmvolles Zeugnis erhalten.
[3]Aufgrund des Glaubens erkennen wir, daß die Welt durch Gottes Wort erschaffen worden und daß so aus Unsichtbarem das Sichtbare entstanden ist.

Zürcher Bibel, 1942
Es ist aber der Glaube eine Zuversicht auf das, was man hofft, eine Überzeugung von Dingen, die man nicht sieht. [2]Denn auf Grund von diesem [Glauben] haben die Altvordern [ein gutes] Zeugnis empfangen. [3]Durch Glauben erkennen wir, dass die Welten durch ein [Allmachts-]Wort Gottes bereitet worden sind, damit nicht [etwa] aus wahrnehmbaren Dingen das Sichtbare entstanden sei.

Ulrich Wilckens, 1970
Glaube aber, das ist die Wirklichkeitsgrundlage für das, worauf man hofft, der Nachweis von Dingen, die man nicht sehen kann. [2]Seinetwegen ist unseren Vätern (in der Schrift) ein gutes Zeugnis ausgestellt worden. [3]Im Glauben nehmen wir wahr, daß die Weltzeiten durch die Kraft des Wortes Gottes geschaffen sind, so daß das Sichtbare aus dem Unsichtbaren entstanden ist.

Jörg Zink, 1965
Glaube besteht darin, daß das gegenwärtige Leben durch die Hoffnung auf Künftiges bestimmt ist, daß es sich dem unsichtbaren Wirken Gottes aussetzt und sich von ihm prägen läßt. [2]Weil sie so glaubten, werden die Alten in der heiligen Schrift erwähnt. [3]Weil wir so glauben, haben wir die Fähigkeit, zu erkennen, daß die Welten durch Gottes Wort geschaffen wurden, daß das Sichtbare aus dem Unsichtbaren hervorging.

Die Gute Nachricht, 1967
Gott vertrauen heißt: sich verlassen auf das, was man hofft, und fest mit dem rechnen, was man nicht sehen kann. [2]Durch solches Vertrauen haben vorbildliche Menschen früherer Zeiten bei Gott Anerkennung gefunden. [3]Weil wir Gott vertrauen, wissen wir: Die Welt ist durch sein Wort geschaffen worden; das Sichtbare ist aus dem Unsichtbaren entstanden. [Übersetzung aus einer amerikanischen Version.]

Neue Genfer Übersetzung, 1995
Was ist denn der Glaube? Er ist ein Rechnen mit der Erfüllung dessen[a], worauf man hofft, ein Überzeugtsein von der Wirklichkeit unsichtbarer Dinge[b]. [2]Weil unsere Vorfahren diesen Glauben hatten, stellt Gott ihnen in der Schrift[c] ein gutes Zeugnis aus. [3]Wie können wir verstehen, daß die Welt durch Gottes Wort entstanden ist[d]? Wir verstehen es durch den Glauben. Durch ihn erkennen wir, daß das Sichtbare seinen Ursprung in dem hat, was man nicht sieht.

   a) Od *Er ist die Garantie für die Erfüllung dessen.*
   b) Od *ein Mittel, um die Wirklichkeit unsichtbarer Dinge kennenzulernen.*
   c) Od *stellt ihnen die Schrift.*
   d) W *daß die Welt (aü die Weltzeiten) durch Gottes Wort gebildet wurden.*

Gute Nachricht Bibel, 1997
Glauben* heißt Vertrauen, und im Vertrauen bezeugt sich die Wirklichkeit dessen worauf wir hoffen. Das, was wir jetzt noch nicht sehen: im Vertrauen beweist es sich selbst.[b] [2]In diesem Vertrauen haben unsere Vorfahren gelebt und dafür bei Gott Anerkennung gefunden. [3]Durch solches Vertrauen gelangen wir zu der Einsicht, daß die ganze Welt durch das Wort Gottes geschaffen wurde und alle sichtbaren Dinge aus Unsichtbarem entstanden sind.

   b) Wörtlich: *Der Glaube ist ein Festsein des Erhofften und ein Beweis der unsichtbaren Dinge.* Die verbreitete Deutung *Der Glaube ist eine feste Zuversicht (auf das Erhoffte) und ein Überzeugtsein (von den unsichtbaren Dingen)* scheint zwar vom Zusammenhang her passender, ist jedoch von den griechischen Wortbedeutungen her nicht zu rechtfertigen. Der Verfasser will offenbar den festen Grund benennen, der den Glauben trägt und der sich im unerschütterlichen Vertrauen der Glaubenden *als* dieser tragende Grund bezeugt.
[Neuübersetzung in heutigem Deutsch.]

Aus NIDAS Übersetzungsmethode ergeben sich Prioritäten, die zusammenfassend genannt werden:

   1. Um jeden Preis muß der Inhalt der Botschaft mit kleinstmöglichen Verlusten oder Verzerrungen übertragen werden. Der direkte begriffliche Inhalt der Botschaft hat den höchsten Vorrang.

2. Zweitens ist es sehr wichtig, die Nebenbedeutungen, die gefühlsmäßige Atmosphäre und Eindringlichkeit der Botschaft so gut wie möglich wiederzugeben. Diese Forderung ist schwerer zu erklären als die erste und noch schwerer zu erfüllen; aber sie ist sehr wichtig.

3. Wenn man bei der Übertragung von Inhalt und Gefühlswerten der Botschaft aus einer Sprache in die andere auch etwas von der Form bewahren kann, dann sollte man es tun. Aber unter gar keinen Umständen darf die Form Vorrang vor den anderen Aspekten der Botschaft erhalten (NIDA/TABER 1969:125).

3.) Schließlich sind in der **Synthesephase** vor allem die stilistischen Unterschiede und die Sprachebenen zu beachten. Die Strukturgrundlage für die Vielfalt des Stils bilden Umformungen, die alle auf einen Elementarsatz zurückgehen, wie z. B. *„Judas verriet Jesus "*:

1. Judas verriet Jesus.
2. Jesus wurde von Judas verraten.
3. Judas' Verrat an Jesus.
4. Jesu Verratenwerden durch Judas.
5. Der Verrat Jesu durch Judas.
6. Der Verrat des Judas an Jesus.
7. Das Verratenwerden Jesu durch Judas.
8. Es war Judas, der Jesus verriet.
9. Es war Jesus, der von Judas verraten wurde, usw.
(NIDA/TABER 1969:47).

Bei der Frage nach dem Stil ist in diesem „funktionalen Ansatz" (NIDA) v. a. rhetorisch auf die Frage nach der Leistung von Stilelementen zu achten, z. B. Steigerung der Wirksamkeit und Erzielen besonderer Wirkungen wie Interesse wecken, Eindringlichkeit verstärken, oder die Form der Botschaft ausschmükken (vgl. NIDA/TABER 1969:152ff). Folgerichtig wird für Bibelübersetzer eine stilistische Ausbildung gefordert.

Mit NIDAS Ansatz wurde der Grund für die moderne Übersetzungswissenschaft gelegt, denn mit den syntaktischen Analyseschritten wurden hier erstmals sprachwissenschaftliche Aspekte ins Übersetzen von Texten eingebracht. Dabei wird angedeutet, daß mit der vollständigen Analyse des Ausgangstextes auch die Gesamtintention der Botschaft erfaßt würde. Freilich bleibt die sinngliedernde und stilistische Formulierungsentscheidung weitgehend der Intuition und Sachkenntnis des Übersetzers überlassen und wird nicht wirklich wissenschaftlich deduziert. Auch gibt es noch keine satzübergreifenden Überlegungen.

Ein solches Sprachverständnis lenkt den Blick verstärkt auf die Notwendigkeit des Wissens um den kulturellen Kontext, den Sprache konstituiert und in dem sie ihre Bedeutung erhält. Kulturverständnis mit Bezug auf die eigene wie auch auf die Ausgangssprache ist unerläßlich. Eine weitere Konsequenz dieser Sprachkonzeption ist, daß keine Übersetzung endgültig sein kann: jede Übertragung ist von ihrer Zeit geprägt, von der jeweiligen Sprache, sowie vom Übersetzer und der von ihm gewählten, als dominant ausgelegten Perspektive.

Das Problem der Äquivalenz beschränkt sich allerdings auf die Wahrung von Inhalts- und Wirkungsgleichheit in Bezug auf syntaktische Bedeutungen[80]. Kritisch ist oft eingewendet worden, daß das Konzept der „dynamischen Äquivalenz" ggf. auch zu weit von der Textvorlage wegführe und die Grenze zur „Bearbeitung" überschreite.

6.3 Die normativen Äquivalenzforderungen (Koller)

Anders geht Werner KOLLER in seinem Buch *Einführung in die Übersetzungswissenschaft* (1979, [4]1992) an das Problem heran. Wichtig ist für ihn die Klärung der „übersetzungskonstituierenden Beziehung zwischen Zieltext und Ausgangstext" (1992:16). Er meint:

> Eine Übersetzung ist das Resultat einer *sprachlich-textuellen Operation,* die von einem AS-Text zu einem ZS-Text führt, wobei zwischen ZS-Text und AS-Text eine *Übersetzungs- (oder Äquivalenz-)relation* hergestellt wird. (...) Eine zentrale Aufgabe der Übersetzungswissenschaft als empirische Wissenschaft besteht darin, die Lösungen, die die Übersetzer in ihren Übersetzungen anbieten, zu analysieren, zu beschreiben zu systematisieren und zu problematisieren (1992:16/17f).

Diese Aufgabe führt KOLLER anhand sehr reichhaltiger Beispieldiskussion durch, wobei er ausführt:

> Übersetzen ist ein sprachlich-textueller Prozeß, bei dem AS-Ausdrücken (Lexemen, Syntagmen, Sätzen) ZS-Ausdrücke zugeordnet werden. Die linguistische Übersetzungswissenschaft beschreibt die potentiellen Zuordnungsvarianten (Äquivalente) und gibt die Faktoren und Kriterien an, die die Wahl von aktuellen Entsprechungen bestimmen. Folgende Teilaufgaben lassen sich unterscheiden:

---

[80] Inzwischen hat sich NIDA auch von der doch recht einseitigen syntaktischen Sichtweise gelöst, wenn er 1985 bemerkt: „We are no longer limited to the idea that meaning is centered in words or even in grammatical distinctions. Everything in language, from sound symbolism to complex rhetorical structures, carries meaning." (p. 119). – Vgl. E. A. NIDA: „Translating Means Translating Meaning - A Sociosemiotic Approach to Translating." In: H. BÜHLER (ed.) (1985): *X. Weltkongress der FIT.* Wien, S. 119-125.

1. Erarbeitung der theoretischen Grundlagen der Beschreibung von Äquivalenzbeziehungen, allgemein wie auch bezogen auf bestimmte sprachliche Einheiten.

2. Von Übersetzungstexten ausgehender Sprachvergleich auf der syntaktischen, semantischen und stilistischen Ebene mit dem Ziel der Herausarbeitung von potentiellen Übersetzungsäquivalenten.

3. Sprachenpaarbezogene Beschreibung von speziellen Übersetzungsschwierigkeiten (z. B. Metaphern, kulturspezifische Elemente, Sprachschichten, Sprachspiel etc.).

4. Beschreibung von Übersetzungsverfahren im syntaktischen, lexikalischen und stilistischen Bereich für Typen von Übersetzungsfällen (KOLLER 1992:125f).

Die Rede von „Zuordnungsvarianten" schließt sich übersetzungstheoretisch wieder an das kommunikationswissenschaftliche Übersetzungsmodell mit den potentiellen Entsprechungen der linguistischen Übersetzungswissenschaft (s. Kap. 4.3) an. KOLLER versteht unter „Äquivalenz" etwas anderes als NIDA. Doch wird gleichfalls in der „Initialphase des Übersetzungsprozesses die AS-Text-Analyse, die zur Feststellung einer eindeutigen Textbedeutung führt" gefordert (KOLLER 1992:147). Hinzu soll jedoch noch die „stilistische und die pragmatische Analyse treten", die nach dem Stellenwert entsprechender sprachlicher Mittel im AS-Text fragt.

Weil Übersetzen eine TextREproduktion ist, setzt sich KOLLER klar von Textbearbeitungen[81], wie Verbesserung, Umformulierung, Zusammenfassung, adressatenspezifischer Adaptation, usw. ab und diskutiert das Recht des Übersetzers zu Eingriffen in den Text (1992:195): „Als Übersetzung im eigentlichen Sinn bezeichnen wir nur, was bestimmten *Äquivalenzforderungen normativer Art* genügt" (1979:79; 1992:200). Nur dann sind potentielle Äquivalente objektivierbar. „Dies bedeutet u. a., daß die Bedingungen herausgearbeitet werden, die die Auswahl unter potentiellen Äquivalenten auf Wort-, Syntagma-, Satz- und Textebene bestimmen" (1992:205). KOLLER präzisiert:

> Mit dem Begriff der Äquivalenz wird postuliert, daß zwischen einem Text (bzw. Textelementen) in einer Sprache L_2 (ZS-Text) und einem Text (bzw. Textelementen) in einer Sprache L_1 (AS-Text) eine Übersetzungsbeziehung besteht. Der Begriff Äquivalenz sagt dabei noch nichts über die Art der Beziehung aus: diese muß zusätzlich definiert werden. (1992:215).

---

[81] Zur Differenzierung und Abgrenzung des Übersetzungsbegriffs von der Bearbeitung hat sich ausführlich auch M. SCHREIBER (1993) geäußert. Er entwickelt linguistische Kriterien zur Unterscheidung von Übersetzung und Bearbeitung, sowie eine differenzierte Typologie von Methoden und Verfahren der Übersetzung und der interlingualen Bearbeitung in verschiedenen Sprachenpaaren.

Es gibt m. E. *fünf Bezugsrahmen*, die bei der Festlegung der Art der Übersetzungsäquivalenz eine Rolle spielen:

(1.) der *außersprachliche Sachverhalt*, der in einem Text vermittelt wird; den Äquivalenzbegriff, der sich am außersprachlichen Sachverhalt orientiert, nenne ich *denotative Äquivalenz;*

(2.) die im Text durch die Art der Verbalisierung (insbesondere: durch spezifische Auswahl unter synonymischen oder quasi-synonymischen Ausdrucksmöglichkeiten) vermittelten *Konnotationen* bezüglich Stilschicht, soziolektale und geographische Dimension, Frequenz etc.: den Äquivalenzbegriff, der sich an diesen Kategorien orientiert, nenne ich *konnotative Äquivalenz;*

(3.) die *Text- und Sprachnormen* (Gebrauchsnormen), die für bestimmte Texte gelten: den Äquivalenzbegriff, der sich auf solche textgattungsspezifische Merkmale bezieht, nenne ich *textnormative Äquivalenz;*

(4.) der *Empfänger* (Leser), an den sich die Übersetzung richtet und der den Text auf der Basis einer Verstehensvoraussetzungen rezipieren können soll, bzw. auf den die Übersetzung „eingestellt" wird, damit sie ihre kommunikative Funktion erfüllen kann; die empfängerbezogene Äquivalenz nenne ich *pragmatische Äquivalenz;*

(5). Bestimmte *ästhetische*, formale und individualstilistische Eigenschaften des AS-Textes: den Äquivalenzbegriff, der sich auf solche Eigenschaften des Textes bezieht, nenne ich *formalästhetische Äquivalenz* (KOLLER 1992:216).

Die beispielbezogene Darstellung der Problematik im Rahmen der normativen Äquivalenzforderungen orientiert sich zunächst im Bereich der „denotativen Äquivalenz" an den linguistisch festgestellten potentiellen Äquivalenzbeziehungen (s. Kap. 4.3) zwischen den Sprachen (vgl. KOLLER 1992:228-266).

BEISPIEL

1. Die Eins-zu-eins-Entsprechung (Äquivalent)

Übersetzungsschwierigkeiten treten auf, wenn in der ZS synonymische Varianten gegeben sind. Es gibt drei Fälle: a) aus dem Textzusammenhang oder aufgrund allgemeinen Wissens kann erschlossen werden, welche der potentiellen Entsprechungen zutrifft (e. *car* – dt. *Auto, Wagen*); b) es ist im betreffenden Fall irrelevant; c) es besteht zs eine grammatische Lücke. Als Übersetzungsverfahren bietet sich hier die Wiedergabe des Oberbegriffs als Summe der Unterbegriffe an (dt. *Gezeiten* - russ. *otliv i riliv/Ebbe und Flut*), oder es wird auf einen anderen Sammelbegriff ausgewichen (statt *Geschwister* wird *Kinder* verwendet).

2. Die Viele-zu-eins-Entsprechung (Neutralisation)

Bei der Übersetzung kann die in der ZS-Entsprechung neutralisierte Differenzierung durch adjektivische und Genitiv-Attribute, Zusammensetzungen, adverbiale Zusätze etc. ausgedrückt werden (z. B. s. *morfar* - dt. *Großvater mütterlicherseits*).

---

3. Die Eins-zu-Null-Entsprechung (Lücke)

Solches sind echte Lücken im lexikalischen System der ZS, in Bezug auf den Übersetzungsauftrag sind es nur vorläufige Lücken, die zu schließen sind. Es bieten sich *fünf Übersetzungsverfahren* an:
a. Übernahme des AS-Ausdrucks; b. Lehnübersetzung; c. Verwendung eines in der ZS bereits in ähnlicher Bedeutung vorhandenen Ausdrucks; d. Der AS-Ausdruck wird in der ZS umschrieben, kommentiert oder definiert (Explikation oder definitorische Umschreibung); e. Adaptation als Ersetzung des mit einem AS-Ausdruck erfaßten Sachverhalts durch einen Sachverhalt, der im kommunikativen Zusammenhang der ZS eine vergleichbare Funktion hat.

4. Die Eins-zu-Teil-Entsprechung

Klassisches Beispiel (s. Kap. 2.3) sind die Farbbezeichnungen verschiedener Sprachen, in denen das Farbenspektrum unterschiedlich segmentiert wird. Oft werden auch die sog. charakteristischen, unübersetzbaren Wörter angeführt (dt. *Geist*, frz. *esprit*, russ. *toská*; dt. *Sinn, Geist, Verstand, Feinsinnigkeit* sind Teil-Entsprechungen zu frz. *esprit*; dt. *Sehnsucht, Sorge, Melancholie, Trauer, Niedergeschlagenheit, Langeweile* zu russ. *toská*, und e. *mind, intellect, intelligence, thinking faculty, spirit, human spirit* zu dt. *Geist*). Wo die Übersetzbarkeit an Grenzen stößt, kommen nur noch kommentierende Übersetzungsverfahren in Frage, das sind Fußnoten, Anmerkungen oder Zusätze im Text (vgl. die Darstellung bei KOLLER 1992:229ff).

Wenn aufgrund der Entsprechungstypen auf der langue-Ebene Übersetzungsschwierigkeiten auf der parole-Ebene auftreten, sind bestimmte Übersetzungsverfahren anzuwenden. Sprachliche Ausdrücke haben jedoch nicht nur denotative Bedeutung, mit ihrem textspezifischen Gebrauch werden auch konnotative Werte vermittelt. Beachtet man den Bereich der „konnotativen Äquivalenz", so werden die zuvor unter rein denotativem Aspekt besprochenen Typen von Eins-zu-eins-Entsprechungen zu Teil-Entsprechungen.

> Die Übersetzungswissenschaft hat die Aufgabe, die konnotativen Dimensionen und Werte in den Einzelsprachen zu charakterisieren, ihre Merkmale und Strukturelemente herauszuarbeiten und diese in Beziehung zu den Konnotationsdimensionen der jeweiligen Zielsprachen zu setzen. Die Herstellung konnotativer Äquivalenz gehört zu den meist nur annäherungsweise lösbaren Problemen des Übersetzens (KOLLER 1992:241).

Der Stil eines Textes ergibt sich aus dem spezifischen Vorkommen, der Frequenz, Distribution und Kombination von konnotativ wertigen sprachlichen Einheiten auf Wort-, Syntagma-, Satz- und satzübergreifender Ebene. Die stilistische Übersetzbarkeitsproblematik resultiert daraus, daß sich die Systeme der stilprägenden konnotativen Werte in den verschiedenen Sprachen nicht eins-zu-eins decken. Der Übersetzer soll optimale konnotative Entsprechungen suchen, er kann auch „konnotative Werte, die nicht erhalten werden können, durch kommentierende Verfahren (...) vermitteln" (1992:242f).

BEISPIEL

KOLLER charakterisiert übersetzungsrelevante konnotative Dimensionen. So zum Beispiel:

(a) Konnotationen der Sprachschicht (+gehoben, dichterisch, normalsprachlich, +umgangssprachlich, Slang, +vulgär), vgl. *sterben* ist normalsprachlich-unmarkiert, *entschlafen* und *das Zeitliche segnen* gehören der gehobenen Stilschicht an, *abkratzen* ist salopp-umgangssprachlich, *krepieren* und *verrecken* sind vulgär.

(b) Konnotationen sozial bedingten Sprachgebrauchs (+studentensprachlich, +soldatensprachlich, +Sprache der Arbeiterschicht, Sprache des Bildungsbürgertums). KOLLER erwähnt einen Brief Henrik Ibsens an seinen Übersetzer, in dem er auf Übersetzungsschwierigkeiten in „Vildanden" („Die Wildente") hinweist: „'Die Wildente' enthält zudem ganz besondere Schwierigkeiten, indem man mit der norwegischen Sprache sehr vertraut sein muß, um verstehen zu können, wie konsequent jede einzelne Person im Stück ihre eigentümliche, individuelle Art hat, sich auszudrücken. wodurch gleichzeitig das Bildungsniveau der betreffenden Person markiert wird. Wenn zum Beispiel Gina spricht, muß man unmittelbar hören können, daß sie nie Grammatik gelernt hat und daß sie den unteren Gesellschaftsschichten entstammt. Und so auf je verschiedene Weise für alle anderen Personen auch. Die Aufgabe des Übersetzers ist also keineswegs einfach zu lösen. (Übersetzung von mir, W. K.)" (1992:243f).

Der Bereich der „textnormativen Äquivalenz" bezieht sich dann auf das Feld der Gebrauchsnormen. „Vertragstexte, Gebrauchsanweisungen, Geschäftsbriefe, wissenschaftliche Texte etc. folgen hinsichtlich Auswahl und Verwendungsweise sprachlicher Mittel im syntaktischen und lexikalischen Bereich bestimmten sprachlichen Normen (Stilnormen), deren Einhaltung in der Übersetzung Herstellung textnormativer Äquivalenz bedeutet" (1992:247). Die Bedingungen der Textsorte steuern dabei die Selektion der sprachlichen Mittel und den Textaufbau. Sprachliche Veränderungen sind hier möglich aufgrund der in der ZS geltenden anderen Textnormen.

Schließlich muß die Übersetzung auf die Leser in der ZS „eingestellt" werden: dies heißt „pragmatische Äquivalenz" herstellen. Dabei ist für den AS- und ZS-Text von unterschiedlichen Rezeptionsbedingungen auszugehen, und der Übersetzer muß sich stets fragen, wie weit er in den Text bearbeitend eingreifen kann und soll. Im Hinblick auf die Wissensvoraussetzungen der ZS-Leser besteht sowohl die Gefahr der Leserunterschätzung als auch der -überschätzung. In der Diskussion der Übersetzungsbeispiele wird eine „übersetzerische Tendenz zur Einebnung, zur Normalisierung" festgestellt

(1992:252), wobei kommentierende Übersetzungsverfahren zu den „harmlosen Eingriffen" gezählt werden.

Die Herstellung „formal-ästhetischer Äquivalenz" im ZS-Text bedeutet schließlich „Analogie der Gestaltung" unter Ausnutzung der in der ZS vorgegebenen Gestaltungsmöglichkeiten. KOLLER definiert:

> Aufgabe der Übersetzungswissenschaft ist es, die Möglichkeiten formal-ästhetischer Äquivalenz im Blick auf Kategorien wie Reim, Versformen, Rhythmus, besondere stilistische (auch individualstilistische und werkspezifische) Ausdrucksformen in Syntax und Lexik, Sprachspiel, Metaphorik etc. zu analysieren. (...) [Solche Formen] finden sich selbstverständlich nicht nur in literarischen Texten; treten sie in nicht-literarischen Texten auf, haben sie dort in der Regel einen anderen Stellenwert. Formal-ästhetische Qualitäten sind *konstitutiv* für literarische Texte, d. h., ein literarischer Text, der dieser Qualitäten verlustig geht, verliert seine Literarizität. Das gilt in der Regel nicht für Sachtexte, die auch in „ent-ästhetisierter" Form ihre Sachtextfunktion(en) erfüllen können (1992:253).

Ausführlich wird auf die besonderen Probleme im Zusammenhang mit der Übersetzung von Metaphern und Sprachspielen eingegangen. KOLLER verweist auf statistische Untersuchungen, nach denen in zwei Dritteln der Fälle Metaphern des Originals mit Metaphern übersetzt wurden. Dabei wird eine „okkasionelle Metapher" manchmal auch durch eine konventionelle Metapher übertragen oder durch Einfügung einer Metapher an anderer Stelle kompensiert. KOLLER zieht daraus den Schluß, daß „im Durchschnitt nur die Hälfte der okkasionellen Originalmetaphern als okkasionelle, d. h. stilistisch wirksame Metaphern übersetzt sind" (1992:256), was die verbreitete Behauptung bestätigt, Übersetzungen seien „flacher" als die Originale. Weil Sprachspiele meistens auch Spiele mit ästhetischen und thematischen Bedeutungen sind, ist hier die Möglichkeit kompensatorischer Verfahren begrenzt, und meist sind sie auch kaum übersetzbar. Zusammenfassend wird festgestellt:

> Der Übersetzer (...) hat bei jedem Text als Ganzem wie auch bei Textsegmenten die Aufgabe, eine *Hierarchie der in der Übersetzung zu erhaltenden Werte* aufzustellen, aufgrund deren er eine *Hierarchie der Äquivalenzforderungen* bezüglich des betreffenden Textes bzw. des betreffenden Textsegmentes ableiten kann" (KOLLER 1979:191; 1992:266).

Diese Hierarchie bezieht sich auch auf das einzelne Textsegment, und KOLLER lehnt, ganz anders als noch NIDA, die Kompensation eines Wertes an anderer Stelle im Text ausdrücklich ab (1992:263). Implizit wird unterstellt, daß eine Übersetzung danach zu beurteilen sei, inwieweit jeweils eine Übersetzungseinheit in jedem der herausgearbeiteten Merkmale optimale Äquivalenz erzielt.

Die Ergebnisse können mit einer „wissenschaftlichen Übersetzungskritik" (1979:210ff; 1992:127) überprüft werden, die ein Vorgehen in drei Schritten umfaßt: die übersetzungsrelevante Textanalyse, den Übersetzungsvergleich und die Übersetzungsbewertung. Der Übersetzungsvergleich gliedert sich in einen praktischen und eine theoretischen Teil[82]:

> Im *praktischen Teil* werden Original und Übersetzung (bzw. repräsentative Textausschnitte) Übersetzungseinheit für Übersetzungseinheit miteinander verglichen, wobei die Übersetzungseinheit umfangmäßig vom Einzelwort bis zum Textabschnitt oder dem ganzen Text reichen kann. Es wird von der Frage ausgegangen, wie die in der übersetzungsrelevanten Textanalyse herausgearbeiteten Merkmale sprachfunktionaler, inhaltlicher, sprachlich-stilistischer, formalästhetischer und pragmatischer Art im ZS-Text realisiert sind und welcher Stellenwert diesen Realisierungen in der ZS zukommt. (...) Im *theoretischen Teil* geht es um die Rekonstruktion der Äquivalenzforderungen bzw. der Hierarchie von Äquivalenzforderungen, denen der Übersetzer in seiner Übersetzungsarbeit folgt: von welchen Prinzipien läßt er sich leiten, und wie wirken sie sich in der sprachlich-stilistischen Gestaltung des Textes aus? (1979:215).

KOLLERS linguistische Übersetzungswissenschaft geht in der Breite des Ansatzes über NIDA hinaus. Anhand der Diskussion vorliegender Übersetzungen werden quasi deskriptiv mögliche Übersetzungsstrategien zusammengetragen, die dann einmal normativ operationalisiert werden sollen. Dies erinnert stark an den Ansatz der Stylistique comparée (s. Kap. 5.1), auch wenn das Augenmerk hier stärker auf Texte und ihre kontextuellen Bezüge gelenkt wird. So könnte man einwenden, daß damit nur das systematisch gesichtet wird, was Übersetzer ohnehin schon tun. Ihr Verhalten wird so zwar linguistisch untermauert, doch es werden dadurch kaum neue Einsichten, auch für bessere oder andere Übersetzungen, gewonnen. Manche Postulate als „Aufgabe der Übersetzungswissenschaft" bleiben unerfüllt im Raum stehen. Doch KOLLER erstrebt auch nicht unbedingt eine praktische Anwendbarkeit für die Übersetzungswissenschaft: „die sprachenpaarbezogene und die textbezogene Übersetzungswissenschaft beschreiben die Äquivalenzbeziehungen zwischen Sprachen und Texten zunächst unabhängig davon, ob der Übersetzungspraktiker mit diesen Beschreibungen etwas anfangen kann oder nicht" (1992:133).

---

[82] Das Kapitel über die Übersetzungskritik ist in der neubearbeiteten 4. Auflage (1992) ersatzlos gestrichen.

6.4 Der Begriff „Äquivalenz"

Wie in den vorangehenden Abschnitten deutlich geworden ist, stand die Diskussion um die Zielbeschreibung des Übersetzens lange Zeit im Zeichen des Begriffs „Äquivalenz". Angesichts zahlreicher Mißverständnisse ist es wichtig, die Herkunft dieses in der übersetzungswissenschaftlichen Literatur äußerst umstrittenen Begriffes zu kennen. Der Terminus stammt ursprünglich aus der Mathematik und formalen Logik und meint die „umkehrbar eindeutige Zuordnung" von Elementen in einer Gleichung. Im Sinne eindeutiger Zuordnung genormter Fachtermini wird er in den Fachsprachen verwendet.

In diesem Sinne ist es einleuchtend, wenn die Leipziger übersetzungswissenschaftliche Schule die Bezeichnung *Äquivalenz* für die Gleichung zwischen einlaufender und nach Umkodierung wieder auslaufender Information im interlingualen Kommunikationsvorgang verwendet hat (s. Kap. 4.2): Hier wird gerade die unveränderte Gleichheit der übermittelten Nachricht postuliert. Bei der Frage, woran dies festgemacht werden könnte, ergaben sich zunächst die mehr oder weniger direkten Entsprechungen zwischen zwei Sprachen, die „potentiellen Entsprechungen" (s. Kap. 4.3) als Zeichenäquivalente.

In der Stylistique comparée, die die oberflächenstrukturelle Nähe und Ferne von Sprachenpaaren untersucht und auch von einer „équation de traduction" spricht, heißt frz. *équivalence* aber die Übersetzungsprozedur des Ersetzens einer ausgangssprachlichen Situation durch eine kommunikativ vergleichbare zielsprachliche Situation (s. Kap. 5.2). Es steht damit neben *adaptation* als der Kompensation von soziokulturellen Unterschieden in den beiden Sprachgemeinschaften. In ähnlicher Weise ist bei NEWMARK (s. Kap. 5.3) das e. *equivalent* nicht Bezeichnung für eine Bedeutungsgleichheit, sondern es benennt eine Übersetzungsprozedur, wie z. B. „cultural equivalent", „functional equivalent" oder „descriptive equivalent", wenn es um die Kompensation kultureller Differenzen geht. Eine „translation equivalence" im Sinne von übersetzungskritisch absicherbarer Übereinstimmung gibt es seines Erachtens nur bei den außersprachlichen universellen Gegenständen, und in geringerem Maße auf der Ebene einzelner Substantive und Verben, nicht jedoch bei Texten. Demgegenüber sind bei CATFORD (s. Kap. 4.4) die „translation equivalents" nur dann sprachlich austauschbare Textelemente, wenn sie in einer vergleichbaren Situation funktionieren. Hier geht es nicht um inhaltliche Gleichheit.

Im Bereich der linguistischen Übersetzungswissenschaft hat v. a. NIDAS Postulat der „dynamic equivalence" Furore gemacht (s. Kap. 6.2). Er verwendet den in der englischen Gemeinsprache unscharfen Ausdruck *equivalence*, der hier quantitativ relativierend die Bedeutung *of similar significance* (Oxford English Dictionary) hat, und daher nicht mit „dynamischer Äquivalenz" übersetzt werden sollte.[83] Hier geht es um die funktionale Anpassung der in ihrem Inhalt unverfälschten Botschaft an zielkulturelle Vorstellungen. Solche „Gleichwertigkeit" ist also die eher abstrakte Forderung nach natürlicher Ausdrucksweise und Verständlichkeit, während das „closest natural equivalent" auf lexikalisch-syntaktischer Ebene die größtmögliche Nähe hinsichtlich Sinn und Stil verlangt. Hier gehen formal viele Ähnlichkeiten verloren.

Von KOLLER wird dann der Begriff „Äquivalenz" noch umgedeutet und erweitert zu „Äquivalenzforderungen normativer Art" auf der Textebene. „Äquivalenz" soll dabei keine absolute Forderung sein, es gibt sie nur im Zusammenhang mit einer Übersetzungsbeziehung. Problematisch ist diese Terminuswahl deshalb, weil im Deutschen „Äquivalenz" nur die eineindeutige Zuordnung meint, so daß der Begriff außerhalb der Maschinellen Übersetzung fast wie selbstverständlich mit „Gleichwertigkeit" identifiziert wurde. KOLLERS normative Aussage kennt fünf Bezugsrahmen, unter denen dann auf der Ebene einzelner Übersetzungseinheiten (Wort, Satz, Text) bestimmte „potentielle Äquivalente" objektivierbar werden sollen.

Insgesamt wird deutlich, daß „Äquivalenz" in der Literatur meist eine eher abstrakte Forderung nach Gleichheit bestimmter Aspekte in der Textvorlage und der Übersetzung meint, wobei das ungeklärte Verhältnis zwischen Textganzem und einzelnen Übersetzungseinheiten ein inhärentes Problem darstellt. Dagegen werden als „Äquivalente" diejenigen syntaktischen Elemente bezeichnet, mit denen jene Gleichwertigkeit realisiert wird. Diese Unterschiede sind im weiteren Verlauf der übersetzungswissenschaftlichen Diskussion nicht immer genau beachtet worden, etwa wenn manche Autoren pauschal forderten, eine „Übersetzung müsse zu ihrem Original äquivalent" sein[84], oder aber betonten, die Äquivalenz sei „eine Illusion" (SNELL-HORNBY 1986:14).

Weil all dies wiederum wenig aussagekräftig ist, wurde der Äquivalenzbegriff ständig verändert. Es traten andere Begriffswörter auf wie *Angemessenheit, Adäquatheit, Gleichwertigkeit, Übereinstimmung, Korrespondenz, sinngemäße Entsprechung, Wirkungsgleichheit* usw. Abschließend ist festzuhalten, daß „Äquivalenz" eine Relation zwischen AS- und ZS-Text bezeichnet, die nur übersetzungskritisch, d. h. am konkreten Textbeispiel, festgestellt wer-

---

[83] Diese Übersetzung wurde jedoch von WILSS (1977:349) und KOLLER (1992:44 et passim) in die Diskussion eingeführt. Die deutsche Ausgabe des Buches von NIDA/TABER (1969) spricht dagegen stets von „Entsprechung" oder „Gleichwertigkeit".

[84] Nach wie vor wird diese Auffassung von einzelnen Autoren vertreten, wie etwa von D. LEHMANN: „Jede Übersetzung wird beansprucht, ihrem Original äquivalent zu sein" (S. 288). Vgl. D. LEHMANN (1981): „Aspekte der Übersetzungsäquivalenz". In: *Kontrastive Linguistik und Übersetzungswissenschaft.* Hrsg. v. W. KÜHLWEIN/G. THOME/W. WILSS. München 1981, 288-299.

den kann. Man kann nicht „äquivalent übersetzen", sondern ein Zieltext kann (jeweils nur hinsichtlich bestimmter Textebenen!) als einem Ausgangstext äquivalent gelten. Die einzelnen Elemente auf den verschiedenen Ebenen können aufgrund der Verschiedenheiten der Sprachen und Kulturen in den meisten Fällen nicht invariant und nicht alle zugleich äquivalent gehalten werden.

Kommentar

NIDA hat aufgrund der missionarischen Ausrichtung der Bibelübersetzung erstmals die Einstellung auf die anvisierten Empfänger der Übersetzung als außersprachliches Element ins Spiel gebracht. Seine Darstellung legt allerdings den Schwerpunkt auf die Ausgangstextanalyse und hier besonders auf syntaktische Bedeutungen. So beschränkt sich das Problem der Äquivalenz auf die Wahrung von Inhalts- und Wirkungsgleichheit im Bereich syntaktischer Bedeutungen. KOLLERS Ansatz steht demgegenüber den Vorstellungen der sprachenpaarbezogenen Übersetzungswissenschaft näher. Am ausführlichsten ist seine Darstellung bezüglich der denotativen Äquivalenz, und hier werden teilweise ähnliche „Übersetzungsverfahren" vorgeschlagen wie bei den „Überset-zungsprozeduren" der Stylistique comparée, z. B. bei einer lexikalischen Lücke.

Mit dem Ansatz von fünf Äquivalenzforderungen wird die Perspektive auf ein Textganzes angedeutet, jedoch bezieht sich die Beispieldiskussion meist nur auf Wörter und Sätze. Ein größerer Teil der normativen Äquivalenzforderungen bleibt bloße Forderung. Es wird nicht gezeigt, wie eine „Hierarchie der in der Übersetzung zu erhaltenden Werte" konkret aussieht. So bleibt bei vielem, was als „Aufgabe der Übersetzungswissenschaft" postuliert wird, die Möglichkeit konkreter Forschungsergebnisse zweifelhaft. Insgesamt ist festzuhalten, daß der Begriff „Äquivalenz" in zahlreichen unterschiedlichen Bedeutungen verwendet wird. Angemessen läßt er sich allenfalls zur Bezeichnung einer Gleichwertigkeit bestimmter Aspekte in Text und Übersetzung verwenden, die in der Übersetzungskritik festgestellt werden kann.

Lektürehinweise

Werner KOLLER (1992): *Einführung in die Übersetzungswissenschaft.* Heidelberg; besonders Kapitel 2.3.

Eugene A. NIDA (1964): *Toward a Science of Translating. With Special Reference to Principles and Procedures Involved in Bible Translating.* Leiden.

E. A. NIDA/C. R. TABER (1969): *Theorie und Praxis des Übersetzens, unter besonderer Berücksichtigung der Bibelübersetzung.* Weltbund der Bibelgesellschaften.

7 Textlinguistik und übersetzungsrelevante Texttypologie

> Die Textlinguistik hat Methoden zur Beschreibung von Textko-
> härenz entwickelt sowie textexterne und -interne Merkmale von
> Textsorten benannt, deren kontrastiver Vergleich beim Übersetz-
> zen wichtig ist. Als übersetzungsrelevant unterscheidet Reiß den
> informativen, den expressiven und den operativen Texttyp, Kol-
> ler die Textgattung Fiktivtexte neben den Sachtexten, die jeweils
> eine eigene Übersetzungsmethode bedingen sollen.

7.1 Textkonstitution durch Satzverknüpfung (Harweg)

In den 70er Jahren wandte sich die Linguistik verstärkt satzübergreifenden
Strukturen zu, es entstand die Textlinguistik. Und spätestens seit NIDAS Bibelübersetzungen (s. Kap. 6.1) wurde die Aufmerksamkeit darauf gelenkt, daß
beim Übersetzen nicht Wörter und Sätze übertragen werden, sondern ganze
Texte. Es liegt daher nahe, daß Übersetzungstheorien sich einer textorientier-
ten Perspektive öffnen. Die Textlinguistik fragt nach den Grundbedingungen
der Textkonstitution, also nach „den Prinzipien des Textaufbaus und der
Textkohärenz, sowie der Textfunktion und Textwirkung" (LEWANDOWSKI
1975c:755). Da seit NIDA eine „Textanalyse" als unverzichtbare Voraussetzung des Übersetzens gilt, ist es notwendig, textlinguistische Methoden für
das Übersetzen fruchtbar zu machen. Einige traditionelle textlinguistische
Ansätze sollen deshalb kurz vorgestellt und ihre Anwendbarkeit in der Übersetzungswissenschaft aufgezeigt werden. Der „Text" als Forschungsgegenstand wird unterschiedlich definiert[85]:

> **Text** (zu lat *textus* = Geflecht, Zusammenhang; von lat. *texere* = flechten, zu-
> sammenfügen (zu gr. Tékton = Baumeister)) > der eigentliche Wortlaut einer
> Schrift im Gegensatz zu den Anmerkungen (Glossen, Marginalien, Kommenta-
> re); der genaue Wortlaut oder der Wortlaut im Unterschied z. B. zur Illustrati-
> on [eines Buches], zur Melodie [eines Liedes]; auch Schriftwerk überhaupt.

---

[85] Vgl. die Darstellung nach *Meyers Enzyklopädisches Lexikon* (1978:367f).

> in der Sprachwissenschaft die hierarchisch an höchster Stelle (also über dem Satz) einzuordnende sprachl. Einheit, charakterisiert durch das gebundene und sinnvolle Vorkommen von Sprachelementen. T. kann unter verschiedenen Aspekten definiert werden. Je nach Eingrenzung und Bestimmung soll T. die Gesamtheit der in einer Sprache vorliegenden Äußerungen umfassen, oder alle Äußerungen einer Person bzw. die jeweils abgeschlossenen Teilmengen davon. T. kann die Gesamtmenge der in einer Interaktion, einem Kommunikationsakt auftretenden kommunikativen Signale oder Zeichen sein. Oder T. wird definiert als eine kohärente Folge von Sätzen, eine zweckgerecht geordnete Menge sprachl. Einheiten. Für eine T.analyse werden begrenzte T. benötigt, z. B. solche, bei denen die Grenzen durch Veränderungen in der pragmat. Interaktion der den T. produzierenden und rezipierenden Personen, etwa dem Wechsel der Sprecher- und Hörerrolle, markiert sind, oder durch typograph. (z. B. Absatz) bzw. substantielle (z. B. Buchdeckel) Kennzeichen ausgegrenzte Texte. Der Linguist bemüht sich um das Aufdecken der abstrakten Regularitäten, die einen in einer bestimmten Situation geäußerten Ein-Wort-T., z. B. „Hilfe!", oder eine Folge von Sätzen als T. ausweisen, der Literaturwissenschaftler hingegen versucht dessen mögliche sekundäre Strukturiertheit auf der Ebene der künstler., der ästhet. Organisation aufzuzeigen. (...)

Die Textlinguistik sieht, aufbauend auf der Semiotik (s. Kap. 3.2), den Text als komplexes sprachliches Zeichen. Als Kommunikationseinheit ist er das originäre Sprachzeichen, und Buchteile, Kapitel, Sektionen, Paragraphen, Sätze, Wörter usw. sind als Textsegmente zu betrachten, die stets in Relation zum Gesamttext gesehen werden.

Das komplexe (Text-)Zeichen wie das einfache sprachliche Zeichen hat drei semiotische Dimensionen: eine syntaktische als Relation der Zeichen untereinander in ihrer Verknüpfung, eine semantische, in der die Relation zwischen Zeichen und Bedeutung ausgedrückt ist, und eine pragmatische, in der sich die Zeichen-Sender/Empfänger-Relation spiegelt.

Alle drei Dimensionen können auf Wort-, Satz- und Textebene relevant werden; so wird innerhalb der *syntaktischen Dimension* von Syntagmatik (Wortgruppen unterhalb der Satzgrenze), von Syntax (auf Satz- und Gefügeebene), und von Textsyntax (Gliederung) gesprochen, innerhalb der *semantischen Dimension* von Wortbedeutung (s. Kap. 3.6), Satz- und Textbedeutung, und innerhalb der *pragmatischen Dimension* von Wort- (Konnotationen), Satz- und Textpragmatik. Zur Textpragmatik gehört auch die außersprachliche Situation.

Einen hervorragenden Überblick über „linguistische Textmodelle" vermittelt das Buch von GÜLICH/RAIBLE (1977), man vergleiche auch VATER (1992). In der Textlinguistik ist die Vorstellung weit verbreitet, ein Text sei syntaktisch eine Folge von Sätzen und eine genaue Untersuchung von deren Verknüpfungsregeln führe zu einer Beschreibung der Textkonstitution. Diese

Auffassung steht in der Tradition der Generativen Grammatik (s. Kap. 3.4). In diesem Sinne lassen sich auf der Textebene viele Gesetzmäßigkeiten feststellen, die auch zu texttheoretischer Modellbildung geführt haben. Die Zielsetzung der linguistischen Textmodelle ist somit die Erforschung der Erzeugungsbedingungen wohlgeformter Texte, wozu heuristisch die Analyse konkreter einzelner Textvorkommen verwendet wird.

Aufgrund der Annahme, daß die Texterzeugung modellhaft beschrieben werden kann, schien es der linguistischen Übersetzungswissenschaft zunächst möglich, solche Verfahren auch beim „interlingualen Transfer" anzuwenden; man vergleiche hierzu die „semiotische Textanalyse" bei WILSS (s. Kap. 4.5). Während dessen Erörterungen v. a. um den Entwurf eines Transfermodells kreisen, werden bei anderen Autoren – ausgehend vom einzelnen zu übersetzenden Text – bestimmte textlinguistische Analyseverfahren übernommen, wie im folgenden gezeigt wird.

Roland HARWEG (1968) hat die grundlegende Bedeutung der Verknüpfung als generell textbildendem Prinzip in die Diskussion gebracht, und es ist sein Verdienst, umfassend dargelegt zu haben, welche Möglichkeiten der Satzverkettung durch syntagmatische Substitution überhaupt vorhanden sind. Er geht von der lückenlosen Ersetzung vorhergehender durch nachfolgende sprachliche Elemente in der Abfolge des Textes aus. Alle Sätze müssen „auf irgendeine – explizite oder implizite – Weise im Sinne syntagmatischer Substitution miteinander verkettet" sein (HARWEG 1968:148). Beispiel:

> Es war einmal *ein* König.
> *Der* hatte drei Töchter.
> *Die Töchter (Sie)* hießen ...

Die Funktion des bestimmten Artikels ist es, (anaphorisch) auf Genanntes zurückzuverweisen, während der unbestimmte Artikel (kataphorisch) auf Nachinformation im Text vorausweist. Unter „Textdelimitation ist die Bestimmung der Grenzen, d. h. die Bestimmung von Anfang und Ende eines Textes-als-Element-im-Textkosmos zu verstehen" (HARWEG 1968:151). Enthält ein Satz nur Substituenda – wie etwa der Satz „Es war einmal ein König" –, so *delimitiert* dieser Satz den Text: da er nur Substituenda enthält und somit selbst nichts substituiert, würde nichts in einem solchen Satz auf vorhergehende Sätze verweisen. Solche Sätze sind 'Textanfangssätze'. Das Gegenstück, ein expliziter Schlußsatz, ist auf diese Weise aber nicht zu bestimmen. Denn jeder Satz, der nur Substituentia enthält („Die drei Königstöchter liebten ihren Vater über alles in der Welt") kann offensichtlich weitere Nachfolgesätze haben.

Komplementär zu dieser Texterzeugung „von links nach rechts" findet sich bei HARWEG noch eine Erzeugungsform „von oben nach unten", die der Berücksichtigung der hierarchischen Makrostruktur des Textes entspricht. Er verweist speziell auf zwei Arten von „Hierarchiebildung" (im Sinne von Absatz- und Kapitelbildung), die wiederum durch das Mittel der Substitution erreicht werden können: Im einen Fall bezieht sich das Substituens über einige vorhergehende Sätze hinweg auf ein relativ entfernt liegendes Substituendum (zum Beispiel kann von dem König, in dem in Satz 1 und 2 eines Märchens die Rede war, erst wieder in Satz 20 die Rede sein); im zweiten wird eine ganze Anzahl von Vorgängersätzen durch ein Substituens zusammengefaßt (z. B. durch Substituentia wie 'diese Handlungen, Ereignisse, Aussagen' usw.). Bei Texten mit relativ fester Makrostruktur kann angegeben werden, mit welchem Textelement der Text beginnt bzw. endet.

7.2 Sprachspezifische Unterschiede

Im Anschluß an HARWEG wurden in der Textlinguistik von verschiedenen Autoren wichtige Elemente der Textanalyse zusammengetragen, wie Satzeröffnungen, Satzendsignale, Enumeratoren, adversative, additive, konzessive, kausale, temporale Modalwörter, Arten der Konjunktionen usw., mit denen sich der sprachliche Zusammenhang von Texten linguistisch beschreiben und einzelsprachspezifische Unterschiede erforschen lassen. Die Berücksichtigung syntaktischer Strukturen auf der Textebene ist ja für das Übersetzen wichtig, denn die Binnenstruktur eines Textes ist die Voraussetzung für das Erfassen des Inhalts. Auf deren Übersetzungsrelevanz haben HÖNIG/KUSSMAUL (1982:105ff) hingewiesen. Während NIDA v. a. die inhärente Bedeutung von Syntagmen untersucht hatte (s. Kap. 6.2), weisen sie nun auf die logische Relation zwischen Satzteilen hin.

Empirisch beobachtbare Übersetzungsprobleme können textlinguistisch erläutert werden. So liegt das bekannte Problem bei der Übersetzung der englischen Partizipialkonstruktionen beispielsweise darin, daß die jeweilige logische Relation zum Bezugssatz nur impliziert ist, im Deutschen muß dagegen ein Nebensatz gebildet werden, der sie explizit macht. Man vergleiche an dieser Stelle auch WILSS' Überlegungen zur Schemabasierung des übersetzerischen Transfers (s. Kap. 4.6). Außerdem gibt es hier stilistische Unterschiede zwischen den Sprachen. Die Sinnpräzisierung erfolgt anhand des umgebenden Kontexts. Sätze können beim Übersetzen nicht isoliert betrachtet werden (vgl. dagegen die Beispieldiskussion in der Stylistique comparée, Kap. 5.2).

BEISPIEL

Formal sehr ähnlichen Sätzen liegen oft ganz verschiedenartige Bedeutungsrelationen zugrunde, wie HÖNIG/KUSSMAUL (1982:106f) darstellen:

(1a) *Having finished his book he emptied his glass and went to bed.* (temporal)
(1b) *Nachdem er sein Buch ausgelesen hatte, leerte er sein Glas und ging zu Bett.*
(2a) *Having forgotten his book he went home and fetched it.* (kausal)
(2b) *Da er sein Buch vergessen hatte, ging er nach Hause und holte es.*

Bei der sprachlichen Darstellung logischer Relationen wie kopulativ, temporal, modal, kausal, instrumental, attributiv usw. gibt es syntaktische Varianten. Eine zeitliche Beziehung kann im Englischen wie folgt zum Ausdruck gebracht werden:

(3a) *After he had completed his work he went home.*
(3b) *After the completion of his work he went home.*
(3c) *Having completed his work he went home.*

Im Deutschen gibt es dafür folgende Möglichkeiten:

(3d) *Nachdem er seine Arbeit beendet hatte, ging er nach Hause.* (stilistisch neutral)
(3e) *Nach Beendigung seiner Arbeit ging er nach Hause.* (formell)

Unidiomatisch wäre dagegen:

(3f) **Seine Arbeit beendet habend, ging er nach Hause.*

Man vergleiche hier auch WILSS' Überlegungen (1992:21) zur Übersetzungsfertigkeit (s. Kap. 4.6).

Zum erweiterten Partizip Perfekt aktiv gibt es im Deutschen keine formale Entsprechung. Außerdem sind im Deutschen das erweiterte Partizip Präsens und das erweiterte Partizip Perfekt Passiv sowie das erweiterte Partizip Perfekt Aktiv in elliptischer Form stilistisch markiert, während die englischen Partizipien neutral sind. Man vergleiche folgendes Beispiel:

(4a) *A voice, like a stone flung into a window, cracked the silence.*
(4b) *Wie ein Stein, geworfen in ein Fenster, unterbrach eine Stimme jäh die Stille.* (wirkt poetisch)

(Vgl. die Darstellung nach HÖNIG/KUSSMAUL 1982:106f).

7.3 Die funktionale Satzperspektive und Betonung

Während die formal-grammatische Ebene die *Kohäsion*, den sprachlichen Zusammenhalt von Texten bestimmt, hängt deren *Kohärenz* vom inhaltlichlogischen Zusammenhang ab. Kohärenz und Kohäsion können unabhängig voneinander im Text vorliegen. Fehlende Kohärenz führt jedoch dazu, daß die entsprechenden sprachlichen Gebilde nur eingeschränkt als Texte (defekte Texte) bezeichnet werden.[86]

So wurde in der Textlinguistik auch die semantische Dimension der Satzbedeutung analysiert. GÜLICH/RAIBLE (1977:60ff) orientieren über die systematische Entwicklung aus der „Funktionalen Satzperspektive" der Prager Schule. Man hat beobachtet, daß sich in jedem Satz deutlich „Satzthema" und „Satzaussage" unterscheiden lassen. Später wurden für die beiden Teile des Satzes die Termini *Thema* und *Rhema* gebräuchlich. Das Thema ist der kommunikative Ausgangspunkt, das der Mitteilung zugrundeliegende Bekannte, worüber etwas ausgesagt wird, das Rhema ist dann die eigentliche Mitteilung, die neue Information zum Thema. Die Abfolge von Thema und Rhema in jedem Satz bildet dessen „Mitteilungsperspektive", und sie spiegelt sich in der Wortstellung. Syntaktische Mittel sind u. a. Deixis, Artikel und Zahlwörter als „rhematische Aktanten", die inhärente Dynamik der transitiven Verben, die Syntagmenbildung durch Adjektivabfolge und die Inversion von Subjekt und Objekt.[87] Allerdings ist die Eingrenzung von Thema und Rhema nicht unstrittig:

> Eindeutige bzw. ein für alle Mal gültige Thema- bzw. Rhema-Signale sind diese Elemente allerdings ebensowenig wie Betonung oder Wortstellung. In der Regel wirken verschiedene Mittel, die in Wechselbeziehungen zueinander stehen, bei der Kennzeichnung von Thema und Rhema zusammen (GÜLICH/RAIBLE 1977:65).

Übersetzungsrelevant ist die Mitteilungsstruktur von Sätzen wegen der damit verbundenen Probleme bei der Wiedergabe der Wortstellung, mit deren Veränderung semantisch verschiedene Inhalte zum Ausdruck gebracht werden können. So stellen einzelsprachlich unterschiedliche Formen der Betonung ein Übersetzungsproblem dar, wie HÖNIG/KUSSMAUL (1982:110) mit Beispielen zeigen.

---

[86] Allerdings können auch kohäsionslose „Quasi-Texte", z. B. technische Stücklisten vorkommen, deren inhaltliche Kohärenz durch den gemeinsamen Bezug des Bestellauftrags gegeben ist. – Andererseits kann nicht-kohärenten Sätzen durch eine passende Überschrift Kohärenz verliehen werden: „An der Bushaltestelle hat sich schon wieder eine lange Schlange gebildet. Das muß ich unbedingt reparieren lassen. Hoffentlich kommt er bald aus den Staaten zurück." Diese drei Sätze wirken inkohärent. Wird ihnen jedoch die Überschrift vorangestellt: „Was mir heute morgen alles durch den Kopf gegangen ist", so erhalten sie einen Zusammenhang.

[87] Man vergleiche die folgenden Sätze: (a) *Die Königstochter war ein schönes junges Mädchen.* (b) *Eines der Mädchen war die Königstochter.* Die Aussage ist jeweils verschieden.

Es scheint ein universales Prinzip zu sein, daß in einer „normalen" Satz-struktur die Betonung immer auf dem Ende des Satzes liegt (Endfokus): die bekannte Information steht am Anfang und die neue Information folgt am En-de. Was nun aber als neu gilt, hängt vom Kontext ab. Soll möglicherweise ein anderer Satzteil betont werden, so ist im Deutschen die Inversion oder „Rhemafrontierung" möglich, also die Voranstellung des betonten Satzteils, das Englische dagegen ist auf die Reihenfolge Subjekt-Prädikat-Objekt/adverbiale Ergänzung (S-P-O) festgelegt. Hier gibt es andere Mittel, um einen Kontrastfokus zu erzielen, wie die „konversen Verben"[88] oder die cleft-Konstruktionen (abgespaltene Sätze) als „Hervorhebungsformeln" oder „Fokussierungsstrukturen". Eine strukturgleiche wörtliche Übersetzung ist hier nicht möglich. (Vgl. die Darstellung bei HÖNIG/KUSSMAUL 1982:112-114, welche für ihr nachstehendes Satzbeispiel auf Grammatiken von QUIRK/GREENBAUM und ERBEN verweisen[89].)

BEISPIEL

Man stelle sich vor: Es ist die Rede von *Dylan Thomas,* dem englischen Schriftsteller. Biographische Daten werden genannt, unter anderem auch sein *Geburtsort.* In diesem Zusammenhang ist ein Satz denkbar wie

(a)   *Dylan Thomas was born in Swánsea.*
(b)   *Dylan Thomas wurde in Swánsea geboren.*

Den höchsten Mitteilungswert hat hier *Swansea,* was in gesprochener Sprache im D e u t s c h e n   u n d   E n g l i s c h e n durch den Akzent am Satzende zum Ausdruck kommt. In dem Beispiel ist *Dylan Thomas* leicht interpretierbar, denn der Inhalt dieses Zeichens ist im Vorhergehenden schon erarbeitet worden und nunmehr der bekannte Ausgangspunkt, das Thema. *Swansea* dagegen ist schwerer interpretier-bar, denn der Inhalt dieses Wortes wird vom Leser in diesem Kontext erstmals erar-beitet, es ist Rhema, neue Information.

Doch der Kontext kann sich ändern. Wenn z. B. von *Swansea* die Rede ist und gefragt wird, welche *berühmten Leute* dort geboren wurden, ändert sich der Fokus. Der Ge-burtsort ist dann das bereits bekannte Thema, und die neue Information sind die Na-men der dort geborenen Personen. In der gesprochenen Sprache läßt sich diese Fo-kussierung im D e u t s c h e n   u n d   E n g l i s c h e n wiederum durch die Be-tonung erreichen:

---

[88]   Es sind dies Verben wie *to be, contain, belong to, possess, enter, receive,* mit denen die Rollen von Subjekt und Objekt umgedreht werden.
[89]   Vgl. R. QUIRK/S. GREENBAUM (1976): *A University Grammar of English.* London. – J. ERBEN (1980): *Deutsche Grammatik. Ein Abriß.* München.

(c)   *Dylan Thómas was born in Swansea.*

(d)   *Dylan Thómas wurde in Swansea geboren.*

In der <u>geschriebenen Sprache</u> wird im D e u t s c h e n die Wortstellung verändert:

(e)   *In Swansea wurde Dylan Thomas geboren.*

Außerdem kann die Betonung durch lexikalische Mittel verwirklicht werden. Damit wird auch ein deutlicherer Kontrast zu anderen Kontextinformationen gegeben, wie etwa, was in Swansea alles wichtig ist:

(f)   *In Swansea wurde nämlich Dylan Thomas geboren.*

(g)   *In Swansea, und nirgendwo sonst, wurde Dylan Thomas geboren.*

Im E n g l i s c h e n muß man andere Mittel verwenden, z. B. die sog. konversen Verben. So bietet sich hier an:

(h)   *Swansea was the birthplace of Dylan Thomas.*

Und noch ein <u>anderer Kontext</u> ist denkbar: Bei einem Literaturquiz wird die Frage gestellt, welcher *bekannte Schriftsteller* in Swansea geboren wurde. Jemand behauptet, es sei Roald Dahl. Ein anderer widerspricht ihm und nennt Dylan Thomas. In der <u>gesprochenen Sprache</u> können dann wiederum die Sätze (c) und (d) erscheinen. Die Implikation „nicht Roald Dahl wurde in Swansea geboren" läßt sich aber noch deutlicher im E n g l i s c h e n mit den beliebten „cleft sentences" ausdrücken:

(i)   *It was Dylan Thomas who was born in Swansea.*

Auch im D e u t s c h e n ist dies möglich:

(j)   *Es war Dylan Thomas, der in Swansea geboren wurde.*

Allerdings wird im D e u t s c h e n diese Hervorhebungsformel vornehmlich in Verbindung mit dem Subjekt verwendet, im E n g l i s c h e n dient sie zur Hervorhebung aller Satzglieder, also auch des Objekts oder einer Umstandsbestimmung, wie folgender Satz zeigt:

(k)   *It was in Swansea that Dylan Thomas was born.*

Entscheidend ist stets die analytische Frage nach Thema und Rhema im Vergleich zum vorangegangenen Kontext.

7.4 Gliederungssignale in Texten (Gülich/Raible)

Die syntagmatische Substitution über größere Textsegmente hinweg (s. Kap. 7.1) führt uns zur makrostrukturellen Textanalyse. GÜLICH/RAIBLE verweisen auf textinterne Aspekte:

> Nach dieser Konzeption würde ein Text bzw. ein Textganzes aus Teilganzen (im Sinne der Gestalttheorie) bestehen, die als Sinneinheiten eine Funktion im Textganzen haben. (...) Textsorten wären dadurch zu charakterisieren, daß man die Art, die Abfolge und die Verknüpfung ihrer Teiltexte beschreibt (1977:53).

Wenn sich Texte nach Art und Verknüpfung ihrer Teiltexte beschreiben lassen, dann handelt es sich hier um textsyntaktische Invarianten, die vielleicht bestimmte Textsorten kennzeichnen. Die Strukturierung von Teiltexten geschieht mit Sprachelementen, welche die Makrostruktur eines Gesamttextes gliedern und direkt auf der Textebene nachweisbar sind. So meinen GÜLICH/RAIBLE, „daß es analog zu den hierarchisch gegliederten Teiltexten eine Hierarchie sog. Gliederungsmerkmale geben müßte, mit deren Hilfe sich die Teiltexte (formal) gegenseitig abgrenzen" (1977:54). Das Erkennen von textsortenspezifischen Invarianten und Gliederungssignalen im Text macht solche Texte durchsichtiger und verständlicher.[90] Für das Übersetzen interessant sind kontrastive Vergleiche von textsortentypischen Abschnittanfängen und syntaktischen Konnektoren, die in den Einzelsprachen verschieden sind.

BEISPIEL
Bei der Textsorte <u>Urteil</u> ist die Gliederung meistens standardisiert und daher ein wesentliches Erkennungsmerkmal für den Übersetzer:

amerikanisches Urteil	*franz./span. Urteil*
1. Urteilseingang	1. Urteilseingang
2. Verfahrensablauf (Zwischenurteil)	2. Tatbestand
3. Urteilsformel (oft formularisch)	3. Entscheidungsgründe
	4. Urteilsformel
deutsches Urteil	*italienisches Urteil*
1. Urteilseingang	1. Urteilseingang
2. Urteilsformel	2. Schlußanträge
3. Tatbestand	3. Verfahrensablauf
4. Entscheidungsgründe	(Instruktionsverfahren)
	4. Entscheidungsgründe
	5. Urteilsformel

---

[90] GÜLICH/RAIBLE verweisen auf die klassische Gerichtsrede mit ihren kanonisierten Teiltexten von Einleitung, Erzählung, Beweis, Lächerlichmachung gegnerischer Positionen und Schluß (vgl. 1977:54).

Diese historisch gewachsenen Unterschiede spiegeln den Verfahrensablauf und die Argumentationsstruktur wider. Während im deutschen Urteil Tatbestand und Entscheidungsgründe als Begründung dem Tenor folgen, erscheint in den romanischen Urteilen die Entscheidung als Folge aus den Entscheidungsgründen.

7.5 Textsorten durch Kommunikationskonventionen

Ein zentrales Interesse der Textlinguistik besteht darin, die Beobachtung verschiedenartiger Textstrukturen für die linguistische Abgrenzung von Textsorten fruchtbar zu machen. Aus der generellen Situationsgebundenheit von Texten resultiert dabei das Ziel der Textlinguistik, situationsspezifische Texterzeugungsmodelle zu erstellen. Demgegenüber strebt die Übersetzungswissenschaft eine Texttypologie an, um daraus bestimmte Übersetzungsprinzipien ableiten zu können. Es ist ja eine Erfahrungstatsache, daß verschiedene Textsorten im Übersetzungsprozeß unterschiedlich behandelt werden. Die Textbestimmung geht hier vom Einzeltext aus und ordnet diesen aufgrund seiner Merkmale einer bestimmten Textsorte zu. Es mag an der Unterschiedlichkeit des Forschungsinteresses gelegen haben, daß beide Disziplinen lange Zeit relativ unabhängig voneinander gearbeitet haben. Erst spät gab es Versuche, Ergebnisse des jeweils anderen Forschungszweigs zu berücksichtigen.

Die Frage nach beschreibbaren Textformen führt zur Beobachtung wiederkehrender textinterner Strukturen, aufgrund derer sich Texte gruppieren lassen, so zum Beispiel die Invarianten der Textgliederung. Nun hat die Sprachwissenschaft bis heute noch keine allgemein akzeptierte Textsortendefinition erarbeiten können. Begriffe wie Text, Textsorte, Textart, Textkategorie, Textgattung, Texttyp, Textklasse, Textbereich, Textgruppe usw. werden höchst uneinheitlich verwendet. Es hat sich jedoch ein gewisser Konsens darüber herausgebildet, daß zur Beschreibung von Textsorten sowohl „textinterne" (sprachliche) als auch „textexterne" (situative) Merkmale zu berücksichtigen sind.

Textsorten sind überindividuelle Sprech- oder Schreibakttypen, die an wiederkehrende Kommunikationssituationen gebunden sind und bei denen sich aufgrund ihres wiederholten Auftretens charakteristische Kommunikations- und Textgestaltungsmuster herausgebildet haben. Nicht jeder Situation entspricht also eine eigene Textsorte.

Als feste Formen öffentlicher und privater Kommunikation haben sich streng konventionalisierte „Gebrauchstexte" herausgebildet, wie z. B. Geburts- und Todesanzeigen, Kochrezepte, Wetterberichte, Kurzmeldungen usw., aber auch Textvorkommen wie Bericht, Predigt, Gebrauchsanweisung,

Zeitungsnachricht und anderes. Solche Bezeichnungen orientieren sich an den textexternen Situationsmerkmalen und der pragmatischen Funktion von Texten. Demgegenüber gehen in vortheoretische Einteilungen wie „ästhetische, deskriptive, narrative, expositorische, gebrauchssprachliche, fiktionale, juristische, kommunikative, literarische, protokollarische, religiöse, wissenschaftliche u. a. Texte" (LEWANDOWSKI 1975c:761) schon klassifikatorische Auffassungen ein, die freilich sehr unterschiedlich sind. Da Sprachverhalten nicht nur syntaktischen Regeln der idiomatischen Besonderheiten folgt, sondern ebenso Textsortenkonventionen, sind diese – genauer, die kontrastive Beschreibung von Textsorten – für den Übersetzer von Belang.

BEISPIEL

Hochinteressant ist der Paralleltextvergleich am Beispiel von <u>Familienanzeigen</u>. Sie weisen sehr verschiedenartige formale und inhaltliche Konventionen auf, die auch innerhalb einer Sprachgemeinschaft regional variieren können. Ein textsortenadäquates Übersetzen verlangt die Orientierung an solchen üblichen Formeln in der Zielsprache.

Typisch sind auch die Infinitivellipsen in deutschen <u>Anweisungstexten</u> *(Gerät einschalten, Schalter drehen)*. Dagegen werden die Anweisungen in englischen Bedienungsanleitungen als Imperativ formuliert *(Switch on unit. Add Balneum to the bathwater and mix it well.)*

Bei der Textsorte <u>Resolutionen</u> sind im Deutschen für die Nennung der Beweggründe meist Präpositionalphrasen mit Verbalsubstantiv charakteristisch *(In der Erwägung, daß, Unter Hinweis auf, In Anbetracht)*, während im Französischen und Englischen Partizipialformen auftreten *(Rappelant, tenant note; recalling, taking note)*.

7.6 Übersetzungsorientierte Texttypologie (Reiß)

Besondere Resonanz in der übersetzungswissenschaftlichen Literatur hat die übersetzungsorientierte Texttypologie bei Katharina REIß gefunden. Sie bewegt sich in ihrer Darstellung nicht mehr nur auf der syntaktisch-semantischen Ebene von Sätzen, sondern betrachtet Texte als größere Einheiten und liefert eine der Textsortenklassifikation (s. Kap. 7.5) vorgeschaltete, abstraktere Differenzierung von Texten. Bezugnehmend auf die drei kommunikativen Zeichenfunktionen des BÜHLERSCHEN Organon-Modells der Sprache (s. Kap. 3.2) – Bezeichnung, Ausdruck, Appell – definiert REIß (1971:31ff) zunächst

drei Texttypen: den „inhaltsbetonten", den „formbetonten" und den „appellbetonten" Texttyp, die jeweils einen Einzeltext charakterisieren:

> Nun brauchen diese drei Funktionen nicht in jeder sprachlichen Äußerung
> qualitativ gleichrangig zu sein. In dem einen Text (oder Textabschnitt) mag die
> Darstellung überwiegen, der andere lebt von der Ausdrucksfunktion, wieder
> ein anderer ist vom Wesen her Appell an den Hörer oder Leser. Selbstver-
> ständlich wird nicht immer ein ganzer Text ausschließlich nur eine der Funk-
> tionen der Sprache widerspiegeln.

> In der Praxis gibt es zahllose Überschneidungen und Mischformen. Doch läßt
> sich je nach dem *Übergewicht* der einen oder anderen Funktion der Sprache in
> einem gegebenen Text bereits eine Unterscheidung von drei Grundtypen
> rechtfertigen (1971:32).

Dann sind also unter „inhaltsbetonten Texten" solche zu verstehen, die das
Hauptgewicht auf die Vermittlung von Inhalten, von Informationen legen,
während bei den „formbetonten Texten" die sprachliche Form der natürlich
auch vorhandenen Inhaltsvermittlung die dominierende Komponente bildet.
Bei den „appellbetonten Texten" ist ein Hauptmerkmal die Erzielung außersprachlicher Effekte. So ergibt sich folgendes Schema der Zuordnung bei REIß
(1971:33):

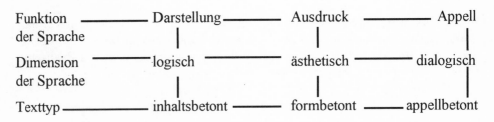

Als vierter Texttyp kommt dann noch der „audiomediale Text" hinzu, dessen
Kennzeichen das „Angewiesensein auf außersprachliche (technische) Medien
und nichtsprachliche Ausdrucksformen graphischer, akustischer und optischer
Art" ist (REIß 1971:49). Die Struktur der Texte beeinflußt die Übersetzung.
    Später verschiebt sich ihre Perspektive von BÜHLERS Sprachfunktion zur
Textfunktion hin, und REIß arbeitet (1976) dann mit Hilfe empirischer, linguistischer und kommunikationstheoretischer Argumente ihre Texttypologie
noch differenzierter aus, wobei den drei Grundtypen jeweils verschiedene
Textsorten zugeteilt werden. Die weiter oben genannten, von der Textlinguistik entwickelten Beschreibungskriterien (s. Kap. 7.4) werden dabei aber nicht
verwendet. Stattdessen wird stärker auf die Rolle des Autors und seine Intention abgehoben. Bei einer Einteilung von Textvorkommen nach dieser Typo-

logie ergibt sich etwa folgendes Bild (vgl. REIß 1976:19), wobei Überschneidungen nicht ausgeschlossen werden:

1) *Informativer Texttyp* (sachorientiert): Textsorten Bericht, Aufsatz, Urkunde, Gebrauchsanweisung, Kommentar, Sachbuch;

2) *Expressiver Texttyp* (senderorientiert): Textsorten Roman, Novelle, Lyrik, Schauspiel, Komödie, Lehrgedicht, Biographie;

3) *Operativer Texttyp* (verhaltensorientiert): Textsorten Predigt, Propaganda, Reklame, Demagogie, Pamphlet, Satire, Tendenzroman, Kommentar, usw.

REIß vertritt nun die Meinung, daß der Texttyp infolge seines je spezifischen Charakters über die zu wählende Übersetzungsmethode entscheide. Dabei soll die Textfunktion erhalten bleiben:

> Aufgrund der Erkenntnis, daß in der Regel *informative* Texte in der Absicht übersetzt werden, die textimmanente Information an einen weiteren, zielsprachlichen Empfängerkreis zu vermitteln, *expressive* Texte in der Absicht, ein Sprach- oder Dichtkunstwerk auch zielsprachlichen Lesern zugänglich zu machen und *operative* Texte in der Absicht, gleichwertige Verhaltensimpulse bei zielsprachlichen Textempfängern auszulösen, werden also grundsätzlich Textfunktion und Übersetzungsfunktion gleichgesetzt (1976:23).

So ergeben sich drei verschiedene Übersetzungsmethoden, die schematisch dargestellt werden (REIß 1976:20):

Texttyp	Textfunktion	Kennzeichen	Äquivalenz-Maßstab	Übersetzungs-Methode (Primärfunktion)
1. informativ	Vermittlung von Information	sachorientiert	Invarianz auf der Inhaltsebene	sachgerecht (= „schlicht-prosaisch")
2. expressiv	künstlerische Aussage	senderorientiert	Analogie der künstlerischen Gestaltung	autorgerecht (= „identifizierend")
3. operativ	Auslösung von Verhaltens-impulsen	verhaltens-orientiert	Identität des text-immanenten Appells	appellgerecht (= „parodistisch" später: „adaptierend")
4. audio-medial	(1 - 3)	(1 - 3)	(1 - 3)	medien- bzw. verbundgerecht (= „suppletorisch")

Die so gewonnene „übersetzungsrelevante Texttypologie" wird erklärt: 1) Das Kennzeichen des *informativen Texttyps* ist seine Sachorientiertheit, das Ziel der Übersetzung muß *Invarianz auf der Inhaltsebene* sein, die Übersetzung ist „schlicht-prosaisch". 2) Das Kennzeichen des *expressiven Texttyps* ist seine Senderorientiertheit, Übersetzungsziel ist die Analogie der *künstlerischen Gestaltung*, die Übersetzungsmethode ist „identifizierend". 3) Das Kennzeichen des *operativen Texttyps* ist seine Verhaltensorientiertheit. Angestrebt wird die *Identität des textimmanenten Appells* mit einer „adaptierenden" Übersetzungsmethode.

Da die Texttypen zunächst funktional und nicht linguistisch definiert sind, führt REIß (1976:38-55) zur Beschreibung des „operativen Texttyps" nun eine reiche Fülle appellwirksamer Sprachelemente aus Werbe-, Propaganda- und missionarischen Texten an, „um festzustellen, wie die 'funktionsgemäßen' und 'funktionsgerechten' Zeichenmengen aussehen, die den *operativen* Text konstituieren" (1976:35).[91]

Die Dominanz des Empfängerbezugs beim appellbetonten Text und im operativen Texttyp bewirkt, daß der Übersetzer sich fragen muß, „ob dieselben sprachlichen Mittel in der ZS ihre Appellwirksamkeit behalten (...). Er kann nur prüfen, ob die textkonstituierenden und textspezifischen Merkmale des Textes bei einer bloßen Substitution der sprachlichen Elemente erhalten bleiben, oder ob andere Übersetzungsoperationen vorgenommen werden müssen" (1976:91f).

> Bei der Übersetzung operativer Texte bestimmen also die Techniken der *Modulation* und der *Adaptation* von einzelnen Übersetzungseinheiten primär die Übersetzungsmethode; und dies immer im Dienste der Erhaltung nicht in erster Linie der Information oder des expressiven Wertes, sondern im Dienste der Bewahrung des textimmanenten und sprachlich gestalteten Appells. Ohne Operationen dieser Art ist die Appellfunktion nicht zu erhalten (REIß 1976:101) (Unsere Hervorhebung).

Da sich als Übersetzungsmethode im wesentlichen das ergibt, was die sprachenpaarbezogene Übersetzungswissenschaft auch an anderer Stelle beschrieben hat, bleibt der übersetzungstheoretische Ertrag dieses Modells begrenzt. Doch auch wenn sich aus dieser Texttypologie nicht unbedingt direkte Anweisungen zum Übersetzen ergeben, so ist sie ein geeignetes Instrument, um die Grundtendenz von Texten auf einfache Weise zu bezeichnen.

---

[91] Genannt werden für das Deutsche Besonderheiten der Wortbildung, der Wortwahl, des Satzbaus, der Sprachschicht, rhetorische Mittel, Suggestionen, der bewußte Einsatz des Fremdworts im Deutschen, Superlativstil, Slogans usw. Dies wird jedoch weder mit den Befunden in einer anderen Sprache kontrastiert noch durch linguistische Textaspekte wie Gliederung, Sprecherperspektive, Tempora, Deixis, Konnexion etc. konkretisiert.

Unabhängig von REIß und dagegen mehr von NIDA (vgl. Kap. 6.1) her argumentierend, unterscheidet Roda P. ROBERTS (1988)[92] zwischen „meaning" und „message" in einem Text. „Meaning" setzt sich zusammen aus struktureller und textueller Bedeutung (s. Kap. 3.6), meint also die semantische Dimension in Texten auf Wort-, Satz- und Textebene. „Message" dagegen sind jene Bedeutungsaspekte, die in einem Text für den Leser wichtig werden. Interessanterweise gelangt ROBERTS hier zu einer ähnlichen Dreiteilung der Texttypen, doch vergleichbare Argumentationen findet man an vielen Stellen in der Literatur.

If the source's individuality seems more important in a given text than the subject or the need to 'reach' the intended receptors or even the overall vector (i.e. if the text has an *expressive* function of comunication), then what will probably be most important or relevant is the textual pragmatic meaning (stylistic and connotative meaning), rather than textual semantic meaning, for example. If the subject is the dominant element in a text (i.e. if the *informative* function of communication is most important), then textual semantic meaning, propositional meaning and discourse meaning will likely be more pertinent than textual pragmatic meaning. If the text seems to call upon intended receptors to react in a specific manner (i.e. the text has an *imperative* function), then textual pragmatic meaning and perhaps discourse meaning will tend to be particularly significant (1988:124f) (Unsere Hervorhebung).

BEISPIEL

Anhand dieser Texttypologie kann auch verdeutlicht werden, wie Leser/Übersetzer die in einem Text angelegten Bedeutungsmerkmale selektiv wahrnehmen, nämlich mehr „expressiv" oder mehr „informativ". ROBERTS (1988:120ff) diskutiert das Beispiel von zwei Übersetzungen des Gedichts von W. H. Auden:

O Where Are You Going?

'O where are you going?' said reader to rider,
'That valley is fatal when furnaces burn,
Yonder's the midden whose odours will madden,
That gap is the grave where the tall return.'

'O do you imagine', said fearer to farer,
'That dusk will delay on your path to the pass,
Your diligent looking discover the lacking
Your footsteps feel from granite to grass?'

---

[92] R. P. ROBERTS (1988): „Textual meaning, Message and Translation." In: *Textlinguistik und Fachsprache*. Hrsg. v. R. ARNTZ. Hildesheim/Zürich/New York: Olms 1988 (Studien zu Sprache und Technik I), S. 113-127.

'O what was that bird,' said horror to hearer,
'Did you see that shape in the twisted trees?
Behind you swiftly the figure comes softly.
The spot on your skin is a shocking disease.'

'Out of this house' - said rider to reader,
'Yours never will' - said farer to fearer,
'They're looking for you' - said hearer to horror,
As he left them there, as he left them there.

Das Wort *rider* enthält den Aspekt der Aktivität, ebenso wie *farer* und *hearer*. Die fragenden Aktanten *reader, fearer, horror* sind statisch. Stilistisch charakteristisch sind die vielen Alliterationen. Die Übersetzung von *rider* mit *lutteur* einerseits und mit *cavalier* andererseits zeigt die Grundtendenz der Rezeption, ob mehr expressiv oder mehr informativ, am Inhalt orientiert, schon an.

Übersetzung von Annie Brisset		Übersetzung von Jean Lambert
„Où vas-tu donc?"	Dit Lecteur à Lutteur,	„Où vas-tu donc? dit le lecteur au cavalier,
„Ce val est fatal	Quand les brasiers brûlent,	La vallée est mortelle quand les fourneaux brûlent,
Le fumier s'y empile	Empeste et affole,	Le fumier s'y entasse et ses odeurs affolent,
Ce trou est la tombe	Où glissent les grands."	Ce trou est une tombe où reviennent les forts".
„O sais-tu donc"	Dit Penseur à Passeur,	„Et crois-tu donc, dit le craintif au voyageur,
„Que la nuit freinant	Ta course vers le col	Que tu vas atteindre le col avant la brune,
à ton regard vif	Le vide masquera,	Que ton oeil diligent va découvrir le vide
par tes pieds foulé	De la pierre au pré?"	Reconnu par tes pieds entre l'herbe et la pierre?"
„Quel était cet oiseau?"	Dit Horreur à Oreille,	„Quel était cet oiseau? dit l'horreur à l'oreille,
„As-tu vu la forme	Dans les arbres tors?	As-tu vu cette forme dans les arbres tors?
Furtive, la silhouette	En silence te suit,	Cette ombre te poursuit, silencieuse et rapide,
La tache sur la peau	Est un mal, un scandale."	La tache sur ta peau est un mal scandaleux".
„Loin du logis" -	Dit Lutteur à Lecteur,	„Va-t-en d'ici", dit le cavalier au lecteur.
„Jamais pour toi" -	Dit Passeur à Penseur,	„Les tiens jamais", dit le voyageur au craintif.
„C'est toi qu'ils cherchent"	Dit Oreille à Horreur,	„Ils ne cherchent que toi", dit l'oreille à l'horreur.
En les quittant là,	En les quittant là.	Comme il les laissait là, comme il les laissait là.

Ursprünglich war die REIßSCHE Texttypologie zum Zweck einer Definition von „Möglichkeiten und Grenzen der Übersetzungskritik" (1971) entwickelt worden. Der Übersetzungskritiker soll sein Urteil zunächst nicht willkürlich nach persönlichem Geschmack, sondern anhand des betreffenden Texttyps fundieren. Hernach kann er es mit einer „sprachlichen Kategorie" (innersprachliche Instruktionen) und einer „pragmatischen Kategorie" (außersprachliche Determinanten) erhärten. REIß äußert sich zur Übersetzung von Redensarten. Sie meint, daß es bei inhaltsbetonten Texten

> durchaus legitim ist, zum Beispiel Redensarten, Sprichwörter und Metaphern entweder inhaltlich-begrifflich oder mit analogen Sprachfiguren der Zielsprache wiederzugeben, (doch) gilt es bei formbetonten Texten, die in der Ausgangssprache übliche Redensart (bzw. das Sprichwort) in wörtlicher Übertragung und nur, wenn es dann unverständlich und befremdend wirken würde, mit einer in der Zielsprache üblichen Redensart (Sprichwort) wiederzugeben, die in der Ausgangssprache sprachübliche Metapher ebenso zu behandeln und eine vom Autor selbst geschaffene Metapher wortwörtlich zu übersetzen. Wird also zum Beispiel in einem englischen Text die Redensart *'a storm in a teacup'* verwendet, dann darf – sofern es sich um, einen inhaltsbetonten Text handelt – eine rein begriffliche Übersetzung, etwa *'zuviel Aufhebens – unnötige Aufregung'* etc. als adäquat gelten. In einem formbetonten Text dagegen wäre als Äquivalent unbedingt ebenfalls – eine gleichermaßen übliche – Redensart, *'ein Sturm im Wasserglas'*, zu fordern. In einem appellbetonten Text könnte – je nach Kontext – vielleicht sogar die Wendung *'künstliche Aufregung'* als Übersetzung angebracht sein, da das 'künstlich' stark affektiv wirkt (REIß 1971:43f). (Hervorhebungen von uns.)

Gegen diese Systematisierung wurde eingewendet, die Übertragung mit einer zielsprachlichen Redensart sei in jedem Text, gleich welchen Texttyps, angebracht, weil sonst „die unnötige Erzeugung eines Ungleichgewichts zwischen Original und Übersetzung im stilistischen Bereich" entstehen würde (SEGUÍ)[93]. Dies ist wohl richtig, doch ist auch zu bedenken, daß mit jenen Anweisungen eigentlich die Übersetzungskritik gemeint war, die zu wohlwollenden begründeten Urteilen finden sollte. So ist REIß' übersetzungsrelevante Textypologie nicht präskriptiv als Anweisung zum Übersetzen zu verstehen, sondern vielmehr als deskriptiv im Sinne einer Beschreibung der übersetzerischen Reaktion auf Texte.

Von vielen Seiten ist in sehr lebhafter Diskussion an dem Modell von REIß vor allem kritisiert worden, daß Texte in der Realität nicht immer eine so deutlich ausgeprägte Primärfunktion aufweisen, wie dies mit den drei Textty-

---

[93] A. SEGUÍ (1990): „Zur Texttypologie von Katharina Reiß". In: *Lebende Sprachen* 2/1990, 49-53, hier S. 52.

pen suggeriert wird.[94] Im Bereich der „innersprachlichen Instruktionen" wird teilweise Ähnliches diskutiert wie früher schon in der Stylistique comparée, auf die REIß selbst ja auch immer wieder ausdrücklich Bezug nimmt. Jedoch wurde damit insgesamt ein wesentlicher Beitrag zur sprachenpaarbezogenen Übersetzungsdidaktik im Deutschen geleistet. In dem Hinweis auf die außersprachlichen Determinanten werden kulturelle Unterschiede nicht explizit genannt, doch ist manches angelegt, was erst viel später fruchtbar weiterentwikkelt wurde.

7.7 Übersetzungsrelevante Textgattungen (Koller)

In der Neuauflage seiner „Einführung" unterscheidet Werner KOLLER (1992:272ff) „übersetzungsrelevante Textgattungen".[95] Im Gegensatz zur oben dargestellten Texttypologie von REIß und im Unterschied zu JUMPELT (vgl. Kap. 5.4) plädiert er dafür, „die zwei Haupt-Textkategorien *Fiktivtexte* und *Sachtexte* anzusetzen. (...) Es handelt sich dabei um eine *idealtypische* Unterscheidung, und jede der Hauptgattungen könnte unter Anwendung weiterer Kriterien kommunikativer, linguistischer und literarisch-ästhetischer Art weiter untergliedert werden" (1992:272).

KOLLER geht davon aus, daß zwischen Fiktivtexten und Sachtexten nicht nur graduelle, sondern „qualitative" Unterschiede bestehen, und er begründet dies im Sinne der Rezeptionsästhetik mit der Erwartungshaltung des Lesers, aus der sich für den Übersetzer bestimmte „Forderungen hinsichtlich der Übersetzungsäquivalenz" (1992:274) ergeben. Während als „fiktive Texte" vor allem die literarischen Texte angesehen werden,[96] unterscheidet KOLLER drei Kategorien von Sachtexten:

---

[94] So lesen wir bei NIDA/TABER (1969:140): „Eines der speziellen Probleme für Übersetzer besteht darin, daß ein sehr hoher Prozentsatz beliebiger Bibeltexte verschiedene Arten der Redeform miteinander verbindet. Die sog. Darlegung ist weithin eine Verbindung von Beweisführung und Beschreibung; und ein Gespräch kann Erzählung, Beweisführung und Beschreibung enthalten, Dichtung kann Erzählung (epische Lyrik) oder Beweisführung (im Sinne von Belehrung) umfassen."

[95] Die Benennung trägt leider nicht sehr zur Klärung bei, da „Textgattung" eigentlich ein literaturwissenschaftlicher Terminus ist zur Unterscheidung der Gattungen Lyrik, Epik und Dramatik. Und eine „Textkategorie" kann unspezifisch jede sinnvolle Zusammenfassung von Texten bedeuten, wie auch „Textklasse". Aber KOLLER wollte sich hier wohl gegen die „Texttypen" von REIß absetzen. Seine Zweiteilung erinnert im übrigen an die SCHLEIERMACHERS, allerdings auf Wörter bezogene, von solchen, die Gegenstände bezeichnen und anderen, welche Gefühle erfassen (s. Kap. 2.2).

[96] Eine solche Sicht der Dinge ist durchaus angreifbar. Fiktive Texte sind definiert durch ihren Bezug auf eine fiktive im Unterschied zu einer realen Welt. Der Begriff „Fiktionalität" verweist auf eine bestimmte Beziehung zwischen dem Text und der darge-

1. Sachtexte, die überwiegend *allgemeinsprachlichen* Charakter haben und die primär der nicht-fachlichen Kommunikation dienen (d. h. *Gebrauchstexte* verschiedenster Art);

2. Sachtexte, die *allgemeinsprachlichen und fachsprachlichen* Charakter haben und die der fachlichen Kommunikation mit und unter Nicht-Fachleuten, zum Teil aber auch mit und unter Fachleuten dienen (Beispiel: populärwissenschaftliche Schriften, Einführungswerke in Fachgebiete) (= *Fachtexte im weiteren Sinne*);

3. Sachtexte, die spezifisch *fachsprachlichen* Charakter haben und die der Kommunikation unter Fachleuten und Spezialisten dienen (Beispiel: wissenschaftlich-technische Fachliteratur) (= *Fachtexte im engeren Sinne*)[97] (1992:274f).

Die Unterschiede zwischen den Texten werden mittels vier Kriterien erläutert: 1. *Das Kriterium der sozialen Sanktion bzw. der praktischen Folgen* besagt, daß eine Textveränderung bei der literarischen Übersetzung für den Leser keine konkreten lebenspraktischen Folgen hat (auch wenn dies „höchst ärgerlich" ist) (1992:275). Anders bei den Sachtexten: hier haben „Teilnahme bzw. Nicht-Teilnahme an der Sachkommunikation, richtiges, ungenaues oder falsches Verstehen soziale Folgen. Dabei kann es sich auch um *praktische* Folgen handeln, wenn wir beispielsweise an Bedienungsanleitungen denken" (1992:276); KOLLER belegt dies mit drei Beispielen.

2. *Das Kriterium der Fiktionalität* bezieht sich auf die künstliche Wirklichkeit in diesen Texten.

Aber diesen vom literarischen Text hergestellten Wirklichkeiten steht der Leser auf andere Weise gegenüber als den Inhalten von Sachtexten, die erst dadurch sinnvoll werden, daß sie sich auf Gegenstände und Sachverhalte außerhalb des Textes beziehen. (...) Der Sachtextübersetzer, der eine „Diskrepanz zwischen Text und Realität" feststellt, fühlt sich im allgemeinen verpflichtet, den Text zu korrigieren (1992:278f).

---

stellten Welt, er ist deshalb mit dem referentiellen oder mimetischen Aspekt verbunden, nicht mit einem spezifisch literarischen. Es genügt nicht, über irgendeine imaginierte Welt zu schreiben, um Literatur zu produzieren. Auf der anderen Seite können auch nicht-fiktionale Texte literarische Qualität besitzen. Vgl. hierzu S. J. SCHMIDT (1972): „Ist 'Fiktionalität' eine linguistische oder eine texttheoretische Kategorie?" In: *Textsorten*, hrsg. v. E. GÜLICH/W. RAIBLE, Frankfurt 1972:59-71.

[97] Hier unterscheidet KOLLER drei „Untergruppen" (1992:275): (a) Fachtexte, die durch internationale Sprachnormung *mehrsprachig terminologisiert* sind, (b) solche, bei denen dies nur teilweise der Fall ist, woraus sich das „Problem der *übersetzungsbezogenen Terminologiearbeit*" ergibt, und (c) Fachtexte, „deren Wortschatz sich auf landesspezifische Sachverhalte bezieht, d. h. Fachtexte im juristischen, soziologischen, ökonomischen Bereich, die gebunden sind an institutionelle Verhältnisse in einem bestimmten Land. Bei

Beim literarischen Text dagegen gelten solche Abweichungen als gewollt und werden nicht korrigiert. Solches würde nämlich „eine den Leser bevormundende ʻVerbesserungʼ des Originaltextes" bedeuten (ebd.:279). Während bei Sachtexten die denotative Äquivalenz oberstes Gewicht hat, steht bei literarischen Texten die konnotative Äquivalenz im Vordergrund (s. Kap. 6.4).[98]

3. *Das Kriterium der Ästhetizität* besagt, daß literarische Texte unter ästhetischem Aspekt rezipiert werden, und daher Abweichungen von sprachlich-stilistischen Formen als Stilmittel gelten. Für den Übersetzer ergibt sich dadurch die Notwendigkeit, solche „Sprachexperimente nachzuvollziehen" (1992:281) – man denke etwa an James Joyces „Ulysses". Zur Ästhetizität ist auch die latente Vieldeutigkeit literarischer Texte zu rechnen. In einem Sachtext dagegen wird abweichender Sprachgebrauch kaum mit dem Hinweis auf dessen Ästhetizität „entschuldigt". Fehler wirken hier vielmehr peinlich und unfreiwillig komisch. So soll der Übersetzer bei Sachtexten „nur die usuell für die betreffende Textkategorie gültigen Ausdrucksmöglichkeiten ausnutzen. Für die Sachtextübersetzung gilt die Forderung nach *sprachlich-stilistischer Adäquatheit*" (ebd.:286). Besonders wichtig ist hier neben grammatischer Korrektheit auch die eindeutige und klare Ausdrucksweise, so daß ggf. Verbesserungen am Original erforderlich sind.

4. *Intralinguistische, soziokulturelle und intertextuelle Bedeutungen* als viertes Kriterium bewirken nur einen „graduellen" Unterschied zwischen Fiktiv- und Sachtexten: *Intralinguistische Bedeutungen* ergeben sich z. B. als sprachliche Assoziationen „auf Grund phonetischer, graphematischer, morphologischer und lexikalischer Ähnlichkeiten" (ebd.:287). Dies wirkt sich „bei der Übersetzung dahingehend aus, daß die Wahrung poetischer Eigenschaften häufig nur unter Veränderung des Denotats möglich ist" (ebd.:288). *Soziokulturelle Bedeutungen* sind kulturspezifisch und im Text implizit mitgemeint. „Die Vermittlung von solchen soziokulturellen Bedeutungen ist – wenn überhaupt – oft nur in der Form von Kommentaren möglich" (ebd.:290). „*Intertextuelle Bedeutungen*, die einen literarischen Text einbetten in der literarischen Textwelt, ergeben sich durch unterschiedliche Techniken des (impliziten oder expliziten) inhaltlichen und formalen Anspielens auf andere (eigene oder fremde) Texte und Autoren" (ebd.:291). Auch hier ist eine Übersetzung oft kaum möglich.

---

diesen Texten stellt sich insbesondere das Problem der Wiedergabe *landeskonventioneller Elemente*".

[98] Siehe dazu auch P. NEWMARK: „What is peculiar to literary texts is not the fusing and equality of form and content ... but that connotation, ʻthe allegoryʼ, may be more important than denotation" (in einem Artikel „Modern Translation Theory", *Lebende Sprachen* 1/1989, S. 7). Man denke auch an die „Formbetontheit" literarischer Texte als „Träger des künstlerischen Gestaltungswillens" nach REIß (1971:38).

Insgesamt erscheinen KOLLERS Ausführungen etwas zu kursorisch, um mehr zu sein als eine Erklärung zu den jeweils kurzen Beispieltexten, doch finden sich hier erwägenswerte Aussagen zu literarischen Texten. Bewußt gibt KOLLER kaum konkrete Hilfestellung für den Übersetzer:

> Grundsätzlich ist anzumerken, daß sich über die Legitimität kommentierender Übersetzungsverfahren *a priori* überhaupt nichts sagen läßt – wie sich denn die Übersetzungswissenschaft überhaupt hüten sollte, Anweisungen für die Praxis zu formulieren. Als empirische Wissenschaft sollte sie vielmehr die angewendeten Verfahren, ihre Funktionen, ihr Vorkommen und quantitative Verteilung in verschiedenen Textsorten, ausgehend von konkreten Übersetzungsfällen beschreiben (1992:271).

7.8 Aspektliste zum Übersetzen (Gerzymisch-Arbogast)

Mit dem Anspruch, eine „wissenschaftliche Methode des Übersetzens" zu entwickeln, hat Heidrun GERZYMISCH-ARBOGAST (1994) ein *Übersetzungswissenschaftliches Propädeutikum* vorgelegt. Sollen nämlich übersetzerische Entscheidungen und vor allem die Bewertung von Übersetzungen intersubjektiv nachvollziehbar gemacht werden, dann müssen die Äquivalenzforderungen „klaren und einheitlichen Kriterien" folgen: eine Übersetzung kann nur „gut" oder „schlecht" in bezug auf bestimmte Aspekte sein. Es geht dabei um die Frage nach der „Systematisierbarkeit übersetzerischer Entscheidungen im Spannungsfeld zwischen Entscheidungen, die den Text als Ganzes betreffen (makrostrukturelle Perspektive) und solchen, die bei kleineren Sinneinheiten ansetzen (mikrostrukturelle Perspektive) sowie solchen, die zwischen diesen beiden Betrachtungsweisen vermitteln" (GERZYMISCH-ARBOGAST 1994:9). Der Übersetzer soll eine sog. „Aspektliste" erarbeiten, die mit ihren Prioritäten dann ein Programm zur systematischen Gestaltung der Übersetzung darstellt.

> (Dabei gilt, daß) grundsätzlich in der Übersetzungswissenschaft auf einen Vergleichsstandard zwischen Original und Übersetzung nicht verzichtet werden kann. Allerdings ist dieser generelle Vergleichsstandard zwischen Original und Übersetzung im Einzelfall inhaltlich aufzufüllen und zu relativieren. Also (...) „Äquivalenz" als relationaler Begriff in bezug auf bestimmte Aspekte, die an ein Original im Hinblick auf die Übersetzung angelegt und als Vergleichsstandard herangezogen werden (GERZYMISCH-ARBOGAST 1994:28f).

In makrostruktureller Perspektive werden folgende Beschreibungsparameter aus einem Textbeispiel abgeleitet: 'Text- und Übersetzungstyp', 'Textverständnis und Kohärenz', 'Kulturspezifik'. In mikrostruktureller Perspektive

werden, linear von der Textebene ausgehend, folgende Beschreibungsparameter untersucht: 'kontrastive Bedeutungsunterschiede', 'Referenz', 'Hervorhebungsmuster und thematische Progression', 'Sprachvarietäten' u. a. Diese
Parameter sind in den Texten anhand einzelner „Aspekte" aufweisbar, mit
denen dann die Charakteristik des Textes und der Übersetzung in einer Matrix
dargestellt werden kann. Ein Vergleich der Matrizen für den Ausgangstext
und für die Übersetzung zeigt Übereinstimmungen und Abweichungen mit
mathematischer Genauigkeit auf, so daß übersetzungskritisch festgestellt werden kann: „Die Übersetzung ist in bezug auf die Aspekte 1, 2, 3 eher gut, in
bezug auf die Aspekte 4, 5, 6 eher schlecht oder schlecht realisiert"
(GERZYMISCH-ARBOGAST 1994:152).

Dementsprechend soll auch der Übersetzungsprozeß selbst auf einem
„aspektiven Lesen" des Originals beruhen, wobei die ermittelten Aspekte in
Form einer Prioritätenliste gewichtet werden. Eine sachliche Übersetzungskritik kann nur hinsichtlich der zugrunde gelegten Aspekte formuliert werden,
und auch der Übersetzer und die Übersetzerin soll damit das eigene
„Programm" oder die „Generalstrategie" darlegen. Für die Übersetzerin ergeben sich in der Praxis fünf Schritte:

> In einem ersten Schritt notiert sie sich die (inhaltlichen und formalen) Auffäl-
> ligkeiten, die sie im Original feststellt und ordnet sie den entsprechenden
> Textstellen zu (Erstlektüre). In einem zweiten Schritt (Aufstellen der *Aspektli-*
> *ste*) entwickelt sie aus den zunächst intuitiv notierten Auffälligkeiten *Aspekte,*
> denen sie wiederum einzelne Werte zuordnet, die möglichst klar gegeneinander
> abgrenzbar (disjunkt) sind. (...) In einem dritten Schritt (*Aspektives Lesen*)
> wird nun jede Textstelle unter jedem *Aspekt* gelesen und der entsprechende
> Wert zugeordnet. Als Ergebnis erhält man eine Textmatrix, die sozusagen die
> Lesart (Interpretation) des Textes durch die Übersetzerin darstellt. Schließlich
> werden in Schritt 4 (*Übersetzungsbezogenes Lesen*) die ermittelten *Aspekte* im
> Hinblick auf das Übersetzungsziel gewichtet, d. h. es wird – z. B. auf einer
> Skala von 1-99 – eine Prioritätenliste erstellt, welcher *Aspekt* im Hinblick auf
> die Übersetzung am höchsten zu bewerten ist, welcher an zweiter Stelle reali-
> siert werden soll usw., bis eine vollständige Rangordnung erstellt ist. In Schritt
> 5 (*Aspektives Übersetzen*) schließlich werden zu den einzelnen Textstellen
> Übersetzungsvarianten erstellt, die wiederum nach der bereits erstellten Priori-
> tätenliste gewertet werden. So erhält die Übersetzerin ein „Programm", mit
> dem sie klare und einheitliche Kriterien formuliert, nach denen die Überset-
> zung (aus der Sicht der Übersetzerin) systematisch gestaltet werden soll und
> die für einen Dritten nachvollziehbar sind. Damit sind die Voraussetzungen
> für ein wissenschaftliches Vorgehen beim Übersetzen erfüllt (GERZYMISCH-
> ARBOGAST 1994:95).

Die Festlegung der Aspekte erfolgt freilich weiterhin intuitiv, denn es gibt
bisher keine automatisch anwendbaren Aufdeckungsprozeduren für sprachli-

che „Auffälligkeiten". Außerdem hängt die Notierung dessen, was überhaupt als „Aspekte" genannt wird, ganz vom Text ab. So sind ggf. die Aspektlisten für andere Texte zu variieren. Die Vermittlung von sprachwissenschaftlichen Kenntnissen soll allerdings den Studierenden ein hierfür notwendiges Vorwissen liefern.

BEISPIEL

Die Aufstellung einer Aspektmatrix wird an einem Textbeispiel mit Übersetzung ausführlich diskutiert.

Makrostrukturelle Perspektive

Für den Parameter 'Text- und Übersetzungstyp' wird zunächst auf die übersetzungsrelevante Texttypologie nach REIß verwiesen (s. Kap. 7.6). Anhand dreier Texte über eine Stadt, „die – intuitiv betrachtet – unterschiedliche Textfunktionen haben" (GERZYMISCH-ARBOGAST 1994:38) werden sechs Aspekte gebildet, mit denen die Texte (ein informativer Lexikoneintrag, ein expressiver literarischer Abschnitt, ein operativer Werbetext) verglichen werden und ihre Unterschiede feststellbar sind. Die Aspekte sind: *Titel, Lexik, Syntax, Informationsdichte, Informationsgliederung, Autor-Leser-Verhältnis.* Diese Liste ist offen. – Die als „allgemeine Aussagen" bezeichneten Übersetzungsmethoden von REIß, nämlich „sachgerecht, autorgerecht, appellgerecht, medien- bzw. verbundgerecht", sollen durch diese Aspektliste konkretisiert werden (ebd.:45).

Für den Parameter 'Textverständnis und Kohärenz' werden die Aspekte *semantisches Netz* und *Erzählperspektive* beschrieben. Dem „liegt die Annahme zugrunde, daß das lexikalische Inventar einer Sprache (oder eines Textes) durch ein Netz von Bedeutungsbeziehungen zwischen den Zeichen beschrieben werden kann. Die Bedeutung wird als gestuft angesetzt, je nachdem, welche Beziehungen (Relationen) das zu betrachtende Zeichen auf welchen Stufen eingeht, d. h. wie groß die Umgebung (Kontext) um das zu betrachtende Zeichen gefaßt wird" (ebd.:63). Zur Extraktion von semantischen Netzen aus längeren Textpassagen wird ein computergestütztes Programm verwendet, welches allerdings schwer interpretierbare Grafiken der Netzstrukturen liefert (ebd.:74; 183f). Die Darstellung eines Textes als semantisches Netz soll ein individuelles Textverständnis verdeutlichen. So fällt im Beispieltext auch „der Wechsel der *Erzählperspektive* auf. Wir setzen daher *Erzählperspektive* als Aspekt an und ordnen ihm z. B. die Werte Betrachterperspektive, Erzählfigur (Innensicht), Erzählfigur (Außensicht) zu" (ebd.:95). Ein Wandel der Erzählperspektive bewirkt eine Differenz.

Für den Parameter 'Kulturspezifik' werden zunächst die am einzelnen Wort ansetzenden Darstellungen bei Newmark, KOLLER u. a. (s. Kap. 5.3; 6.3) zur Übersetzung kulturspezifischer Realia, der Schließung einer lexikalischen Lücke usw. diskutiert (ebd.:75ff). Demgegenüber plädiert GERZYMISCH-ARBOGAST für die Betrachtung eines Kultursystems (*Kulturem*), das noch in Teilfunktionen (*Kulturemem*) mit Alternativen (*Kuluremet*) und Auffüllungsmöglichkeiten (*Kulturet*) unterteilt werden

134

kann. Mit einem solchen nach Zweck und Teilfunktion gegliederten Kulturbegriff könnten bestimmte Teilbereiche einer Kultur verglichen werden, die gleichfalls als Netze graphisch dargestellt werden können (ebd.:80f).

Mikrostrukturelle Perspektive

Im zweiten Teil des Buches werden Einzelprobleme des Übersetzens aus dem Textbeispiel auf Satzebene erörtert. Für den Parameter 'kontrastive Bedeutungsunterschiede' werden zunächst linguistische Verfahren der Bedeutungsbeschreibung (s. Kap. 3.6) vorgestellt (ebd.:100ff) und sodann einige wichtige Aspekte beschrieben. Der Aspekt *Konnotationsgehalt* wird anhand deskriptiver Verben [*to skim, to hurry, to dash, to whizz, to drop, to rise* etc.] erläutert (ebd.:109-113). Der Aspekt *Informationsmenge* weist durch einen zusätzliches Untertitel in der Übersetzung eine Differenz zur Vorlage aus. Der Aspekt *Verfremdung* bezieht sich auf lautmalerische Verfremdungseffekte, Interferenz und lexikalische faux amis. Der Aspekt *Idiomatik* betrifft Verstöße gegen die syntagmatische Anschließbarkeit von Wörtern.

Zum Parameter 'Referenz' werden die Aspekte *Deixis* in Verweisformen und Pronomina und der Aspekt *Isotopie* besprochen. „Der Isotopie-Begriff dient ... zur Festlegung der Bedeutung (Monosemierung, Disambiguierung) im Kontext" (ebd.:123). Hier besteht eine Verbindung zur makrostrukturellen Perspektive der Netze. Eine ausführliche Darstellung der linguistischen Theorie wird durch Überlegungen zur Übersetzung von Metaphern und Vergleichen ergänzt.

Für den Parameter 'Hervorhebungsmuster und thematische Progression' werden (ebd.:132ff) die Aspekte *Thema-Rhema-Gliederung* und *Fokussierung* (s. Kap. 7.3) sowie *Satzmuster* in der Übersetzung Englisch-Deutsch dargestellt.

Für den Parameter 'Sprachvarietäten' wird unter dem Aspekt *Sprachebene* auf diatopische (mundartliche, landschaftliche, hochsprachliche), auf diastratische (gruppensprachliche, altersspezifische, berufsspezifische) und diaphasische (situative, familiäre, formale) Unterschiede von Wörtern hingewiesen.

Nach dem gesamten Durchlauf sollen die verschiedenen Aspekte, die makro- und mikrostrukturell zusammengestellt wurden, systematisiert und mit den entsprechenden Textstellen zu einer Matrix korreliert (ebd.:170) und für die Zieltextproduktion gewichtet werden. Doch wegen der recht komplizierten Darstellung bleibt die Frage, ob derartige „wissenschaftliche" Aufbereitungen (s. Kap. 4.1) dessen, was der Übersetzer und Leser aufgrund seiner Textkompetenz, und wie angemerkt „intuitiv" feststellt, im Übersetzungsprozeß wirklich praktikabel, ja überhaupt möglich sind.

Kommentar

Die textlinguistische Erweiterung der Übersetzungswissenschaft hat das Augenmerk auf wertvolle Aspekte der Textkonstitution, Kohärenz und Textgliederung gelenkt, die wissenschaftlich analysierbar sind. Mit ihrer Hilfe können übersetzungspraktische Probleme eines Textes präzisiert und Charakteristika von Textsorten im kontrastiven Vergleich beschrieben werden.

Die dreipolige Texttypologie von REIß hat mit dem Blick auf Texte und außersprachliche Bedingungen endlich die linguistische Fixierung der Übersetzungswissenschaft auf syntaktische Strukturen aufgebrochen. Auch gab ihr Ansatz Anlaß zu vielen wertvollen Textsortenstudien und kontrastiven Vergleichen, wie z. B. zu Geburts- und Todesanzeigen, Gerichtsurteilen usw.

KOLLERS zwei Textgattungen beruhen auf der Einstellung von Lesern zu den Texten. So ist deutlich geworden, daß das Übersetzen mehr als nur textinterne Faktoren zu berücksichtigen hat. Allerdings hat sich aus dem Einbezug der Textlinguistik noch keine aussagekräftige Übersetzungsmethodik als solche ergeben, die etwa wesentlich über die Einsichten der sprachenpaarbezogenen Übersetzungswissenschaft (s. Abschnitt 5) hinausgehen würde.

GERZYMISCH-ARBOGAST hat mit ihrem Ansatz insbesondere verdeutlicht, daß mikro- und makrostrukturelle Merkmale auf der Textebene beim Übersetzen miteinander verknüpft werden müssen. Insgesamt sind jedoch diese textlinguistischen Studien vornehmlich an den Sprachstrukturen orientiert, aus denen die Übersetzung herzuleiten ist. Außersprachliches wird kaum einmal benannt.

Lektürehinweise

Heidrun GERZYMISCH-ARBOGAST (1994): *Übersetzungswissenschaftliches Propädeutikum*. Tübingen.

Werner KOLLER (1992): *Einführung in die Übersetzungswissenschaft*. Heidelberg/ Wiesbaden.

Katharina REIß (1971): *Möglichkeiten und Grenzen der Übersetzungskritik*. München.

Katharina REIß (1976): *Texttyp und Übersetzungsmethode. Der operative Text.* [3]1993. Heidelberg.

Heinz VATER (1992): *Einführung in die Textlinguistik*. München.

8 Die pragmatische Dimension beim Übersetzen

Die linguistische Pragmatik betrachtet sprachliche Äußerungen als Handlungen und beschreibt diese in ihren Relationen zu Sprechern und Hörern. Die Sprechakttheorie beschreibt u. a. die Funktion performativer Verben. Illokutionsindikatoren in Äußerungen und performative Texte erfordern eine funktionsgerechte Übersetzung. Hönig/Kußmaul nennen die Funktion des Textes in der Zielsprache und kulturell unterschiedliche Textsortenkonventionen als wichtigstes Kriterium des Übersetzens.

8.1 Die Sprechakttheorie (Austin, Searle)

Gegen Ende der 60er Jahre zeigte sich auch in der Textlinguistik (s. Abschnitt 7) ein verstärktes Interesse an der kommunikativen Einbettung von Sprache. Um das Unbefriedigende der strukturalistischen Linguistik, die die Sprache auf ein System von formalisierbaren Zeichenstrukturen und Grammatikregeln reduzierte, zu überwinden, mußten Situation, Funktion und Handlungscharakter von Sprachäußerungen in den Blick kommen. So verlagerte sich das sprachwissenschaftliche Interesse auf die dritte semiotische Dimension, die Pragmatik. Als „Vater der Pragmatik" ist Ludwig WITTGENSTEIN anzusehen, der Sprechen und Handeln unter den Begriff „Sprachspiel" gefaßt hat. WITTGENSTEIN hat anhand zahlreicher selbst formulierter Beispiele von Sprechsituationen seinen Begriff von Sprache dargelegt und bezeichnete es als die Aufgabe der Philosophie, die „Alltagssprache und ihre Regeln zu untersuchen" (1953, §§ 122-132).

Wenn man sprachliche Ausdrücke auf ihre konkrete Verwendung hin untersucht, dann muß man diese Verwendung auch als Bestandteil ihrer Bedeutung ansehen. WITTGENSTEIN hat sie sogar als ihre Bedeutung schlechthin betrachtet. Damit stellte er zugleich die Frage: Was tun eigentlich die Menschen, indem sie Worte verwenden? Seiner Ansicht nach handeln sie mit Worten: „Worte sind auch Taten" (ebd., § 546). Dies bezeichnete er als „Sprachspiel": „Ich werde auch das Ganze der Sprache und der Tätigkeiten, mit denen sie verwoben ist, das 'Sprachspiel' nennen" (ebd., § 7). Zwar ist aus den aphoristischen Bemerkungen WITTGENSTEINS nicht eindeutig zu entnehmen, was man sich genau unter einem Sprachspiel vorzustellen hat. Klar ist jedoch, daß WITTGENSTEN das Sprachspiel als einen Komplex versteht, in dem Sprechen und Handeln wechselseitig aufeinander bezogen sind. Das hier stichwortartig angedeutete Programm wurde dann von der Sprechakttheorie systematisch ausgearbeitet.

Begründer der Sprechakttheorie ist John L. AUSTIN, der WITTGENSTEINS These aufnimmt, Sprechen sei zugleich ein Handeln. Er unterscheidet „konstative" (feststellende) von „performativen" (etwas bewirkenden) Sprechakten. Ausgehend von sprechaktbezeichnenden performativen Verben (wie z. B. *versprechen, warnen, taufen, wetten, bitten, versichern, verbieten,* usw.) erörtert AUSTIN „How to Do Things with Words" (1962)[99]. Die Äußerung des Satzes: „Ich verspreche dir, morgen da zu sein", ist demnach ein „lokutionärer Akt" insofern als sie ein sprachliches Ereignis ist, ein „illokutionärer Akt" insofern als damit die Handlung des Versprechens vollzogen werden soll, ein „perlokutionärer Akt", wenn das Versprechen geglaubt und damit das beabsichtigte Ziel erreicht wird. Der perlokutionäre Effekt liegt allerdings nicht ausschließlich in der Macht des Sprechers.

Wichtig ist hier die Erkenntnis, daß Sprache Teil des menschlichen Handelns ist. Kritisch ist jedoch anzumerken, daß AUSTIN nur mit Satzbeispielen arbeitet, und dabei den Aspekt der Sprechhandlung verabsolutiert. Bei der Betrachtung von Texten stellen wir aber fest, daß diese nicht als eindeutig definierbare Sprechakte im Sinne AUSTINS bezeichnet werden können. Es wird dabei nicht verkannt, daß die Sprache viele performative Ausdrucksmöglichkeiten enthält.

In Deutschland wurde die Sprechakttheorie besonders von Dieter WUNDERLICH[100] weiterentwickelt (vgl. hierzu ausführlich BRAUNROTH u. a. 1978:187-241). Er hat daran erinnert, daß sich der Inhalt von Sätzen nicht nur auf die linguistische Kategorie Syntax bezieht, sondern pragmatisch auch Hinweise auf die außersprachliche Situation liefert. WUNDERLICH konzentriert sich zu diesem Zweck auf die Untersuchung von deiktischen und referentiellen sprachlichen Einheiten, die aufgrund ihrer Bedeutung über den immanent grammatikalischen Rahmen des Satzes hinaus auf den Bereich der außersprachlichen Wirklichkeit Bezug nehmen. Ausgehend von konkreten Sprechsituationen hat WUNDERLICH eine Reihe von solchen „performativen Phänomenen" behandelt. Es genügt hier, den Katalog aufzuzählen:

---

[99] Deutsche Ausgabe: *Zur Theorie der Sprechakte.* Stuttgart 1972.
[100] D. WUNDERLICH (Hrsg.) (1972): *Linguistische Pragmatik.* Frankfurt am Main ²1975.

deiktische Ausdrücke der Person, der Zeit und des Ortes *(ich, du, jetzt, hier, da, dort)*; Formen der Kontaktaufnahme (Anrede-, Höflichkeits-, Achtungs-, Intimitätsformen); Formen der Redeerwähnung (direkte und indirekte Rede), der Redeeinteilung und des Redeabschlusses; grammatische Modi (Frage, Imperativ, Konjunktiv, Optativ); Modaladverbien; performative Verben, Reflexivierung; Zusammenhänge in Dialogtexten.

Hier sind wichtige Sprachelemente benannt, deren Feststellung auf der Textebene etwas über die Intention und die Haltung des Sprechers aussagt, denn die Sprechakttheorie untersucht vor allem die Intentionen, die ein Sprecher bei einer Äußerung hat.

AUSTINS Theorie der performativen Leistung gewisser Wörter wurde weiterentwickelt von John R. SEARLE in *Speech Acts* (1969), deutsch: *Sprechakte* (1971). Seine Grundthese lautet, daß das Sprechen eine „regelgeleitete Form des intentionalen Verhaltens" sei (1971:29). Aus einem semantischen Blickwinkel fragt er danach, inwiefern der Sprechakt eine Funktion des geäußerten Satzes sei.

Wichtig ist die Unterscheidung zwischen dem Satz (als formallinguistischer Beschreibungseinheit) und der Äußerung (als aktuell realisierter Redesequenz). Die semantischen Regeln der generativen Texterzeugung (s. Kap. 3.4) umfassen für SEARLE nicht nur die Lexikonregeln, sondern auch pragmatisch die kontextspezifischen Bedingungen einer Äußerung. Aus diesen hat er dann die konstitutiven Regeln für den Vollzug von „Sprechakten" abgeleitet (1971:88ff).

Es geht dabei um das komplexe Verhältnis zwischen kommunikativer Funktion und sprachlicher Form, wobei SEARLE fünf Sprechaktklassen unterscheidet. Als „Direktiva" bezeichnet er jene Äußerungen, mit denen Hörer zu einer Handlung veranlaßt werden sollen, wie z. B. das Anweisen oder Empfehlen. Als „Repräsentativa" nennt er den Zweck, den Sprecher an die Wahrheit der ausgedrückten Proposition zu binden, also z. B. das Instruieren, die Feststellung. Ferner gibt es die Sprechaktklassen „Kommissiva", „Expressiva" und „Deklarationen".[101] Weil das Erkennen entsprechender Ausdrucksformen in Texten ein Übersetzungsproblem darstellt, ist eine Anwendung der Sprechakttheorie auch in der Übersetzungswissenschaft interessant.

---

[101] SEARLE spricht von „representatives, directives, commissives, expressives, declarations". Vgl. J. R. SEARLE (1976): „A classification of illocutionary Acts". *Language in Society 5*, 1-23, S. 10ff.

BEISPIEL

Auf das übersetzungsrelevante Problem der sprachlichen Gestaltung vertraglicher Vereinbarungen und gesetzlicher Bestimmungen im Englischen hat TROSBORG (1994)[102] hingewiesen. In juristischen Texten, die ja die zwischenmenschlichen Beziehungen regeln sollen, müssen Sprechakte wie „Verpflichtung", „Versprechen", „Verbot", und Situationsbeschreibungen wegen der rechtlich bindenden Wirkung solcher Texte klar ausgedrückt werden. Die Illokutionswirkung der Sprechakte wird vornehmlich mit performativen Verben erzielt. Aufgrund einer Korpusanalyse nennt TROSBORG (1994:312) folgende vertraglichen Handlungsarten:

Verpflichtung, Obliegenheit: Will eine Vertragspartei der anderen eine Verpflichtung auferlegen, so wird im Englischen fast ausschließlich das Modalverb *shall* gebraucht. Im Deutschen erscheint an dieser Stelle das Präsens Indikativ oder *sein+Infinitiv*. *(Der Zulieferer erbringt...; folgende Leistungen ... sind zu erbringen).*

Verbot: Bei Verhaltensregelungen mittels Verboten erscheint *shall not.* Dem entspricht im Deutschen *nicht dürfen, nicht sollen.*

Rechte: Vertragsparteien können einander Erlaubnisse erteilen, Rechte verleihen oder Pflichten verneinen: dies geschieht mit *may* oder *grant.* Dem entspricht im Deutschen *dürfen, können,* aber auch *erlauben, gestatten, das Recht gewähren,* usw.

Vertragliche Rahmenbedingungen: Viele Sätze in Verträgen enthalten keine performativen Verben, sondern sind Darstellungen oder Erläuterungen von Vertragstermini oder Hinweise zur Anwendung der Klauseln. Hier erscheinen Verben wie *mean, apply, include, exclude* und Konstruktionen mit *be+*Kopula (die im Deutschen wörtlich übersetzt werden können). Erwähnungen von Vertragsklauseln mit rechtlicher Wirkung in der Zukunft erfolgen oft mit dem Modalverb *shall,* was im Deutschen nur im Präsens wiedergegeben wird.

Versprechen, Selbstverpflichtung: Dies erfolgt explizit mit performativen Verben wie *agree, undertake, acknowledge, warrant, accept,* oder mit Modalverb *will.* Dem entspricht im Deutschen oft das Futur oder Präsens, auch Verben wie *vereinbaren, anerkennen, garantieren* u. ä.

Auf die hohe Bedeutung direktiver Sprechakte in Bedienungs- und Betriebsanleitungen sowie in Werkstatthandbüchern hat GÖPFERICH[103] hingewiesen und ihr Vorkommen in deutschen und englischsprachigen Texten verglichen. Sprechakte wie „Anweisen/Verbieten" werden demnach im Deutschen als Handlungszuweisungen überwiegend im imperativischen Infinitiv *(Schlüssel abziehen und Lenkrad einrasten),* als Hinweise auf Notwendigkeiten mit Modalverben *(müssen, sollen, dürfen*

---

[102] A. TROSBORG (1994): „'Acts' in contracts: Some guidelines for translation." In: M. SNELL-HORNBY, K. PÖCHHACKER, K. KAINDL (Hrsg.) (1994): *Translation Studies an Interdiscipline.* Amsterdam/Philadelphia: Benjamins, S. 309-318.

[103] Vgl. S. GÖPFERICH (1995): *Textsorten in Naturwissenschaften und Technik. Pragmatische Typologie - Kontrastierung - Translation.* Tübingen: Narr, besonders S. 346ff.

> und *sein zu+*Infinitiv, *nicht dürfen, es ist erforderlich)* verbalisiert, während im Englischen hier bei Handlungszuweisungen der direkte Imperativ *(push the red button)*, als Hinweise auf Notwendigkeiten die Modalverben *(must/have to/may not, should, it is necessary/important/essential, require, necessitate)* erscheinen.

8.2 Illokutionsindikatoren in Texten

Sprechakte sind also nach SEARLE beispielsweise „Behauptungen aufstellen", „Befehle erteilen", „Fragen stellen", „Versprechungen machen", „Bitten äußern", „Anweisungen erteilen". Ähnlich wie bei AUSTIN werden dabei verschiedene Schichten unterschieden, die bei der konkreten Äußerung eines Satzes miteinander verbunden sind: der Äußerungsakt (sprachliches Ereignis), der propositionale Akt (Aussage und Bezeichnung), der illokutionäre Akt (Modalität der Intention: Behaupten, Vermuten) und der perlokutionäre Akt (die erzielte Wirkung).

Ein und dieselbe Äußerung kann mit verschiedenen Illokutionen verknüpft sein. Ein grammatischer Fragesatz etwa ist nicht immer eine Frage, sondern beispielsweise als „rhetorische Frage" eine emphatische Behauptung, während eine „gute Frage" die Funktion einer Feststellung und einer Frage kombiniert. Hier wird der Handlungscharakter der Sprachverwendung deutlich. Sie kann nur intentional beschrieben werden, und die Motivation spiegelt sich in den verwendeten Sprachelementen.

Ein Übersetzer muß, um seine Texte richtig zu interpretieren, die Illokutionsindikatoren darin erkennen. Es sind dies u. a. performative Verben, verdeckte performative Verben, Modalverben, Adverbien und Partikeln. Auf diese Formen muß der Übersetzer besonders achten. Die Schwierigkeit liegt darin, daß die illokutionäre Funktion von Äußerungen auf der impliziten Bedeutung pragmatischer Faktoren wie der sozialen Relation zwischen Sprecher und Hörer, dem Vertrautheitsgrad, Höflichkeitsnormen, funktionalstilistischen Präferenzen und anderem beruht.

BEISPIEL

Eine indirekte Bitte steckt in der Äußerung:

(1a) *Könntest du mir noch ein Bier aus dem Kühlschrank holen?*

Eine übliche Antwort unter vertrauten Personen lautet:

(2a) *Ja gerne.*
(2b) *Nein, hol' dir's doch selber.*

Ein <u>absichtliches provokatives Mißverständnis</u> wäre dagegen die Antwort:

(2c) *Das könnte ich schon.* (freilich ohne Reaktion).

Der Illokutionsindikator für <u>Bitten</u> sind im D e u t s c h e n u. a. Fragesätze, in denen die Modalverben *werden, können, dürfen* enthalten sind, z. B.

(3a) *Würdest du mal das Fenster öffnen?*
(3b) *Kannst du mal das Fenster öffnen?*
(3c) *Darf ich mal das Fenster öffnen?*

Anders formulierte <u>Fragen</u> werden dagegen nicht als Bitte interpretiert, vgl.

(4a) *Bist du in der Lage, das Fenster zu schließen?*

<u>Idiomatische Wendungen</u> wie (3a-c) bieten bekanntlich Übersetzungsschwierigkeiten, denn es gibt für sie meist keine formalen Entsprechungen. Bei einer sozialen Relation 'höher zu tiefer' kann im E n g l i s c h e n gesagt werden:

(5a) *Shut the window!* (Was allerdings recht harsch ist.)

Bei umgekehrter sozialer Relation aber müßte z. B. geäußert werden:

(5b) *Can/Could you shut the window?*
(5c) *Would you mind shutting the window?*
(5d) *Why don't you shut the window?*
(5e) *Shut the window, won't you?*
(5f) *Shut the window, will you?*
(5g) *Shut the window, would you?*
(5h) *Won't you shut the window?*

In diesen nach zunehmender <u>Höflichkeit</u> geordneten englischen idiomatischen Äußerungen wird die Illokution gleichfalls mit Modalverben wie *will, can* angedeutet. Sie haben aber keine direkten formalen Entsprechungen im Deutschen. Eine wörtliche Übersetzung von (5h) mit

(6a) *Wirst du nicht das Fenster schließen?*

wäre keine idiomatische Bitte, sondern eine Frage und würde allenfalls als Befehl verstanden. Als Möglichkeiten im D e u t s c h e n stehen etwa zur Verfügung:

(6b) *Kannst/könntest/würdest du (bitte) das Fenster schließen?*

<u>Höflichkeit</u> läßt sich aber auch durch Verbindung mit Partikeln ausdrücken:

(6c) *Schließ doch/mal/eben/doch mal/doch eben/mal eben/doch mal eben das Fenster!*

Funktionalstilistisches Charakteristikum <u>juristischer</u> und <u>verwaltungstechnischer Anweisungen</u> ist im E n g l i s c h e n die Konstruktion mit *shall be*, wie folgendes Beispiel zeigt:

(7a) *Application for admission to a curriculum of advanced study for the degree of Master of Arts shall be made to the Registrar not later than the 1st May*

> *preceding the commencement of the course. (University of Bristol. Postgraduate Study, January 1970)*
>
> (7b) *Each copy of a dissertation shall be accompanied by a memorandum signed by the candidate...*
>
> Nur die funktionalstilistisch angemessene Formulierung im übersetzten Text wird vom Leser ernstgenommen. Im I t a l i e n i s c h e n dagegen erscheint hier ein performatives Hilfsverb *(dovere),* vgl.
>
> (7c) *La domanda di autorizzazione deve essere redatta/ accompagnata/ costituita...*
>
> Im D e u t s c h e n folgen die behördlichen Anweisungen der Form *ist zu* bzw. *sind zu,* vgl.
>
> (8a) *... ist an die Verwaltung bis spätestens 1. Mai einzureichen.*
>
> (8b) *Der Genehmigungsantrag ist abzufassen/einzureichen/zu erklären/ beizufügen...*
>
> **Übersetzungsschwierigkeiten** können auch die <u>verdeckten performativen Äußerungen</u> (hedged performatives) darstellen, wo ein performatives Verb durch ein zusätzliches Verb modifiziert wird. Beispiele für E n g l i s c h :
>
> (9a) *Let me assure you ...*
> (9b) *I must ask you to ...*
> (9c) *I can tell you ...*
> (9d) *I would like to say ...*
> (9e) *I have to admit ...*
> (9f) *I might suggest ...*
>
> Diese sehr häufigen Formen sind weniger direkt als die entsprechende reine performative Formel *(I assure you).* Eine formale Entsprechung ist im D e u t s c h e n nicht immer möglich:
>
> (10a) *Ich kann Ihnen versichern/ Sie können sicher sein...*
> (10b) *Ich muß Sie bitten...*
> (10c) *Ich kann Ihnen/dir sagen...*
> (10d) *Erlauben Sie mir, hervorzuheben...*
> (10e) *Ich muß zugeben...*
> (10f) *Ich würde/möchte vorschlagen...*
>
> Als Illokutionsindikatoren dienen hier wieder Modalverben und performative Verben. (Zu einigen der Beispiele vgl. HÖNIG/KUßMAUL (1982:76-83)).

8.3 Performative Texte

Bisher war die Relevanz der Sprechakttheorie für das Übersetzen in Bezug auf Wörter und Sätze dargestellt worden. Es gibt aber auch ganze abgeschlossene Texte, die einen bestimmten Sprechakt konstituieren. Öffentliche Anschlagtafeln, Warnhinweise oder Schilder sind solche performativen Texte. Darauf hat Mary SNELL-HORNBY (1984) hingewiesen. Sie hat englische und deutsche Schildertexte in einer Paralleltextanalyse untersucht und dabei wesentliche Unterschiede zwischen der englischen und deutschen Sprache festgestellt, welche für den Übersetzer solcher Texte wichtig sind. Während die soziale Relation zwischen Verfassern und Lesern solcher Texte in beiden Kulturen im Zusammenhang mit Bitten, Aufforderungen, Warnungen und Verboten die gleiche ist, unterscheiden sich beide Sprachen wesentlich in der Art der Identifikation des Adressaten in seiner Rolle und von dessen Personalisierung durch Pronomina. So wird dieselbe kommunikative Funktion mit unterschiedlichen sprachlichen Formen realisiert.

BEISPIEL

Im Bereich **Warnung** und **Verbot** bevorzugt das E n g l i s c h e Imperative und Anrede des Lesers, während im D e u t s c h e n unpersönliche Nomina gebräuchlich sind, wie folgende Beispiele zeigen:

(1) *Passengers entering or leaving the bus while it is in motion do so at their own risk.*

(2) *Privatgrundstück. Benutzung auf eigene Gefahr.*

Die Adressaten-Identifizierung zeigt sich im E n g l i s c h e n auch in der Verwendung des Nominalagens, während im D e u t s c h e n das Verbalsubstantiv vorherrscht, vgl.

(3) *Hawkers, canvassers, collectors not allowed.*

(4) *Hausieren verboten.*

Ein weiterer Unterschied zwischen den beiden Sprachen ist das Fehlen von Modalverben im D e u t s c h e n im Gegensatz zum E n g l i s c h e n :

(5) *No person shall carry or consume intoxicating liquor in this park.*

(6) *Die Mitnahme von Tieren in die Mensa ist nicht gestattet.*

(7) *Children must not ride on the elevator unless they are accompanied by an adult.*

(8) *Das Spielen der Kinder auf Hof, Flur und Treppe ist im Interesse aller Mieter untersagt.*

Neuerdings aber:

(8a) *Wir (Hunde) müssen draußen bleiben.*

Doch der wesentlichste Unterschied liegt in den verschiedenen Formen des Imperativ-Gebrauchs im D e u t s c h e n . Das E n g l i s c h e hat nur eine Form des aktiven Imperativs 2. Person, und diese ist zugleich die unmarkierte Grundform des Verbs. So gibt es keinen formalen Unterschied zwischen „Keep still" als Befehl an ein Kind, und „Keep left" als Straßenschild. Hier wird der Adressat in beiden Fällen in gleicher Form angeredet. Diese eine unmarkierte Form im Englischen korrespondiert funktional mit vier Formen im Deutschen, von denen drei durch die verschiedene Anredeform *(du, ihr, Sie)* markiert sind. Beispiele für Aufforderungen:

(9) *Einfahrt freihalten!*
(10) *Ruf doch mal an!*
(11) *Schützt dieses Telefon! Es kann Leben retten.*
(12) *Bitte halten Sie den Raum zwischen Fahrer und Tür unbedingt frei.*

Festzustellen ist auch, daß Verbote in beiden Sprachen kaum mit dem verneinten Imperativ *(Nicht füttern! Do not feed)* verbalisiert werden, sondern eher mit deklarativen Sätzen, wie in den Beispielen (3) - (8).

Für die Übersetzungswissenschaft ergibt sich hieraus, daß die Situationsadäquatheit das wichtigste Kriterium bei der Übersetzung solcher Schildertexte ist. Eine Erhaltung der syntaktischen Struktur im Sinne einer wörtlichen Übersetzung kann dagegen nicht das Ziel sein. Schon VINAY/DARBELNET (1958:20) haben die schlechte Qualität französisch-kanadischer Straßenschilder moniert, die eine Übersetzung der in Amerika üblichen sind, aber von denen in Frankreich stark divergieren. Und wenn man 1976 bei der Schlußveranstaltung der Olympischen Winterspiele in Innsbruck auf einer riesigen Leuchtschrift „GOOD BYE IN LAKE PLACID" lesen konnte, so hat der Übersetzer sich nur an das Wort: „Auf Wiedersehen in Lake Placid" gehalten. Hätte er nach der Situation gefragt, in der ein solcher Satz geäußert wird, dann hätte so etwas wie „We'll meet again in Lake Placid" herauskommen können. Von öffentlichen Protesten gegen diesen Lapsus ist allerdings nichts bekannt, wie HÖNIG/KUßMAUL (1982:9) anmerken.

8.4 Strategie des Übersetzens (Hönig/Kußmaul)

Den Gedanken der pragmatischen Einbettung konkret auf Texte anwendend, haben Hans G. HÖNIG und Paul KUßMAUL (1982) ein „Lehr- und Arbeitsbuch" zum Übersetzen vorgelegt. Anders als früher von einer „Technik des Übersetzens" (s. Kap. 5.5) ist jetzt von einer „Strategie der Übersetzung" die Rede, wodurch der Handlungscharakter der Sprachverwendung im Übersetzen verdeutlicht wird. HÖNIG/KUßMAUL gehen sprachvergleichend von der

Beobachtung aus, daß an bestimmten Stellen in der einen Sprache eine Markierung obligatorisch ist, in der anderen dagegen nicht, wie dies SNELL-HORNBY am Beispiel von performativen Texten gezeigt hat (s. Kap. 8.3). Wenn man sich als Übersetzer nun ausschließlich „am Wort" orientiert, anstatt nach den Situationen des Gebrauchs zu fragen, gelangt man oft zu völlig unangemessenen Übersetzungslösungen.

Entscheidend ist vielmehr, zu fragen, für wen eine Übersetzung bestimmt ist. Die Bedeutung entsteht erst an dem Punkt, wo unsere Äußerungen vom jeweiligen Kommunikationspartner interpretiert werden. Die Kommunikation funktioniert nur unter der Voraussetzung, daß der Sender die möglichen Reaktionen seines Empfängers schon einplant – er stellt sich auf ihn ein. So sehen HÖNIG/KUßMAUL „den AS-Text nicht als ein fertiges Bedeutungsgefüge, sondern im wesentlichen als ein Angebot von linguistischen Instruktionen, das je nach Interesse und Situation des Übersetzers verschieden als Bedeutung realisiert wird" (1982:29). Die Autoren knüpfen damit indirekt an die Zeichentheorie von PEIRCE an, der die Zeichenbedeutung vom Empfänger her definiert hatte (s. Kap. 3.2). Die Bedeutung der in den Übersetzungstexten vorgefundenen linguistischen Instruktionen wird dann bei HÖNIG/KUßMAUL in mehreren Kapiteln abgehandelt.

1. Mit dem Verweis auf die Sprachpragmatik wird der Unterschied zwischen Sätzen und Äußerungen verdeutlicht (s. Kap. 8.1). Übersetzt werden im Allgemeinen nur Äußerungen, also „Texte-in-Situation". Ein und derselbe Satz in verschiedenen Situationen hat natürlich verschiedene Bedeutungen und wird unterschiedlich übersetzt,

> z. B.: „*Ich bin fertig"* = a) Ich kann nicht mehr.
> b) Ich habe meine Arbeit beendet.

Den Satz können wir nicht übersetzen, wohl aber die Äußerungen *(I've had it! / I have finished.)*.

2. Diese Unterschiede liegen auch in kulturell verschiedenen Konventionen begründet. Dies wird am Beispiel des verschiedenartigen Aufbaus medizinischer Beipackzettel erläutert, wo es z. B. für die deutsche Textsorte mit ausführlichen detaillierten Texten keine Entsprechung im Englischen gibt[104]. Wenn nun ein Übersetzer einen solchen Text sorgfältig satzweise genau übersetzt, dann wirkt das Ergebnis befremdlich, und die Textsorte verliert „die Autorität der Texthandlung" (HÖNIG/KUßMAUL 1982:50). Entscheidend ist jeweils die spezifische Funktion einer Handlung in den verschiedenen Ländern.

---

[104] Dort muß der Arzt oder Apotheker den Gebrauch des Medikaments und die Gefahren erläutern. Vgl. HÖNIG/KUßMAUL (1982:48).

3. Die sozio-kulturelle Einbettung eines Textes wird in diesem nur teilweise verbalisiert, der Grad der Differenzierung ist verschieden:

> Selbstverständlich läßt sich der notwendige Grad der Differenzierung immer nur für den jeweils zu übersetzenden Text festlegen. Er ist abhängig von der ersten strategischen Entscheidung des Übersetzers, nämlich der Definition des Übersetzungszwecks, also der Funktion des ZS-Textes. (...) Aus dieser kommunikativen Funktion leitet er den notwendigen Grad der Differenzierung ab, indem er die relevante Grenze zwischen Verbalisierung und soziokulturellem Situationshintergrund im AS-Text bestimmt, und dann als Sender des ZS-Textes auf dem Hintergrund der soziokulturellen Situation seiner Adressaten den notwendigen Grad der Differenzierung seiner Verbalisierung festlegt (1982:58).

Viele Bedeutungspotenzen eines Wortes im AS-Text werden danach in der Übersetzung gar nicht verbalisiert. „Nicht der 'Grad der Übereinstimmung mit dem Original' kann deshalb bei der Beurteilung einer Übersetzung herangezogen werden, sondern der notwendige Grad der Differenzierung muß beachtet werden" (1982:62). Dieser Grad kann unterschiedlich ausfallen. Als Maßstab dessen, was nötig ist, setzt KUßMAUL den Beitrag der lokalen Übersetzungslösung zum Verständnis des ganzen Textes innerhalb der jeweiligen Situation.[105]

4. Die Situation, in die ein Text eingebettet ist, ist für das Verständnis entscheidend. Dazu gehören die Faktoren soziale Relation, Vertrautheit zwischen Sprechern, geographische Herkunft und soziale Schicht eines Sprechers, Geschlecht und Anzahl der Gesprächsteilnehmer, Art des Mediums (geschrieben vs. gesprochen) sowie der Verwendungsbereich (Fachgebiet) des Textes. „Diese umfassende Situation beeinflußt die Sprache des Texts potentiell auf allen Ebenen" (1982:70).

5. Die außersprachlichen Faktoren wie kulturelle Konventionen, unterschiedlicher Differenzierungsgrad und Situation werden sodann durch die Sprachanalyse auf verschiedenen Ebenen ergänzt. Im Kapitel VII des zweiten Buchteils wird der Sprechakt und dessen illokutive Komponente als kommunikative Einheit betrachtet. Ausgehend von AUSTINS Theorie der Sprechhandlungen werden Illokutionsindikatoren in Texten diskutiert (s. Kap. 8.2) vor dem Hintergrund der Frage:

---

[105] Vgl. KUßMAUL (1986): „Übersetzen als Entscheidungsprozeß. Die Rolle der Fehleranalyse in der Übersetzungsdidaktik." In: *Übersetzungswissenschaft - Eine Neuorientierung*. Hrsg. v. M. SNELL-HORNBY. Tübingen: Francke 1986, 206-229, S. 210.

Welche Hilfen gibt uns das Instrumentarium der Sprechakttheorie, um kommunikativ richtig zu Übersetzen? Anhand unserer Beispiele, die eine typische Auswahl von Übersetzungsschwierigkeiten bei Sprechakten darstellen, wurde deutlich, daß bestimmte sprachliche Formen besonders illokutionsoffenbarend sind (1982:83).

6. In Kapitel VIII wird das einzelne Wort als Träger von Bedeutung ins Auge gefaßt und der „Vorgang des Auswählens zwischen verschiedenen Sememen" beschrieben (s. Kap. 3.6). Eine Wortbedeutung in Sätzen ist ja niemals so vage wie die Abstraktion im Wörterbuch, sondern stets vom Kontext monosemiert. Zu den sog. lexikalischen Lücken als 1:0-Entsprechungen (s. Kap. 4.3) stellen HÖNIG/KUßMAUL daher richtig fest:

Für die kontrastive Semantik und die Wortfeldbetrachtung sind diese Fälle zweifellos interessant, für das Übersetzen aber sind sie im Grunde nur ein Scheinproblem, das daher rührt, daß Entsprechungen auf Wortebene gesucht werden. Sobald wir aber die Abstraktionsphase der Differenzierung in Sememe und Seme durchlaufen, sind wir in der Lage, die jeweils richtige Entsprechung zu finden, denn dann ist unser Blick nicht mehr auf Einzelwörter fixiert. „Lexikalische Lücken" lassen sich beim Übersetzen ohne Schwierigkeiten schließen (1982:93).

7. Das Kapitel IX widmet sich den Fragen von Satzbau und Bedeutung. Eine Schwierigkeit bilden grammatische Unterschiede in Sprachenpaaren, z. B. englische Partizipialkonstruktionen (s. Kap. 7.2). Eine andere sind die Formen der Betonung oder Fokussierungsstrukturen (s. Kap. 7.3). Die einzelnen Kapitel werden jeweils durch Übungsfragen ergänzt.

Kommentar

Die Sprechakttheorie ist für das Übersetzen interessant, weil damit bestimmte performative Strukturen in Texten linguistisch beschrieben werden können, aber auch wegen ihres Verweisens auf die außersprachliche Situation und den Handlungscharakter der Rede. So haben HÖNIG/KUßMAUL konsequent die pragmatische Dimension in ihre Übersetzungstheorie einer „Strategie" einbezogen und damit die Aporien der auf die „Oberflächenstrukturen" fixierten Übersetzungswissenschaft aufgebrochen und den Weg für eine Weiterentwicklung der Übersetzungstheorie aufgezeigt. Mehr als eine Sensibilisierung des Übersetzers konnte freilich noch nicht geleistet werden, denn Illokutionsindikatoren in Texten sind erst in Ansätzen erforscht. Auch stellen sie keineswegs das einzige wichtige Element in Texten dar, zumal wenn man unterschiedliche Textsorten betrachtet. Durch die Ansammlung verschiedenster Einzelfallexempel, vorwiegend aus Übersetzungsklausuren, wird nicht unbedingt der Blick aufs Textganze geschärft. Die funktional orientierte „Strategie der Übersetzung" dürfte wohl vor allem für Gebrauchstexte anwendbar sein, weniger jedoch für Lyrik und ähnliches. Es zeigen sich die Grenzen einer mit dem linguistischen Instrumentarium arbeitenden Übersetzungswissenschaft.

Lektürehinweise

John L. AUSTIN (1972): *Zur Theorie der Sprechakte*. Stuttgart.

M. BRAUNROTH u. a. (1978): *Ansätze und Aufgaben der linguistischen Pragmatik*. Kronberg/Ts.

Hans G. HÖNIG/Paul KUßMAUL (1982): *Strategie der Übersetzung. Ein Lehr- und Arbeitsbuch*. ⁴1996, Tübingen.

John R. SEARLE (1971): *Sprechakte. Ein sprachphilosophischer Essay*. Frankfurt am Main.

Ludwig WITTGENSTEIN (1953): *Philosophische Untersuchungen - Philosophical Investigations* (D - E). Teil I, Oxford.

9 Die Rolle der literarischen Übersetzung

> Die literarische Übersetzung ist Gegenstand deskriptiver Forschung, wobei vorliegende Übersetzungen im Rahmen einer Kultur untersucht werden, was zur Beschreibung von typischem Übersetzerverhalten sowie der Wirkungen literarischer Übersetzungen führt. Die „Manipulationsgruppe" der Translation Studies sieht die literarische Übersetzung als Teil des Polysystems einer zielsprachlichen Literatur. Der SFB in Göttingen arbeitet an einer Kulturgeschichte der Übersetzung.

9.1 Translation Studies (Hermans, Lefevere)

Während literarische Texte bislang vor allem unter ästhetischen und intuitiven Gesichtspunkten behandelt worden waren und deren und Übersetzung als eine „Kunst" galt (vgl. KLOEPFER 1967), hatte sich die Übersetzungswissenschaft im Blick auf Texte produktionsorientiert-präskriptiv am Ideal der inhaltlichen und formalen Entsprechung ausgerichtet, wie in den vorangehenden Kapiteln dargestellt wurde. Den Forschungsgegenstand bildeten dort weithin gebrauchssprachliche und fachsprachliche Texte, und man hatte auch früh schon die Untersuchung literarischer Texte ausgeklammert. WILSS hatte geschrieben:

> Hier tritt an die Stelle sachgebundener übersetzerischer Neutralität das freie Spiel sprachgestalterischer Kräfte, aus dem Übersetzungsresultate hervorgehen, die sich zwar deskriptiv-explanatorisch, durch Nachvollzug der einzelnen Übersetzungsprozeduren erfassen lassen, die aber evaluativ u. U. eine sehr unterschiedliche Beurteilung erfahren können. Sie besitzen deshalb unter dem Äquivalenzaspekt nur begrenzten Aufschlußwert (1977:181).

In den 70er Jahren erwuchs jedoch das Bestreben, neue Horizonte aufzutun und diese rigide Trennung zu überwinden. In Belgien und den Niederlanden entstand eine übersetzungstheoretische Schule, die Übersetzungsforschung als Teil der Vergleichenden Literaturwissenschaft betreibt. Diese Richtung ist mit Theoretikern wie André LEFEVERE, José LAMBERT und Theo HERMANS verbunden. Doch auch Forscher in England wie Susan BASSNETT-McGUIRE, deren Buch (1980) *Translation Studies* einen guten Überblick liefert, gehören dazu.

Anstatt Erkenntnisse bestehender literarischer Theorien nun auf Übersetzungen anzuwenden, wird der Betrachtungswinkel umgedreht: zunächst sollen Übersetzungen, einfach so wie sie sind, analysiert werden, um daraus theoretische Rückschlüsse im Bereich von Literatur und Linguistik ziehen zu können. Damit ist dieser Ansatz rein deskriptiv ausgerichtet.

Zugleich tritt man mit dem Anspruch auf, eine ganz neue Forschungsrichtung durch einen Paradigmawechsel zu begründen, weshalb diese Studien „Translation Studies" genannt wurden.[106] Zwar ist dessen niederländische Bezeichnung „vertaalwetenschap", doch trotz der formalen Ähnlichkeit umfaßt dieser Forschungsansatz etwas ganz anderes als die deutsche „Übersetzungswissenschaft", oder die Übersetzungsforschung im allgemeinen, denn er beschränkt sich praktisch auf die Deskription literarischer Übersetzungen. (Wegen dieser Neuorientierung sollte der Ausdruck auch nicht unreflektiert als englische Übersetzung für dt. *Übersetzungswissenschaft* verwendet werden.)

Anhand von Fallstudien sollen der Übersetzungsprozeß und die Wirkung der Übersetzung als Text in einer Empfängerkultur untersucht werden. Die Übersetzung wird als ein „produziertes" wie auch als ein „produzierendes" Objekt gesehen. Gideon TOURY (1989:103) diskutiert den Begriff der „literarischen Übersetzung" und unterscheidet zwischen der Übertragung von Texten, die in der Ausgangskultur zum Literaturkanon gehören, und Übersetzungen, die in der Zielkultur als literarisch akzeptiert werden (sollen):

    (i)   the translation of texts which are regarded as «literary» in the *source* culture; (...) one which aims at the retention of the «web of relationships» exhibited by the source text;

    (ii)   the translation of [any] text such as the product be accepted as «literary» by the *recipient* culture (sic).

Einige der lange Zeit kaum zugänglichen englischsprachigen Beiträge aus dieser Schule wurden von HERMANS (1985) in einer Anthologie unter dem Titel *The Manipulation of Literature: Studies in Literary Translation* veröffentlicht, so daß dieser Ansatz nun breiter diskutiert wird. Bald wurde die

---

[106] Der in Amsterdam lehrende amerikanische Übersetzer James S. HOLMES distanzierte sich von „Theorien" des Übersetzens, die oft bloß die Meinung des Verfassers wiedergäben, aber auch von „Wissenschaften" des Übersetzens, die sich oft kaum zur Untersuchung literarischer Texte eignen, und prägte statt dessen den Ausdruck „Translation Studies" für einen neuartigen Forschungsansatz. Vgl. J. HOLMES (1972/5): *The Name and Nature of Translation Studies.* Amsterdam: Translation Studies Section, Department of General Studies, p. 8.

Gruppe die "Manipulation School" genannt, und HERMANS schreibt auch in seiner Einleitung (1985:9): "From the point of view of the target literature, all translation implies a degree of manipulation of the source text for a certain purpose." Mit dem Akzeptieren von Textveränderungen steht die Manipulation School in diametralem Gegensatz zur linguistischen Übersetzungswissenschaft, die „Äquivalenz" auf möglichst vielen Ebenen anstrebt (s. Kap. 6.3).

Der Herausgeber wendet sich aber ausdrücklich gegen Einflüsse der Linguistik und kennzeichnet die eigene Grundorientierung folgendermaßen:

> Linguistics has undoubtedly benefited our understanding of translation as far as the treatment of unmarked, non-literary texts is concerned. But as it proved too restricted in scope to be of much use to literary studies generally – witness the frantic attempts in recent years to conduct a text linguistics – and unable to deal with the manifold complexities of literary works, it became obvious that it could not serve as a proper basis for the study of literary translation either.
>
> What they have in common is, briefly, a view of literature as a complex and dynamic system; a convention that there should be a continual interplay between theoretical models and practical case studies; an approach to literary translation which is descriptive, target-oriented, functional and systemic; and an interest in the norms and constraints that govern the production and reception of translations, and in the place and role of translation both within a given literature and in the interaction between literature (HERMANS 1985:10f).

Damit öffnet sich der Blick auf Auswirkungen, die von literarischen Übersetzungen in ihrer Zielkultur verursacht werden, und umgekehrt können in diachronischer Perspektive Übersetzungtraditionen und -normen analysiert werden. TOURY sieht deskriptiv ein Nebeneinander von Äquivalenz und tatsächlich empirisch nachgewiesener Beziehung zwischen zwei Texten[107]:

> The exisiting theories of translation (...) actually *reduce* 'translation' to 'translatability' (...) their notions are only *restricted* versions of a *general* concept of translatability because they always have some specified adequacy conditions which are *postulated* as the only *proper* ones, if not disguised as the only possible ones.

Texte werden als etwas Dynamisches und Produktives angesehen, wobei Veränderungen in Übersetzungen als gegeben betrachtet und in ihrer Eigenart analysiert werden können, indem beispielsweise mehrere Übersetzungen eines Werkes miteinander verglichen werden. Auch kann etwa nachgezeichnet werden, wie eine Erstübertragung die nachfolgenden beeinflußt hat.

---

[107] Siehe G. TOURY (1980): *In Search of a Theory of Translation.* Tel Aviv: The Porter Institute for Poetics and Semiotics, p. 27.

9.2 Literarische Qualität in Übersetzungen (Levý, Popovic)

Literarische Texte zeichnen sich durch besondere Eigenschaften aus, deren Vorkommen und Wirkung auch in Übersetzungen analysiert werden kann, wobei es nicht um statische Bewertung der „Äquivalenz", sondern um Beschreibung von dynamischen Übersetzungslösungen geht. Literarische Texte sind also durch besondere Qualitäten „markiert" (HERMANS). Bei der Frage nach den formalen Besonderheiten, die „Literarizität" ausmachen, wird u. a. auf Jirí LEVÝ (1969) verwiesen. Er isoliert und betrachtet bestimmte Oberflächenstrukturen an Texten, die diese als „literarisch" im Gegensatz zu gewöhnlichen Texten auszeichnen, wie etwa Aspekte von Rhythmus, Klang, kreative Formen und Normabweichung.

Ähnlich werden in den Translation Studies solche Qualitäten an Texten im Rahmen der sie umgebenden Kultur und Sprache wahrgenommen. So können beispielsweise übersetzerische Präferenzen oder historische Normen des Literarischen in einer Empfängerkultur verdeutlicht werden. Es ergeben sich analytisch Regelhaftigkeiten des Übersetzerverhaltens, wie z. B. die „Auslassung" von Metaphern im Text als „Übersetzungslösung", oder der kompensierende Umgang mit fremdkulturellen Gegebenheiten, wie mit entsprechenden Untersuchungen nachgewiesen wird.[108]

Anfangs wurde die Forderung aufgestellt, daß ungewöhnliche, literarische Formen im Ausgangstext auch im Zieltext ihre Markierung bewahren müßten. LEVÝ definierte die literarischen Merkmale als Elemente in einem semiotischen System, in Relation zu anderen Textsegmenten (synchronisch) und zu anderen Wörtern in Texten der literarischen Tradition (diachronisch), und gründete darauf seine Forderung nach einem Transfer der Literarizität. Ob diese künstlerische Entsprechung gelingt, hängt in entscheidender Weise vom literarischen Einfühlungsvermögen des Übersetzers, von seinen Fähigkeiten zum Aufspüren und zur Wiedergabe der literarischen Qualitäten eines Textes ab. Aus diesem Grund sind für LEVÝ „(...) die vergleichende historische Poetik und eine Analyse des Anteils des Übersetzers am übersetzten Werk die Voraussetzungen für die literaturwissenschaftliche Theorie der Übersetzung" (1969:24), die für ihn eine „illusionistische" ist:

---

[108] Vgl. U. KJÄR (1988): *„Der Schrank seufzt". Metaphern im Bereich des Verbs und ihre Übersetzung.* Göteborg (Göteborger Germanistische Forschungen, 30). – Oder auch: Rudolf ZIMMER (1981): *Probleme der Übersetzung formbetonter Sprache.* Tübingen: Niemeyer. – Siehe auch: Birgit BÖDEKER/Katrin FREESE (1987): „Die Übersetzung von Realienbezeichnungen bei literarischen Texten: Eine Prototypologie." In: *TEXTconTEXT* 2-3/1987, S. 137-165.

Der illusionistische Übersetzer verbirgt sich hinter dem Original, das er gleichsam ohne Mittler dem Leser mit dem Ziel vorlegt, bei ihm eine übersetzerische Illusion zu wecken, die Illusion nämlich, daß er die Vorlage lese. In allen Fällen handelt es sich um eine Illusion, die sich auf ein Einvernehmen mit dem Leser oder mit dem Zuschauer stützt: Der Theaterbesucher weiß, daß das, was er auf der Bühne sieht, nicht die Wirklichkeit ist, er verlangt jedoch, daß es wie die Wirklichkeit aussehen soll; der Romanleser weiß, daß er eine gedachte Geschichte liest, aber er fordert, daß der Roman sich an die Regeln der Wahrscheinlichkeit hält. So weiß auch der Leser einer Übersetzung, daß er nicht das Original liest, aber er verlangt, daß die Übersetzung die Qualität des Originals beibehalte (1969:31f).

In solch einer Vorstellung sind Textveränderungen aufgrund der verschiedenen Sprachsysteme im Dienst der Illusion oft unumgänglich, wenn der Übersetzer ein Ausdruckselement durch ein anderes ersetzt oder eines erfindet. Nun unterliegen aber stilistische Eigenschaften verschiedenen Interpretationen im Laufe des historischen Wandels. Solche Normen sind zu berücksichtigen, will man Aussagen über die Deutungsfähigkeiten des Übersetzers machen. Entsprechende Untersuchungen unternimmt Anton POPOVIC und beobachtet Ausdrucksverschiebungen (shifts):

Each individual method of translation is determined by the presence or absence of shifts in the various layers of the translation. All that appears as new with respect to the original, or fails to appear where it might have been expected, may be interpreted as a shift (1970:78).

Solche „Abweichungen" wurden natürlich von jeher festgestellt (s. Kap. 6.3), doch wurden sie früher als bewußte oder unvermeidliche Verzerrung gesehen oder der Inkompatibilität zwischen zwei Sprachen zugeschrieben. POPOVIC akzeptiert die Unmöglichkeit des Erreichens eines voll äquivalenten Textes und entwickelt daher eher eine Theorie zur Erklärung solcher Nichtidentität, etwa anhand literarischer Normen der Empfängerkultur. Hier könnte man, wenn man so will, auch einen Berührungspunkt zu Ansätzen im Sinne der Dekonstruktion (s. Kap. 2.6) sehen, wo ja auch Veränderungen in Übersetzungen thematisiert werden, allerdings mehr auf semantischer Ebene.

Translation Studies greifen diesen Perspektivenwechsel auf und untersuchen das Umfeld der Übersetzungen. Es gilt die Grundauffassung, daß es keine „Musterübersetzung" eines literarischen Textes gibt und daß die Interpretation der Übersetzung daher auf dem Vergleich der „Funktion" des Textes als Original und als Übersetzung gründen müsse. Allerdings ist nicht sicher, ob die Frage der Evaluation immer ganz ausgeklammert werden kann, oder ob nicht subjektive Vorstellungen des Übersetzungskritikers mit einfließen.

154

BEISPIEL

BASSNETT (1980:88-91) führt diese Auffassung praktisch vor. In einer Analyse der Übersetzungsgeschichte verschiedener Versionen von Catulls dreizehntem Poem wird beispielsweise eine sehr weite Definition von „Funktion" verwendet, um die verschiedenen Versionen „objektiv" beschreiben zu können. Allerdings scheint die Verfasserin sich selbst von der Übersetzung durch Sir Walter Marris zu distanzieren, wenn sie wertend anmerkt, er "has fallen into the pitfalls awaiting the translator who decides to tie himself to a very formal rhyme scheme", und neigt wohl mehr einer anderen Version voller Hip-Jargon und Rock and Roll-Lyrik Frank Copleys zu, die angeblich "closer to the Latin poem than the more literal version by Marris" sei. Bei der Besprechung einer Version Ben Jonsons, der das Sonett in ein Gedicht mit einundvierzig Zeilen übertrug, heißt es: "it comes nearer in mood, tone and language to Catullus than either of the other versions".

Hier werden inhaltliche Aspekte wie 'Stimmung', 'Ton' anstelle von Texteigenschaften betont, und dadurch der freie Umgang des Übersetzers mit sprachlichen Effekten und Hinzufügungen favorisiert, damit das Gedicht den modernen Leser anspricht. Wenn aber fast jede Veränderung als „functional equivalent" bezeichnet werden darf, wird der Evaluationsmaßstab beliebig, oder subjektiv.

9.3 Literatur als Polysystem (Even-Zohar)

Hauptanliegen ist es, die Wirkung von Übersetzungen innerhalb der Nationalliteratur einer der Zielsprache zu untersuchen, denn diese bringen immer ein fremdes Element mit sich und spielen daher auch eine innovative Rolle innerhalb dieser Literatur. Die Übersetzung wird so zu einer eigenständigen Textsorte. Nach Auskunft von HOLMES (1985:150) wurde diese literarische Übersetzungstheorie in Tel Aviv von einer Gruppe um Itamar EVEN-ZOHAR entwickelt[109], und hat sich inzwischen mit den Translation Studies vereinigt.[110] Sie sieht die Literatur in einer gegebenen Kultur als ein Polysystem, in welchem verschiedene Genres, Schulen, Strömungen und anderes ständig miteinander im Wettstreit um die Gunst des Lesers liegen. Und dann ist „Literatur" nicht mehr der feierliche, statische Gegenstand der Kanoniker, sondern ein höchst „kinetisches Gebilde", in ständigem Wandel begriffen. Literarische

---

[109] Vgl. I. EVEN-ZOHAR (1990): *Polysystem Studies*. Tel Aviv: The Porter Institute for Poetics and Semiotics. – Oder: EVEN-ZOHAR, I./TOURY, G. (Eds.) (1981): *Theory of Translation and Intercultural Relations*. Tel Aviv: The Porter Institute for Poetics and Semiotics.

[110] So bemerkt HERMANS in seiner Einleitung (1985:10): "The work of Itamar Even-Zohar in particular is directly associated with the new approach".

Übersetzungen haben in diesem hochdynamischen Makrosystem immer eine wichtige Rolle gespielt, wie die Verbreitung so verschiedenartiger literarischer Elemente wie des italienischen Sonetts, des französischen Klassizismus, oder von Dichtern wie Dostojewsky und Ibsen in ganz Europa zeigt. Die israelische Kultur, die sehr stark auf Übersetzungen angewiesen war und ist, bildete den Ausgangspunkt dieser Forschungsrichtung.

Die Übersetzung wird als historisches Objekt betrachtet, und zwar nur als Teil des zielsprachlichen Systems. Und dann muß es vom Wissenschaftler als integrierter Teil des literarischen Systems angenommen werden. Auch die Rezeptionsgeschichte von Übersetzungen wird untersucht, wodurch breite historische Darstellungen und vielerlei Einzelstudien möglich werden. Das Studium von Literatur wird mit sozialen und wirtschaftlichen Faktoren der Geschichte verknüpft. Die israelischen Forscher betonen, daß Übersetzungen oft sprachlich eine „innovative, primäre Rolle" gespielt hätten (primary translations), indem sie ungewöhnliche neue Gedankengänge, Methoden, literarischen Geschmack und fremde Weltbilder in ein literarisches Polysystem einführten. Solche Elemente werden oft von einheimischen Autoren imitiert und in ihr eigenes Werk integriert.

Der Anfang der modernen nationalen Literatursysteme kann nicht selten auf Übersetzungen und Adaptierungen von Originalen prestigeträchtiger, z. B. „klassischer" literarischer Systeme zurückverfolgt werden. Immer gab es komplexe Interaktionen zwischen Übersetzungen und der literarischen Produktion in der Empfängerkultur. Ein spezieller Fall solcher Beeinflussung liegt vor, wenn die Konventionen von Genre und Stil in der Zielkultur unsicher sind und damit offen für fremde Einflüsse, wie etwa in Israel nach der Staatsgründung.

Nicht alle Übersetzungen haben freilich eine solche „Primärfunktion". Die meisten sind „sekundäre Übersetzungen" (secondary translations), die sich den stilistischen Normen des zielsprachlichen Polysystems durchaus anpassen. HOLMES (1985:151) merkt sogar ironisch an, daß wohl viele Übersetzungen mit innovativem Potential gar nicht erst entstehen, weil Verlage davor zurückschrecken würden. Jedenfalls bietet sich hier ein weites Feld für Untersuchungen zur Theaterübersetzung, für die Genre-Forschung, für das Sprachverhalten bestimmter soziologischer Gruppen sowie die Wirkungen von Texten in Kolonialsituationen.

Trotz der einseitigen Ausrichtung auf deskriptive Untersuchungen bietet die breit angelegte Betrachtung des literarischen Polysystems als Ganzem durchaus wichtige Impulse für die Übersetzungstheorie und vor allem auch für die Übersetzungskritik, wenn dadurch die oft kurzsichtige Bindung an die Oberflächenstrukturen und Äquivalenznormen überwunden werden kann, indem soziale und kulturelle Gründe für Textveränderungen gefunden werden.

156

BEISPIEL

Meist wird angenommen, daß die Übersetzung eines literarischen Textes einer Ausgangskultur auch in der Zielkultur ein „literarischer Text" sei, und daß sie möglichst
genau die Vorlage wiederzugeben habe und die gleiche Wirkung entfalte. Das ist
zwar häufig der Fall, doch es gibt auch andere Beispiele.

TOURY (1989:103) nennt diesbezüglich die jüngste Übersetzung der Schriften Sig-
mund Freuds ins Hebräische. Kein Israeli würde die Übersetzung ernsthaft als einen
wissenschaftlichen Beitrag zur Psychoanalyse ansehen, sondern vielmehr als „a good
piece of writing". Der Übersetzer wurde für seine Leistung sogar mit dem höchsten
Literaturübersetzer-Preis des Landes ausgezeichnet. Allerdings gelten Freuds Texte
auch in Österreich als von besonderer literarischer Qualität.

Auch in anderen Ländern gibt es neue, sog. „postmoderne" Strömungen, in denen
allein die subjektive Meinung des Übersetzers gilt und ein fremder Text gänzlich
„anverwandelt" wird. Else R. PIRES VIEIRA (1993)[111] hat gezeigt, wie in Brasilien
Übersetzungen nicht mehr nur traditionell am Ausgangstext orientiert werden und
diesen möglichst genau „wiedergeben" sollen, sondern als ganz neue, eigenständige
Texte in die einheimische Literatur und Kultur eingehen. In einem solchen Fall der
Einverleibung sind Übersetzungen dann freilich nicht mehr Primärtexte, die neue,
fremde Werte in eine Kultur einführen, sondern vielmehr Sekundärtexte, die das be-
stehende ästhetische System verstärken. Man vergleiche hierzu auch die brasilianische
Adaptation der Dekonstruktion (s. Kap. 2.6).

In dieser Wissenschaftsperspektive können auch ideologische Probleme der literarischen Übersetzung abgehandelt werden. Bei Übersetzungen moderner chinesischer
Literatur zeigen sich z. B. oft gewisse orientalistische Tendenzen, indem vor allem
exotische oder erotische Geschichten im Westen gelesen werden. Daneben stößt auch
Literatur von „Dissidenten", Kritik am kommunistischen Regime auf Interesse. Dieses
womöglich von Verlagen gepuschte Leserinteresse führt zu einer selektiven Wahr-
nehmung der chinesischen Literatur durch Übersetzungen, wobei interessanterweise
ähnliche Tendenzen im Umgang der Chinesen mit ihrem Nachbar in Tibet beobachtet
wurden.

Moderne afrikanische Autoren sehen demgegenüber in Englisch und Französisch, den
ehemaligen Kolonialsprachen, heute ein Mittel nicht mehr der Orientierung an der
europäischen Norm, sondern der Betonung des Unterschiedes, um in einer Fremdsprache das eigene, z. B. afrikanische Denken auszudrücken. Die Übersetzung moderner
afrikanischer Literatur etwa ins Mexikanische hätte dies zu bedenken. Sie kann nicht
mehr nur als Unternehmen des sprachlichen Transfers gesehen werden, sondern ist

---

[111] Vgl. E. R. PIRES VIEIRA (1993): „A postmodern translational aesthetics in Brazil." In: M.
SNELL-HORNBY (ed.) (1993): *Translation Studies - An Interdiscipline. Proceedings of the
conference.* Amsterdam: Benjamins, 65-72.

Vermittlung der Fragmentierung kultureller und sprachlicher Gemeinschaften und der Integration der Andersheit eines Textes in die empfangende Kultur.[112]

Als fruchtbar erweist sich diese Übersetzungsauffassung auch beim Übersetzen fürs Theater, wo immer wieder neue Bearbeitungen von Texten vorgenommen werden.

Sirkku AALTONEN (1993)[113] fragt an Hand einer Analyse von Dramenübersetzungen, *wie* fremde sozio-kulturelle Textelemente in der Übersetzung „transplantiert" wurden, welche Elemente transplantiert und welche kulturell adaptiert wurden, und schließlich, *warum* dies, auch in diachronischer Perspektive, so geschah. Dabei wird auch der unterschiedliche Charakter eines Dramas als Lesestoff und als gespielter Text genannt. Während in Finnland Dramentexte praktisch nie den Bereich des Theaters verlassen, werden sie in England auch als Teil der Literatur gesehen und sogar im Schulunterricht verwendet.

Raquel MERINO ALVAREZ (1993)[114] untersucht, wie Arthur Millers Stücke von verschiedenen spanischen Übersetzern übertragen wurden. Diese hätten dabei seine Stücke „im eigenen Interesse" im Rahmen des spanischen Theatersystems „manipuliert". Solches geschieht aber wohl überall in den „Bearbeitungen" durch die Regisseure.

Ein weiteres Arbeitsfeld sind die feministischen Sprachuntersuchungen, wie folgende Buchtitel anzeigen: Susan Bassnett (1986): *Feminist Experiences: the Woman's Movement in four Cultures.* London: Allen & Unwin; Dies. (1988): *Elizabeth I: A Feminist Biography.* Oxford: Berg; Dies. (1990): *Knives and Angels: Latin American Women's Writing.* London: Zed.

9.4 Kulturgeschichte der Übersetzung (SFB Göttingen)

Der Beitrag der Übersetzung zur interkulturellen Bereicherung des literarischen Lebens läßt sich qualitativ wie quantitativ kaum überschätzen, doch ist diese Bedeutung der literarischen Übersetzung noch nicht tiefgreifend erforscht. Diesem Anliegen widmete sich seit 1983 ein Sonderforschungsbereich

---

[112] Vgl. hierzu R. STOLZE (1996): „Weltweite Perspektive für Übersetzer und Dolmetscher. Bericht über den XIV. FIT-Kongreß." In: *Mitteilungsblatt für Dolmetscher und Übersetzer* 3/1996, 1-6, S. 2.

[113] S. AALTONEN (1993): „Rewriting the exotic. The manipulation of otherness in translated drama." In: *Proceedings of XIII FIT World Congress "Translation - The vital link",* August 1993 at Brighton. London. ITI, 26-33.

[114] R. MERINO ALVAREZ (1993): „A view from the stage: Arthur Miller in Spanish." In: *Proceedings of XIII FIT World Congress "Translation - The vital link", August 1993 at Brighton.* London. ITI, 17-25.

158

„Die Literarische Übersetzung" an der Universität Göttingen[115], der sich insbesondere mit philologisch-historischen Untersuchungen von Übersetzungen ins Deutsche befaßt. Dieser Ansatz ist aber nicht rein zielorientiert, wie bei der Betrachtung der Literatur als Polysystem (s. Kap. 9.3). Vielmehr wird hier ein *„transferorientierter* Ansatz" vertreten, denn:

> In erster Linie geht es uns nämlich um die Erforschung der Übersetzung *als Übersetzung,* also gewissermaßen als grenzüberschreitender Verkehr zwischen zwei Sprachen, Literaturen und Kulturen. Die meisten der im Sonderforschungsbereich Zusammenarbeitenden teilen auch nicht die Auffassung der Literatur als eines Systems – und sei es nur deshalb, weil noch keine Nationalliteratur als System voll ausgearbeitet worden ist, so daß sich der Übersetzungsforscher eine kaum zu bewältigende zusätzliche Aufgabe aufladen müßte, wollte er in diesem Sinne vorgehen (FRANK 1987:XIII).

Das Hauptarbeitsmittel sind Fallstudien, die an einzelnen wichtigen oder besonders interessanten oder wirkmächtigen literarischen Texten im Vergleich mit ihren deutschen Übersetzungen angefertigt werden. Daraus entsteht allmählich eine Kulturgeschichte der Übersetzung, zumindest wird der Beitrag erhellt, den Übersetzungen zur Fortentwicklung der deutschen Literatur geleistet haben.

BEISPIEL

In diesem Rahmen entstehen historisch orientierte komparatistische Untersuchungen, wie etwa folgende Titel:

Die literarische Übersetzung: Stand und Perspektiven ihrer Erforschung. Hrsg. v. H. KITTEL (1988) (Band II Göttinger Beiträge zur Internationalen Übersetzungsforschung). Darin:
    „Historisch-deskriptive Übersetzungsstudien und die Frage der Normen" (A. P. FRANK & B. SCHULTZE);
    „Translating English Literature via German and Vice Versa: A Symptomatic Reversal in the History of Modern Hebrew Literature" (G. TOURY).

Der lange Schatten kurzer Geschichten. Amerikanische Kurzprosa in deutschen Übersetzungen. Hrsg. v. A. P. FRANK (1989) (Band III Göttinger Beiträge zur Internationalen Übersetzungsforschung). Darin Einzelstudien:
    „'Persona' in Benjamin Franklins *Autobiography:* Ein übersetzungsanalytischer Zugang" (H. KITTEL);

---

[115] Die Ergebnisse liegen vor in den *Göttinger Beiträgen zur Internationalen Übersetzungsforschung,* die im Erich Schmidt Verlag, Berlin, herausgegeben werden. Seit 1996 besteht ein neuer SFB „Die Internationalität nationaler Literaturen". Auch hier wird die Übersetzung eine bedeutende Rolle spielen.

„Übersetzer als Landschaftsgestalter, 1819-1978: Die Catskill-Berge im Dreieck von Werkstruktur, sprachlichen Zwängen und literarischen Konventionen" (E. HULPKE);

„Die Duinade, oder: Die übersetzerische Quintuplikation eines meisterhaften Amateurdetektivs und deren bemerkenswerte Folgen" (A. P. FRANK & S. STEYER);

„'Zeit' im übersetzerischen Normenkonflikt: Mythische Zeitlosigkeit in 'The Luck of Roaring Camp' und ausgewählten Übersetzungen (H. EßMANN);

„Das Übersetzertrio Busch-Lange-Jacobi im Kometenschweif 'Journalism in Tennessee'" (B. WETZEL-SAHM);

„Die eigenwillige Erstübersetzung von Lisa Löns als Hauptspender für die Übertragungen von *The Call of the Wild* ins Deutsche" (B. BÖDEKER).

International Anthologies of Literature in Translation. Hrsg. v. H. KITTEL (1995) (Band 9 Göttinger Beiträge zur Internationalen Übersetzungsforschung).

Literaturkanon - Medienereignis - Kultureller Text: Formen interkultureller Kommunikation und Übersetzung. Hrsg. v. A. POLTERMANN (1995) (Band 10 Göttinger Beiträge zur Internationalen Übersetzungsforschung).

Weltliteratur in deutschen Versanthologien des 19. Jahrhunderts. Hrsg. v. H. EßMANN und U. SCHÖNING (1996) (Band 11 Göttinger Beiträge zur Internationalen Übersetzungsforschung).

Erlebte Rede und impressionistischer Stil: Europäische Erzählprosa im Vergleich mit ihren deutschen Übersetzungen. Hrsg. v. D. KULLMANN (1995): Göttingen: Wallstein.

In diesen Arbeiten gilt die Grundannahme, daß die literarische Übersetzung notwendigerweise von ihrer Vorlage abweicht (s. Kap. 9.2), aufgrund der verschiedenen Sprachsysteme, der verschiedenen Literaturen mit den ihnen jeweils eigenen Traditionen, der unterschiedlichen Kulturen mit ihren geistigen und materiellen Ausprägungen, der historisch und individuell verschiedenen Vorstellungen vom Literaturübersetzen, und nicht zuletzt von „dem historisch und individuell verschiedenen Verständnis des jeweiligen Werks" (FRANK 1987:XIV). Die in der Übersetzung implizierte Werkinterpretation wird als konstitutiv für die Übersetzung angesehen:

Literatur übersetzen heißt vielmehr, eine Interpretation eines literarischen Werks übersetzen. Nicht im Sinne einer Wesensbestimmung, sondern als heuristische Orientierung haben sich die im Sonderforschungsbereich Zusammenarbeitenden darauf verständigt, eine literarische Übersetzung grundsätzlich als integrale – wenn auch nicht unbedingt vorausbedachte und kohärente – Interpretation eines literarischen Werks in einer zweiten Sprache aufzufassen, allerdings nicht als metasprachliche, sondern als eine zumindest dem Anspruch nach literatursprachliche Interpretation. Deshalb nimmt sich diese besondere Art der Interpretation auch wie ein literarisches Werk aus, das – zumindest für den nur zielsprachigen Leser – das „übersetzte" in der zweiten Sprache, Literatur und Kultur „ersetzt" (FRANK 1987:XV).

Das so verstandene Übersetzen spielt sich in einem institutionellen Geflecht von Verlegern, Herausgebern und literarischen Promotern/Kritikern ab. Die Tätigkeit der *Übersetzer* impliziert dabei ihre Absicht „Äquivalenzen" herzustellen, auch wenn sie Differenzen formulieren. Die Tätigkeit der *zielsprachigen Leser* impliziert, daß sie das Werk nur im Kontext der Zielliteratur aufnehmen. Die Tätigkeit der *Übersetzungskritiker, -forscher* und *-historiker* steht unter der Bedingung, daß sie die Übersetzung als Transaktion zwischen den beiden Sprachen und Kulturen beurteilen können. Und hier wird wieder an die Definition der „Kenner" bei SCHLEIERMACHER (s. Kap. 2.2) erinnert, denen nämlich „die fremde Sprache geläufig ist, aber dennoch immer fremd bleibt"[116].

Kommentar

Die literarische Übersetzung wird vorwiegend deskriptiv untersucht. Das Literarische an Texten zeigt sich in einer besonderen Sprachgestalt, die vom Gewöhnlichen der gebrauchssprachlichen oder fachlichen Kommunikation abweicht. In der Textlinguistik werden solche Texte als „formbetont" bezeichnet (s. Kap. 7.6). Dargestellt werden Textveränderungen durch den Übersetzer, die durch eine spezifische Interpretation, durch andere historische Übersetzungsnormen oder durch Übersetzer'schulen' oder Verlagstraditionen bedingt sein können. Hier ist es nicht abwegig, Verbindungen zur Dekonstruktion (s. Kap. 2.6) erkennen zu wollen, wo es auch um die Neuinterpretation von Texten geht. Dargestellt werden ferner Auswirkungen von literarischen Übersetzungen auf die sie umgebende Literatur in der Zielkultur, sowie deren Rückwirkungen auf den Ausgangskontext.

Solche Studien erbringen allerdings keine oder kaum Aussagen zu der Frage der Äquivalenz zwischen Textvorlage und Übersetzung, oder dazu, wie man adäquat übersetzen soll.

---

[116] Zitiert nach STÖRIG 1969:50.

Lektürehinweise

Susan BASSNETT-MCGUIRE (1980, [2]1991): *Translation Studies*. London/New York.

Theo HERMANS (ed.) (1985): *The Manipulation of Literature. Studies in Literary Translation*. London/Sydney.

André, LEFEVERE (1992): *Translation, Rewriting and the Manipulation of Literary Fame*. London/New York.

Jiri LEVÝ (1969): *Die literarische Übersetzung: Theorie einer Kunstgattung*. Frankfurt.

Die literarische Übersetzung. Göttinger Beiträge zur Internationalen Übersetzungsforschung. Berlin (1987ff).

Der Blick auf die Disziplin

10 Übersetzungsforschung als Feldtheorie

> Die Forschung zum Übersetzen ist als empirische Wissenschaft
> ein Feld verschiedener einander ergänzender Einzeltheorien. In
> DTS wird die Übersetzung als Faktum einer Zielkultur betrach-
> tet, wobei sie in ihrer Funktion sowie als Produkt und Prozeß
> untersucht wird. Angewandte Studien besetzen ein anderes Feld.

10.1 Der empirische Ansatz (Holmes)

In den 80er Jahren wurde das Bedürfnis sichtbar, daß die Übersetzungswissenschaft sich als eigenständige Disziplin formieren und nicht mehr nur als
Teilgebiet im Rahmen der Sprachwissenschaft angesehen werden sollte. Anfangs war sie ja „als neue Teildisziplin des synchron-deskriptiven Sprachver-
gleichs" (WILSS 1977:9) definiert worden. Die wissenschaftstheoretische Vision einer Übersetzungswissenschaft in verschiedenen Forschungsfeldern ist
von James S. HOLMES angeregt worden, dessen Ideen zunächst im Bereich der
literarischen Übersetzung praktische Anwendung fanden (s. Kap. 9.1). Er
unternahm den Versuch, die vielfältigen einzelnen Forschungsbereiche in ein
System zu bringen, wobei er die Übersetzungsforschung als empirische Wissenschaft sieht (1988:71), die Schlußfolgerungen aus Beobachtungsdaten ab-
leitet.

In mehreren Einzelstudien, die (1988) in „Translated!" posthum zusammengestellt erschienen[117], entfaltet er seine Vision einer Feldtheorie der Übersetzungsforschung, wofür er den Ausdruck „Translation Studies" prägte.[118] Er

---

[117] Auf dem Dritten Internationalen Kongreß für Angewandte Linguistik 1972 in Kopenha-
gen hatte HOLMES zum ersten Mal seine Überlegungen zu „The Name and Nature of
Translation Studies" (1988:67-80) mündlich vorgetragen, ein Beitrag, der gut 15 Jahre
lang kaum zugänglich war.

[118] Er verstand darunter den gesamten „complex of problems clustered round the phenome-
non of translating and translations" (1988:67), den er aus Gründen der Aussprache als
„Translation Studies" bezeichnete (1988:68-70). Seitdem hat sich diese Bezeichnung in
englischsprachigen Publikationen eingebürgert und Bezeichnungen wie „Science of
Translating (NIDA), „Science of Translation" (BAUSCH/KLEGRAF/WILSS 1970) oder
„Translatology" verdrängt. Der Terminus bezeichnet die theoretische Übersetzungsforschung oder Übersetzungswissenschaft, jedoch ausdrücklich nicht das Übersetzer*studium*.

betrachtet nicht die Texte und die Frage, wie man sie übersetzen soll, sondern die bis dato erörterten „Übersetzungstheorien", also die Disziplin als ganzes. Dabei unterscheidet er (metatheoretisch) als Forschungsbereich der Translation Studies ein Feld, das in einen rein wissenschaftlichen und einen angewandten Bereich unterteilt ist.[119]

Wichtig in der Übersetzungsforschung ist der Begriff der Arbeitsteilung. Nicht jede Erörterung oder Aussage zum Übersetzen ist gleichermaßen theoretisch, es gibt auch didaktisch orientierte Fragestellungen. So entwirft HOLMES eine Art „Orientierungskarte" der Disziplin. Neben den angewandten Untersuchungen hinsichtlich des Übersetzungsunterrichts oder der Übersetzungskritik steht die „reine" Theorie, die er in theoretische und deskriptive Ansätze untergliedert. So entsteht ein Feld (vgl. TOURY 1995:10):

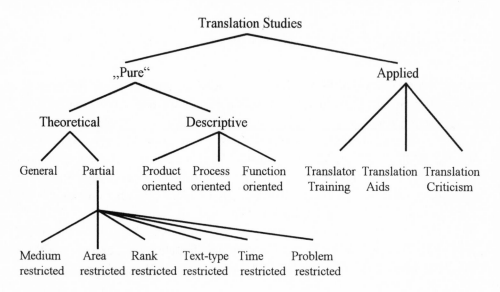

Ausgangspunkt des empirischen Ansatzes ist die Feststellung, daß die fruchtbare Entwicklung der Übersetzungswissenschaft zu lange von der Suche nach „umfassenden Theorien" oder aber durch die gegenseitige Ablehnung verschiedenster „linguistischer Theorien" oder „praxisorientierter Ansätze" behindert worden sei. Tatsächlich wurden in den meisten Übersetzungstheorien bisher einer oder mehrere der vorgenannten Teilaspekte abgehandelt. Dabei erhoben diese Theorien oft implizit den Anspruch, eine „allgemeine Überset-

---

[119] Um eine Verwechslung mit den deskriptiv-literarischen Arbeiten der „Translation Studies" im Sinne der Manipulations-Gruppe, zu der HOLMES ja auch gehörte, zu vermeiden, müßte man dieses Feld eigentlich mit *Studies in Translation* bezeichnen.

zungstheorie" darzustellen;, bei genauerem Hinsehen zeigte sich jedoch immer wieder nur eine Teiltheorie. Eine Zusammenschau der verschiedenen Teilbereiche würde daher diese unbefriedigende Situation aufheben und die zwecklose Suche nach der „allgemeinen Übersetzungstheorie" erübrigen. Die unabhängige Disziplin der Translation Studies wäre vielmehr ein Forschungsfeld einander ergänzender Teilbereiche, die dann in Einzeltheorien spezifiziert werden könnten.

Ein besonderes Augenmerk wird dabei auf den deskriptiven Bereich gelegt, der Übersetzungen als Produkt, als Prozeß und deren Funktion in der Zielkultur untersucht (vgl. 1988:95). Die deskriptive Theorie bezieht sich auf:

> eine Theorie des Übersetzungs*prozesses,* d. h. die Theorie dessen, was geschieht, wenn jemand etwas übersetzen will;
> eine Theorie des Übersetzungs*produkts,* d. h. was den übersetzten Text als Text kennzeichnet;
> eine Theorie der Übersetzungs*funktion,* d. h. wie die Übersetzung in der Empfängerkultur wirkt.

Dabei geht es auch um die Beziehungen dieser Bereiche untereinander. So gilt, daß die intendierte Position einer Übersetzung im System einer Zielkultur (Funktion) deren geeignete Oberflächenrealisation (Produkt) bestimmt, was wiederum die Übersetzungsstrategien (Prozeß) regiert (TOURY 1995:13).

Natürlich können von der deskriptiven Forschung auch Einflüsse auf rein theoretische Ansätze erfolgen, und umgekehrt. Die Feststellung von übersetzerischen Verhaltensregularitäten als evolutiver Prozeß könnte zu einem allmählichen Übergang von Teiltheorien, die auf Bereiche wie Medium, Rang, Texttyp, Zeit, Problem (HOLMES 1988:74-77) restringiert sind, in eine allgemeine Übersetzungstheorie führen. Und durch theoretische Fragestellungen werden auch neue Aufgabenbereiche für die deskriptive Beschreibung entworfen.

Sodann hat die „reine" Theorie in ihrer abstrakten und in der deskriptiven Ausformung Auswirkungen auf die angewandten Bereiche wie Übersetzerausbildung, Übersetzungskritik und praktische Hilfsmittel des Übersetzens. Doch diese Arbeitsfelder unterliegen immer auch extralinguistischen Einflüssen und Fragestellungen aus anderem Blickwinkel.

Das theoretische Aufbrechen der Perspektive von Einzelaspekten und ihrer Vermischung auf verschiedenen Ebenen hin zu einer breiteren Palette der Möglichkeiten einer Forschung zum Übersetzen führt zu einer klareren Strukturierung der Disziplin. Dadurch können sich einzelne Forschungsansätze wissenschaftstheoretisch genau einordnen. So ist der empirische Ansatz eine Aufforderung zur komplexeren Sicht der Dinge.

10.2 Descriptive Translation Studies DTS (Toury)

In einer empirischen Wissenschaft kommt der Deskription eine entscheidende Rolle zu, denn nur aus der Analyse beobachteter Fakten können wissenschaftliche Schlüsse gezogen werden. Ursprünglich arbeitete Gideon TOURY im Rahmen der „Polysystem theory" (s. Kap. 9.3), doch nun (1995)[120] weist er den DTS eine Schlüsselstellung für die Übersetzungsforschung überhaupt zu, nicht nur im literarischen Bereich. Als Untersuchungsgegenstand wird die Übersetzung im Rahmen ihres Kontextes (also der Zielkultur) gesehen, wo sie in ihrer Position als Produkt eines spezifischen Übersetzungsprozesses untersucht werden kann. Was mit „Kultur" (culture) gemeint ist, wird nicht explizit definiert[121], jedoch wird darunter wohl die Gesamtheit der Texte und der sich darin spiegelnden Vorstellungen einer Sprachgemeinschaft verstanden. Damit ist DTS gänzlich „zielorientiert" (target-orientedness, TOURY 1995:15). Im Folgenden werden einige Grundsätze vorgestellt.

(1) Übersetzungen sind ein kulturelles Faktum und werden als geschichtliches Objekt einer Zielkultur gesehen. Im Extrem impliziert dies, daß jeder Text als Übersetzung eines anderen Textes akzeptiert werden muß, wenn er nur als solcher bezeichnet wird. Dies gilt auch für „Pseudoübersetzungen".

> Thus, when a text is offered as a translation, it is quite readily accepted bona fide as one, no further questions asked. Among other things, this is the reason why it is that easy for *fictitious* translations to pass as genuine ones. By contrast, when a text is presented as having been originally composed in a language, reasons will often manifest themselves – e. g., certain features of textual make-up and verbal formulation, which persons-in-the-culture have come to associate with translations and translating – to suspect, correctly or not, that the given text has in fact been translated into it (TOURY 1995:26).

Im Sinne der empirischen Wissenschaft sollten so wenig wie möglich vorab bestimmte Annahmen gemacht werden, die dann angesichts realer Beobachtungen wieder zunichte würden. So werden kulturinterne Fakten zum Ausgangspunkt der Untersuchung genommen. Dagegen hat die Übersetzung systemisch keinen gemeinsamen Raum mit ihrem (echten oder angeblichen) Ausgangstext, auch wenn z. B. beide nebeneinander präsentiert werden, und auch zwei zeitgenössische Versionen von einem Original können nie dieselbe

---

[120] TOURY (1995:3) betont, daß dieses neue Buch nun an die Stelle seines früheren programmatischen Werkes (1980) tritt: *In Search of a Theory of Translation* (Tel Aviv), in welchem er schon die Grundzüge der Descriptive Translation Studies entworfen hatte.

[121] Der Ausdruck fehlt im Begriffsregister bei TOURY (1995).

Position in einem Kultursystem einnehmen, denn jeder Text ist eine individuelle Einheit.

Ein Text wirkt vielmehr in *seiner* Kultur, wenn freilich nicht ausgeschlossen wird, daß er auf eine andere (etwa die des Ausgangstextes) einwirken kann, doch dies wäre eben als Gegenstand einer eigenen Untersuchung erst festzustellen. Und wenn dann eine Übersetzung zum Ausgangspunkt weiterer Übersetzungen wird, gewinnt die ursprüngliche Zielkultur nunmehr eine Vermittlerrolle als neue Ausgangskultur.

Andererseits können Übersetzungsprozesse und deren Produkte, die Übersetzungen, auch Veränderungen in der Zielkultur bewirken. So kann, wie TOURY (1995:27) ausführt, die Empfindung einer Lücke, oder häufiger das Vorhandensein von Werten in einer anderen Kultur, zu denen die spätere Zielkultur der Übersetzung „aufblickt", zum Anlaß einer Übersetzung werden. Damit werden Übersetzungen von der Zielkultur initiiert. Der Ausgangspunkt ist stets ein gewisses Defizit, auch wenn beispielsweise in einer Kolonialsituation die „Lücke" eher von außen behauptet wird.

Das Auftreten einer Übersetzung bewirkt dann eine Veränderung in der Zielkultur, indem es die vorhandene oder angenommene Lücke füllt und als Text auf den Kontext einwirkt. Dies gilt auch für die soundsovielte Neuübertragung eines Textes, auch für „indirekte Übersetzungen" oder für „pseudo-translations" (TOURY 1995:40ff). Es gibt ganze Generationen von Übersetzungen eines Ursprungstextes (man denke an den Quixote),

Die verändernde Wirkung von Übersetzungen in einer Zielkultur erfolgt durch ihre Funktion darin, aber auch durch ihre Texteigenschaften:

> (...) while translations are indeed intended to cater for the needs of a target culture, they also tend to *deviate* from its sanctioned patterns, on one level or another, not least because of the postulate of retaining invariant at least some features of the source text – which seems to be part of any culture-internal notion of translation. This tendency often renders translations quite distinct from non-translational texts, and not necessarily as a mere production mishap either (TOURY 1995:28).

Andererseits können unübliche Gedanken und Schreibformen eines Autors so auch hinter einer angeblichen „Übersetzung" versteckt werden.

BEISPIEL

Textautoren kennen als kulturell verwurzelte Personen durchaus die geltenden Normen und nutzen dies auch aus. So gibt es Texte, die als Übersetzungen ausgegeben werden, obwohl sie es gar nicht sind: Pseudoübersetzungen. Freilich können solche Texte empirisch erst im Nachhinein als solche analysiert werden, wenn sich ihre Position innerhalb des Kultursystems verändert hat.

Aus dem Blickwinkel der kulturellen Entwicklung ist die wichtigste Funktion solcher vorgeblichen Übersetzungen die Tatsache, daß hiermit am einfachsten Neuigkeiten in eine Kultur eingeführt werden können, ohne auf allzu strengen Widerstand zu stoßen, speziell in Kulturen, die an geltenden Modellen und Normen festhalten. Da Übersetzungen oft als „sekundäre Textproduktion" angesehen werden, treffen Normabweichungen in solchen Texten auf größere Toleranz, was erklärt, warum so viele Neuerer über die Jahrhunderte ihre eigenen Texte als Übersetzungen verschleiert haben. Ein extremes Beispiel ist das *Book of Mormon* (1830): hier führen die in die amerikanische (christliche) Kultur der damaligen Zeit eingebrachten Neuerungen durch einen Text, der als Übersetzung ausgegeben wurde, letztendlich sogar zur Begründung einer neuen Kirche, was wiederum zu einer Verschiebung nicht allein des religiösen Sektors des fraglichen Kultursystems führte (vgl. TOURY 1995:41).

(2) Voraussetzung für derartige deskriptive Untersuchungen ist natürlich eine geeignete Kontextualisierung, die sich wiederum erst im Laufe der wissenschaftlichen Untersuchung ergibt.[122] Dabei kann es ein Trugschluß sein, zu meinen man kenne schon die (Sub-)kultur der Übersetzung, wenn man weiß in welcher Sprache diese formuliert ist, denn eine eins-zu-eins-Beziehung zwischen Sprache und Kultur kann irreführend sein. (Anders dagegen die Vorstellung vom muttersprachlichen Weltbild, s. Kap. 2.1).

BEISPIEL

So gibt es in deutschen Zügen mehrsprachige Hinweise auf die Benutzung der Notbremse. Die englische Version wird parallel zu drei anderen Versionen derselben Warnung präsentiert,[123] doch gibt es genügend Hinweise darauf, sie als eine Übersetzung der deutschen Version anzusehen.

(1) **Alarm Signal**	(2) **Emergency brake**	(3) **Notbremse**
To stop train pull handle Penalty £ 50 for improper use	Pull brake only in case of emergency Any misuse will be punished	Griff nur bei Gefahr ziehen Jeder Mißbrauch wird bestraft

---

[122] TOURY (1995:29) bemerkt hierzu: „Rather, its establishment forms part of the study itself which is applied to texts assumed to be translations. In an almost tautological way it could be said that, in the final analysis, a translation is a fact of whatever target sector it is found to be a fact of, i.e., that (sub)system which proves to be best equipped to account for it: function, product and underlying process. This then, is the ultimate test of any contextualization. Consequently, the initial positioning of a translation, which is a sine qua non for launching a meaningful analysis, may be no more than *tentative;* it may often have to undergo revision as the study proceeds – on the basis of its interim findings, i.e., in a process of continuous negotiation."

[123] Vgl. R. R. K. HARTMANN (1980): *Contrastive Textology*. Heidelberg: Groos.

Da die britische Kultur einen anderen kodifizierten Text verwendet (1), kann die Version (2) nicht zur britischen Kultur gehören. Geht man davon aus, daß es nicht möglich ist, daß sie *gar keiner* Kultur angehört (TOURY 1995:29), dann bleibt nur die Möglichkeit, daß sie in der *deutschen* Kultur angesiedelt ist und hier in einer spezifischen Subkultur (der Bahnreisenden), welche die intendierte Sprache Englisch in Betracht zieht. Es ist eine künstliche Subkultur von Menschen verschiedener Sprachen, darunter auch Englisch, die in deutschen Zügen fahren. Nur diese <u>Kontextualisierung</u> liefert eine ausreichende Erklärung für die Sprachform des Textes (2) als einer Übersetzung von Text (3).

Deskriptive Ergebnisse können auch erwartet werden von der Erforschung der systemischen Position, die für eine Übersetzung bei ihrer Abfassung intendiert war, und ihrer dann tatsächlich feststellbaren Funktion. Schließlich kann sich diese Position in der Zielkultur auch mit der Zeit ändern. Die Analyse solcher Veränderungen erbrächte Einsichten über den Wandel von Textpräferenzen in späteren Epochen.

(3) Der Begriff der „assumed translation", eines „als Übersetzung funktionierenden Texts", ist für DTS zentral. In den meisten übersetzungstheoretischen Ansätzen wir ja zunächst definiert, was eine „Übersetzung" sei. Damit ist jedoch eine deduktive Arbeitsmethode verbunden, was dem deskriptiven Ansatz empirischer Ausrichtung widerspricht.

> Thus, any a priori definition, especially if couched in essentialistic terms, allegedly specifying what is 'inherently' translational, would involve an untenable pretense of fixing once and for all the boundaries of an object which is characterized by its very **variability:** *difference* across cultures, *variation* within a culture and *change* over time. Not only would the field of study be considerably shrunk that way, in relation to what cultures have been, and are willing to accept as translational, but research limited to these boundaries may also breed circular reasoning (...) (TOURY 1995:31).

Solche „angenommenen Übersetzungen" würden in anderen deduktiven Ansätzen u. U. als „Adaptation" betrachtet und dann von weiterer deskriptiver Analyse ausgenommen, da es sich ja nicht um „Übersetzungen" handelt. Doch es gehört zum kulturinternen Begriff von (angenommener) Übersetzung, daß ein irgendwie gearteter Ausgangstext vorliegt, und deswegen gilt auch hier nach Toury (1995:33) das Postulat eines Quellentextes, eines Transfers und einer textuellen Relation. Doch diese Beziehungen werden hier *postuliert*, ob sie auch *faktisch* sind und bis zu welchem Grad und in welcher Art und Weise, das ergibt erst die deskriptive Analyse.

(4) So bilden auch die Übersetzungsstrategien im Hinblick auf den Prozeß der Übersetzung einen Forschungsgegenstand von DTS. Im Vergleich eines

Textpaars kann, indem Textelemente aufeinander abgebildet werden, die der Übersetzung zugrunde liegende Konzeption aufgedeckt werden, oder auch der Nachweis erbracht werden, daß es sich eben nicht um eine Übersetzung handelt.

So können zum Beispiel Regularitäten des Übersetzerverhaltens beobachtet werden. Damit entsteht deskriptiv ein Nebeneinander von „Äquivalenz" (s. Kap. 6.3) und tatsächlich empirisch nachgewiesener Beziehung zwischen zwei Texten, wodurch auch der Begriff der „Übersetzbarkeit" (s. Kap. 3.6) von seiner Fixierung auf Äquivalenz befreit wird. Entsprechende Intuitionen in der Analyse müssen freilich begründet werden, um als gültige Erklärungen akzeptiert zu werden. TOURY (1995:37f) stellt „discovery procedures" und „justification procedures" als gegenläufige Entsprechungen dar:

Discovery   Justification
procedures   procedures

   1. Target text presented/regarded as a translation:
       - acceptability, deviations from acceptability...
       - probably: first tentative explanations to individual textual-linguistic phenomena, based on the assumption that the text is indeed a translation.

   2. Establishment of a corresponding source text and mapping target text (or parts of it, or phenomena occurring in it) on source text (or etc. ...)
       - determination of text's status as an appropriate source text
       - establishment of pairs of 'solution + problem' as units of immediate comparison
       - establishment of target-source relationships for individual coupled pairs.

   3. Formulation of first-level generalizations:
       - primary vs. secondary relationships for the text as a whole;
       - preferred invariant(s) and translation units;
       - [reconstructed] process of translation...

Die Analyse eines Textpaares allein genügt aber noch nicht für eine Darstellung der kulturellen Interdependenz von Übersetzungsfunktion, -prozeß und -produktgestalt. Hierzu wäre eine Ausweitung des Korpus erforderlich, z. B. nach Übersetzerschule, Epoche, Textgattung oder anderen Prinzipien (TOURY 1995:38). Konkrete Studien im Sinne von DTS sind bisher vor allem im literarischen Bereich vorgelegt worden (s. Kap. 9.4).

Kommentar

Die Konzeption der Übersetzungsforschung als Feldtheorie deutet an, daß die Übersetzungswissenschaft dann als eigene Disziplin Gestalt gewinnt, wenn sie mehrere Teiltheorien in sich vereinigt, mit welchen das komplexe Gesamtphänomen des Übersetzens differenziert beschrieben werden könnte. DTS gehen von den Texten in ihrer Zielkultur aus und entfalten von daher eine empirische, beschreibende Analyse. Dabei werden nicht nur Übersetzungen im üblichen Sinn behandelt, sondern auch Texte, von denen man zunächst nicht genau weiß, ob es sich um Übersetzungen oder um eigenständig formulierte Texte handelt. Da hier ein rein deskriptiver Ansatz vorliegt, bleibt die didaktische Frage nach der Richtigkeit von Übersetzungen außerhalb der Perspektive von DTS. Im Sinne der Feldtheorie der Translation Studies gehört dies zu den angewandten Forschungsrichtungen.

Im Gegensatz zu anderen deskriptiven übersetzungswissenschaftlichen Forschungsansätzen, wie der syntaktischen Stylistique comparée (s. Kap. 5.1), und der linguistischen Theorie normativer Äquivalenzforderungen (s. Kap. 6.3) richtet sich das Augenmerk der Deskription hier auf den umgebenden Kontext von Übersetzungstexten. Bisher liegen überwiegend literarische Untersuchungen vor, doch könnte eine deskriptive Untersuchungsweise auch in anderen Sprachbereichen nützlich sein.

Lektürehinweise

James S. HOLMES (1988): *Translated! Papers on Literary Translation and Translation Studies.* Amsterdam.

Gideon TOURY (1995): *Descriptive Translation Studies and beyond.* Amsterdam/Philadelphia.

11 Übersetzungswissenschaft als Interdisziplin

Die Übersetzungstheorie könnte auch im Sinne einer interdisziplinären Integration verschiedener Methoden Profil gewinnen.
Anstelle einer Feldtheorie steht die Fruchtbarmachung unterschiedlicher sprachwissenschaftlicher Ansätze fürs Übersetzen.

11.1 Prototypologie der Texte (Snell-Hornby)

An die Vorstellung eines Forschungsfeldes anknüpfend plädiert Mary SNELL-
HORNBY (1988) in ihrem eigenen übersetzungstheoretischen Entwurf für ein
Aufweichen festgefahrener Systematiken in der Übersetzungstheorie. Für sie
ist Übersetzungswissenschaft weiterhin freilich *übersetzerische Produktions-
theorie*, bemüht um die Klärung der Voraussetzungen für das Anfertigen von
Übersetzungen und die Entwicklung von Anweisungen, wie dies am besten
geschehen soll. Diese Aufgabe bleibt, trotz der forcierten Betonung der Deskription in DTS (s. Kap. 10.2), weiterhin legitim und gehört mehr zum theoretischen Teil der Übersetzungsforschung.

SNELL-HORNBY moniert, daß die meisten übersetzungstheoretischen Ansätze und Modelle, wie auch aus den vorhergehenden Kapiteln dieser Einführung deutlich wird, nicht von der als wissenschaftliches Axiom geltenden Tendenz zur starren Kategorisierung loskommen. Von den 5 Arten der
„potentiellen Entsprechungen" der Leipziger Schule (s. Kap. 4.3) über die 7
„Übersetzungsprozeduren" der Stylistique comparée (s. Kap. 5.2), das Drei-
Schritt-Transfermodell NIDAS (s. Kap. 6.2) neben WILSS' „semiotischer Textanalyse" auf 3 Faktorenebenen (s. Kap. 4.5), KOLLERS 5 „Äquivalenzforderungen" (s. Kap. 6.3) bei 2 „Textgattungen" mit 4 Kriterien (s. Kap.
7.7) bis zu REIß' drei „Texttypen" (s. Kap. 7.6) und verschiedenen
„Sprechakten" – überall wird zwar die alte Dichotomie zwischen „Treue" und
„Freiheit" durchbrochen, doch jede Vorstellung von schwimmenden Übergängen im Sprachlichen bleibt ausgeklammert.

Solche starren Kategorisierungen sollten nach SNELL-HORNBYS Meinung
endlich überwunden werden (1988:2). In diesem Sinne bietet die Literaturwissenschaft wertvolle Anregungen, und die Autorin beklagt die bisher mangeln-

de Berührung zwischen literarischen und Fachübersetzern (1986:10). Sie möchte hier eine Brücke schlagen.

SNELL-HORNBY (1988:35ff) greift die Konzeption der empirischen Übersetzungsforschung bei HOLMES (s. Kap. 10.1) auf und plädiert für die Bestimmung eines eigenen Forschungsbereichs der Übersetzungswissenschaft als eigenständiger Disziplin anstelle der bislang üblichen Vorstellung, ein Teilgebiet der Linguistik zu sein. Die wissenschaftliche Weiterentwicklung sei durch das klassische Kästchendenken mit strengen Trennungslinien, binären Oppositionen, Antithesen und Dichotomien behindert worden. Diese oft rein akademischen Konstrukte lähmten eine feinere Ausdifferenzierung, wie sie aber vom Gegenstandsbereich der Übersetzungswissenschaft gefordert ist. Daher wird die Typologie hier durch eine „Prototypologie" (1988:29) ersetzt, wobei unscharfe Ränder möglich sind und strenge Kategorisierungen in ein Spektrum der Phänomene um einen Fokus herum übergehen.

In diesem Sinn entwirft SNELL-HORNBY, ausgehend von Textsorten und „übersetzungsrelevanten Gesichtspunkten" ein Schichten- oder Stratifikationsmodell, das sich ohne scharfe Trennungslinien und mit fließenden Übergängen von der Makroebene (A) bis zur Mikroebene (F) bewegt (siehe nebenstehende Abbildung aus 1986:17; vgl. auch 1988:32).

Ebene A kennzeichnet die bislang allzu säuberlich getrennten Übersetzungsbereiche. Die Pfeile bezeichnen mögliche Berührungen. *Ebene B* stellt eine Prototypologie der wesentlichen Textsorten dar, von der Bibel bis zur Fachübersetzung; natürlich gibt es viele Mischtypen. *Ebene C* zeigt die „nichtlinguistischen Disziplinen bzw. Gebiete der sogenannten 'außersprachlichen Realität', die mit dem Übersetzen unzertrennlich verbunden sind" (1986:18). *Ebene D* stellt die „wesentlichen Gesichtspunkte" bei der Übersetzung dar:

D(i) bezieht sich auf den Ausgangstext: im Mittelpunkt steht hier das Verstehen. D(ii) nennt Qualitätskriterien für die Übersetzung. (...) Ansonsten wird für den dynamischeren Ansatz von Hönig und Kußmaul plädiert, die sich nach der Funktion der Übersetzung für den Adressaten richten - hier in der Ebene D(iii) dargestellt und als Qualitätskriterium den „notwendigen Grad der Differenzierung" ansetzen (1986:19).

In *Ebene E* sind die übersetzungsrelevanten Bereiche der Linguistik aufgeführt, und in *Ebene F* sind phonologische Gesichtspunkte genannt, die für einzelne Textsorten von Bedeutung sind.

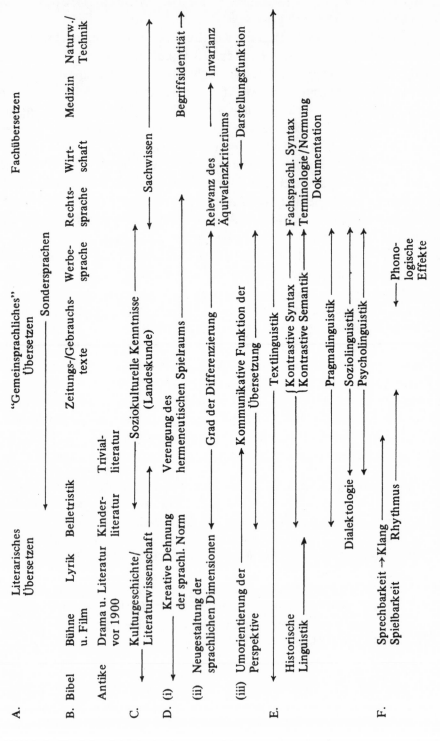

Spannungsfeld: Textsorte / Übersetzungsrelevante Gesichtspunkte

Der Vorstellung einer solchen Prototypologie entspricht die interdisziplinäre Offenheit und das Integrieren verschiedener Methoden der Textbeschreibung. In diesem Sinne hat SNELL-HORNBY (1986) in einem Sammelband zur „Neuorientierung" der Übersetzungswissenschaft Beiträge verschiedener Autoren zusammengetragen, deren Ansätze ihr für eine solche offenere, flexiblere Konzeption des Übersetzens geeignet erscheinen.[124]

Später hat sie (1988) unter dem Titel *Translation Studies - An Integrated Approach* ihre Vorstellung noch präziser ausgebreitet. Es werden dort verschiedene übersetzungstheoretische Ansätze beschrieben und kritisch bewertet, wie z. B. die alte Dichotomie wörtlich-frei (s. Kap. 1.2), die „Illusion der Äquivalenz" (s. Kap. 6.4), die „Übersetzung als Manipulation" (s. Kap. 9.1).

Die Vorstellung von Prototypen wird aus den „natürlichen Kategorien" der Psychologin Eleanor ROSCH[125] entwickelt. Bei der Frage, wie denn Bedeutungsvorstellungen in den Köpfen der Menschen zusammengesetzt sind, wurde der aristotelische Begriff der „Kategorie" mit ihrer inneren Struktur distinktiver Merkmale (s. Kap. 3.6) ersetzt durch den Begriff des „Prototyps". Er ist als „bestes Exemplar" einer Kategorie eine Kernvorstellung mit unscharfen Rändern. Die Einzelelemente sind nicht analysierbar, sondern weisen eine „Familienähnlichkeit" auf.

> Mit dem Schlüsselbegriff *Prototyp* stellten die Psychologin E. Rosch und nach ihr der Linguist G. Lakoff (1982) die herkömmliche Theorie der Kategorisierung in Frage, die im wesentlichen als objektivistisch und reduktionistisch zu bezeichnen wäre. Das heißt, eine Kategorie wird objektiv und sauber nach außen abgegrenzt, und ein Begriff besteht aus der Summe seiner Teile, ist eine Addition von Komponenten. Demgegenüber stellte Rosch ihre Theorie der „natürlichen Kategorisierung" (1973): durch Experimente konnte sie nachweisen, daß der Mensch nach Prototypen kategorisiert d. h. die natürliche Kategorie hat eine fokale Mitte und verschwommene Ränder. Als Beispiel für die Kategorie *Vogel* wäre z. B. „Spatz" prototypisch, „Pinguin" jedoch nicht (VANNEREM/SNELL-HORNBY 1986, 187).

---

[124] Es handelt sich vor allem um folgende Beiträge:
VERMEER (1986): „Übersetzen als kultureller Transfer", S. 30-53; STOLZE (1986): „Zur Bedeutung von Hermeneutik und Textlinguistik beim Übersetzen", S. 133-159; HÖNIG (1986): „Übersetzen zwischen Reflex und Reflexion - ein Modell der übersetzungsrelevanten Textanalyse", S. 230-251; KUSSMAUL (1986): „Übersetzen als Entscheidungsprozeß. Die Rolle der Fehleranalyse in der Übersetzungsdidaktik", S. 206-229; VANNEREM/SNELL-HORNBY (1986): „Die Szene hinter dem Text: 'scenes-and-frames semantics' in der Übersetzung", S. 184-205.

[125] Vgl. E. ROSCH (1973): „Natural categories". In: *Cognitive Psychology 4,* S. 328-350.

11.2 Integration linguistischer Theorien

In einem Kapitel mit der Überschrift „Translation, Text and Language" zeigt SNELL-HORNBY (1988:65ff) die Anwendung einiger sprachwissenschaftlicher Theorien aus anderen Disziplinen beim Übersetzen von Texten. Mit Verweis auf HUMBOLDT (s. Kap. 2.1) betont sie, daß Sprache und Kultur zusammengehören und daher auch das Übersetzen ein „kultureller Transfer" (VERMEER 1986) ist.

Sie nennt ferner den Ansatz der Hermeneutik, der Wesentliches zum Verstehen von Texten beiträgt (1988:42f), sowie den pragmatischen Ansatz bei HÖNIG/KUßMAUL (s. Kap. 8.4). Sie erörtert jeweils an einzelnen Textbeispielen semantische Probleme, wobei die Begriffe „Perspektive" und „Dimension" unterschieden werden:

> In this sense *dimension* refers to the linguistic orientation realized in lexical items, stylistic devices and syntactic structures, and it becomes a translation problem when *multidimensionality* in linguistic expression is involved. This not only concerns the interplay of syntax, semantics and pragmatics, but extends to the multiple levels of shifting focus as in metaphors and puns (or any play on words).
>
> With *perspective* I mean the viewpoint of the speaker, narrator or reader in terms of culture, attitude, time and place; this shifts, for example, in parody and satire, and invariably in translation. Thus dimension focusses on internal aspects of language, perspective on the relationship of the text to external, social and cultural factors, but again we are not concerned with a dichotomy, but with complementary and often overlapping facets of an integrated whole (1988:52).

„Dimension" bezieht sich demnach auf textimmanente Strukturen wie etwa stilistische Effekte, während „Perspektive" pragmatische Überlegungen wie soziolinguistische Aspekte betrifft.

Die Textanalyse als Vorbereitung des Übersetzens sollte den Text als ganzheitliche Größe im Sinne der Gestalttheorie sehen und vom Großen zum Kleinen vorgehen, vom Textganzen zum einzelnen Zeichen:

> Grundlegend in der Gestaltpsychologie war das berühmte holistische Ganzheitlichkeitsprinzip, nach dem das Ganze nicht als bloße Addition seiner Teile aufgefaßt werden und eine Analyse von Teilen nicht zum Verstehen des Ganzen führen konnte. Vielmehr sollte die Analyse von der Gesamtstruktur bis zu den einzelnen Merkmalen also „von oben nach unten", von der Makro- bis zur Mikroebene durchgeführt werden (VANNEREM/SNELL-HORNBY 1986:288).

Weil Texte nur im Rahmen einer gegebenen Situation funktionieren, muß zunächst dieser Bereich bestimmt werden. Der nächste Schritt ist dann die Analyse der textuellen Makrostruktur, etwa über Gliederungssignale (s. Kap. 7.4), wobei auch das Verhältnis zwischen Titel und Text zu berücksichtigen ist. SNELL-HORNBY (1988:69) betont hierzu erneut, daß es in der Analyse nicht um die Isolierung bestimmter Einzelphänomene geht, sondern um das Nachzeichnen eines Beziehungsgeflechts, in dem die Bedeutung von Einzelphänomenen durch ihre Relevanz und Funktion im Textganzen determiniert wird.

Zur Textanalyse gehört schließlich auch eine Untersuchung der in einem Text auffindbaren Wortfelder. Die Analyse, die an einem literarischen Text aufgezeigt wird, beruft sich auf das von STOLZE (1986) entwickelte Modell. Am Beispiel einer Übersetzungskritik wird gezeigt, daß mehrere einander in einem Text überlagernde Wortfelder ein wesentliches Kriterium von dessen inhaltlicher Kohärenz sind. Wenn dies ein Übersetzer nicht beachtet, verliert die Übersetzung, im Vergleich zur Textvorlage, viel von ihrer Aussagekraft.

BEISPIEL

Im Folgenden wird ein kurzes Textstück mit Übersetzung aufgeführt, um daran die übersetzungsrelevante Textanalyse nach SNELL-HORNBY (1988:70-78) aufzuzeigen:

THE PACIFIC

The Pacific[1] is inconstant[2] and uncertain,[2] like the soul of man.[2] Sometimes it is grey[3] like the English Channel[4] off Beachy Head, with a heavy swell,[1] and sometimes it is rough,[1] capped with white crests,[1] and boisterous.[2] It is not so often that it is calm[1] and blue.[3] Then, indeed, the blue[3] is arrogant.[2] The sun shines[3] fiercely[2] from an unclouded sky.[4] The trade wind[4] gets into your blood,[2] and you are filled with an impatience[2] for the unknown. The billows, magnificently rolling,[1] stretch widely on all sides of you, and you forget your vanished youth,[2] with its memories,[2] cruel and sweet, in a restless, intolerable desire for life.[2] On such a sea as this[1] Ulysses sailed when he sought the Happy Isles.[1] (...) – *W. S. Maugham (1921)*.

Der Stille Ozean

Der Stille Ozean[1] ist unbeständig[2] und wandelbar[2] wie die Seele des Menschen[2] Manchmal liegt er grau[3] da mit mächtiger Dünung,[1] manchmal ist er wild gebauscht[1] und trägt weiße[3] Wellenkämme.[1] Nicht häufig zeigt er sich blau[3] und glatt,[1] dann aber ist er von anmaßendem[2] Blau.[3] Hemmungslos brennt die Sonne[3] aus wolkenlosem Himmel[4] hernieder. Der Passatwind[4] geht einem ins Blut[2] und erfüllt es mit der ungeduldigen Forderung[2] nach dem Unbekannten. Die hochaufrollenden Wogen[1] umgeben einen üppig von allen Seiten, und man vergißt die schwindende Jugend[2] mit ihren grausamen und süßen Erinnerungen[2] vor lauter Sehnsucht,[2] dieser rastlosen,[2] unaushaltbaren Sehnsucht nach Leben.[2] Auf solch einem Meer[1] segelte Odysseus, als er die Glücklichen Inseln[4] suchte. (...)

Berechtigte Übertragung von Ilse Krämer (1953).

Zur Situation wird festgestellt: Dieser literarische Text erschien, als das British Empire noch in Blüte stand, der Topos des Europäers in fremden Gefilden ist dem gebildeten Engländer vertraut, und findet auch einen Anknüpfungspunkt mit dem Vergleich im Text – „English Channel" (Zeile 2). Die Sprecherperspektive ist persönlich, indem der Leser direkt angesprochen und in die Gefühle mit hineingenommen wird – „The trade wind gets into your blood and you are filled ...". Der Titel wird am Textanfang unmittelbar als Leitmotiv aufgenommen, wobei der Pazifik mit dem menschlichen Gemüt verglichen wird – „soul of man" (Zeile 1). Die dadurch entstehende Dualität in der Textstruktur zeigt sich in zwei einander überlagernden semantischen Wortfeldern (s. Isotopie, Kap. 7.8). Die wesentliche Aussage des Textes findet sich in sehr bildhaften Adjektiven und Substantiven, die Verben sind blaß. Die Substantive[1] benennen das Meer – *Pacific, swell, crests, trade wind, billows, sea, Happy Isles*. Die Adjektive[2] dagegen sind alle doppeldeutig, sie beschreiben auch den Seelenzustand des Menschen – *inconstant and uncertain, heavy, rough, boisterous, arrogant, restless, intolerable*. Die verschiedenen Bilder des Meeres[4] werden mit Gliederungssignalen eingeführt – *sometimes, then, not so often*. Das Licht wird mit Farbadjektiven[3] bezeichnet.

Ein übersetzungskritischer Vergleich mit der vorgelegten Version zeigt, daß die Übersetzerin zwar sprachenpaarbezogen direkte Äquivalente gesucht hat, nicht jedoch das nur im Textganzen erkennbare Wortfeld gesehen hat. Die persönliche Anrede und der Einbezug des Lesers fehlen, wodurch die gesamte Aussage des Textes verwischt und abgeflacht wird. Die Formulierung „Der Stille Ozean ist unbeständig und wandelbar" (Zeile 1) enthält sogar eine semantische Inkompatibilität, was bei „Pacific" als geographischer Bezeichnung nicht der Fall ist.

SNELL-HORNBY (1988:86ff) integriert unter Berufung auf HÖNIG-KUßMAUL (1982) schließlich noch die Sprechakttheorie (s. Kap. 8.4) und die strukturelle Bedeutungsanalyse (s. Kap. 3.6), die im Sinne des prototypologischen Konzepts dynamisch erweitert wird. Hier erwähnt sie diesbezügliche Vorarbeiten bei STOLZE (1982)[126]. Da Texte viele Perspektiven und Dimensionen enthalten, können sie niemals nur anhand einer einzigen linguistischen Theorie analysiert werden.

---

[126] Vgl. R. STOLZE (1982): *Grundlagen der Textübersetzung*. Heidelberg: Groos (Sammlung Groos 13) (vergriffen).

11.3 Das Scenes-and-frames-Konzept (Vannerem/Snell-Hornby)

SNELL-HORNBY (1988:79ff) integriert des weiteren die „scenes-and-frames-semantics" nach FILLMORE (1977), wie sie in VANNEREM/SNELL-HORNBY (1986) für das Übersetzen aktualisiert wurde. Anstelle starrer Systematik plädiert FILLMORE für "an integrated view of language structure, language behaviour, language comprehension, language change and language acquisition" (1977:55) und entwickelt eine eigene Semantik auf der Basis des „Prototyp"-Begriffs.

Die „Prototypensemantik" (vgl. KLEIBER 1993) betrachtet die Wortbedeutung im Gegensatz zur Strukturellen Semantik (s. Kap 3.6) nicht als eine Struktur distinktiver semantischer Merkmale, sondern als eine unscharfe Menge verwandter Merkmale mit einer Familienähnlichkeit. So gilt die Wortbedeutung als eine Ansammlung typischer Attribute oder Eigenschaften in einem Schema oder Konzept. Sprachliches Verstehen erfolgt über die begrifflich-schematischen Konzepte, die miteinander vernetzt im Wissen der Menschen vorhanden sind und in der Kommunikation aus dem Kontext angereichert und präzisiert werden (BEAUGRANDE 1988:422). Betont werden die Gestaltqualitäten von Wörtern, wobei man von der Hypothese ausgeht, daß nur die prototypischen Bedeutungsmerkmale im Sinne einer Kernbedeutung und die prototypischen Verwendungsbedingungen von Wörtern lexikographisch verzeichnet werden können.

Die Menschen verfügen also über ein Inventar an Schemata zur Deutung von Erfahrungen, das sie dann auf den Einzelfall anwenden. Eine Bedeutungsvorstellung baut sich aus den Erfahrungen des Sprechers auf, analog zum Spracherwerb des Kindes, das Bedeutung zunächst im Gesamtzusammenhang einer Situation erfährt und dann erst lernt, von dieser einen Situation zu abstrahieren und die erfahrene Bedeutung auf neue Situationen anzuwenden:

> On this view, the process of using a word in a novel situation involves comparing current experiences with past experiences and judging whether they are similar enough to call for the same linguistic coding (FILLMORE 1977:57).

Eine *scene* ist dabei eine Art „Bild von Welt" im Kopf eines Menschen, das *frame* der bereitstehende Ausdruck, die sprachliche Kodierung als „Organisationsform für Wissen" mit dem Konzept als Bedeutungsinhalt.

Dann läuft der Kommunikations- und Verstehensprozeß so ab, daß wir zu jeder linguistischen Form *(frame)* zunächst mittels eigener Erfahrung bzw. einer Situation Zugang finden, die für uns persönlich von Bedeutung ist *(scene)* (FILLMORE 1977:63). *Scenes* und *frames* aktivieren einander wechselseitig und in unterschiedlicher Komplexität, das heißt, eine bestimmte sprachliche Form ruft Assoziationen hervor, diese wiederum aktivieren andere Formen, bzw. erwecken weitere Assoziationen.

Zu einem *frame* gehören Lexeme, die auf eine prototypische komplexe Situation oder *scene* Bezug nehmen. Wörter wie *kaufen, verkaufen, bezahlen, kosten, bestellen, liefern, Käufer, Verkäufer, Kunde, Ware, Preis, teuer, billig* z. B. heben jeweils einen Aspekt einer bestimmten Situation oder eines Ereignisses hervor. Ein Sprecher kann normalerweise davon ausgehen, daß sein Hörer mit der Kenntnis eines Wortes auch das konventionelle Wissen über die gesamte komplexe Situation verbindet; diese muß nicht in allen Einzelheiten beschrieben werden. Es genügt, im Text eine Komponente zu aktualisieren und dem Hörer die Aktivierung anderer im „frame" vorhandener, spezifischer Komponenten zu überlassen. Hier wird das Hintergrundwissen als Informationseinheit in Form von globalen Mustern oder Schemata angesprochen.

Die Anwendung des „scenes-and-frames-Konzepts" auf die Textanalyse bietet nach FILLMORES Ansicht entscheidende Vorteile gegenüber anderen Ansätzen, etwa den Untersuchungen zur Textkohäsion (s. Kap. 7.1), da jene den dynamischen Aspekt der Textassimilation außer acht lassen:

> Successful text analysis has got to provide an understanding on the part of the interpreter of an image or scene or picture of the world that gets created and filled out between the beginning and the end of the text-interpretation experience (1977:61).

Die Kohärenz eines Textganzen ergibt sich nach FILLMORE schließlich aus dem Aufbau einer ganzen, unter Umständen sehr komplexen Szene aus einzelnen Bestandteilen. Die vom Sprecher realisierte sprachliche Auswahl aktiviert bestimmte *scenes* beim Leser; im weiteren Verstehensverlauf schließen sich diese in größeren Komplexen zusammen, die Leerstellen werden ausgefüllt, Perspektiven festgelegt, wobei sich der Leser im Interpretationsprozeß auf sein Hintergrundwissen stützt.

Aus dieser scenes-and-frames-Semantik FILLMORES leiten VANNE-REM/SNELL-HORNBY nun ein Konzept für die Übersetzung ab:

> Die Anwendung des *scenes-and-frames*-Ansatzes auf die Übersetzung sieht den Übersetzer als kreativen Empfänger, der zum einen die vom Text-*frame* gelieferte Information verarbeitet, zum anderen sein eigenes prototypisches Weltwissen einbringt, um seine eigene Szene hinter dem Text zu schaffen. Daraus ergibt sich zwangsläufig ein sehr dynamisches Konzept der Übersetzung. Die Szene hinter dem Text besteht aus x kleinen *scenes*, die aber keine statische Hierarchie aufbauen, sondern ein Gewebe aus einer großen Anzahl von sich gegenseitig beeinflussenden Elementen bilden, in das auch das prototypische Wissen des Übersetzers hineinverwoben ist (1986:192).

Eine Anforderung an den Übersetzer und die Übersetzerin lautet daher, er oder sie müsse „erkennen können, wo seine/ihre prototypischen *scenes* nicht mehr ausreichen und wissen, mit welchen Hilfsmitteln er/sie den speziellen Forderungen des Textes gerecht werden kann" (1986:203). Es geht also darum, weitgehend die *scenes*-Struktur der Textvorlage zu erhalten und sich andererseits zu vergewissern, ob die im Sprachbewußtsein von den *scenes* aufgerufenen zielsprachlichen *frames* auch wirklich adäquat sind für die *scenes*, die sie in der Übersetzung bei anderen Lesern aufrufen sollen. Die Übersetzungsstrategie läuft darauf hinaus, sich die *scenes* des Ausgangstextes vorzustellen, um zielsprachlich ein geeignetes *frame* zu finden.

Diese Konzeption wird am Beispiel einer Zeitungsmeldung über eine dramatische Rettungsaktion expliziert, wofür sie sicher auch besonders geeignet ist (vgl. VANNEREM/SNELL-HORNBY 1986:192-198). Die lexikalische Struktur in Wortfeldern des Textes evoziert dabei die *scene*, der Zeitablauf wird durch Verbformen angezeigt, die Deixis durch Adverbialpartikeln. Dabei ist in der Darstellung keine lineare Progression vielmehr ist ein häufiger „Szenenwechsel" und ein Umspringen der Perspektive zu beobachten. Dies kann auch in der Übersetzung wiedergegeben werden. „Maßgebend ist das Ganzheitlichkeitsprinzip, d. h. es geht nicht um einzelne Wörter, sondern um die Neu-'gestalt'-ung ganzer *scenes*, wobei verschiedene Gesichtspunkte gleichzeitig berücksichtigt werden müssen" (1986:197).

11.4 Textstatus und Stil (Leech /Short)

SNELL-HORNBY (1988:111ff) plädiert für fließende Übergänge in der Übersetzungstheorie hinsichtlich des Textstatus der Fachtexte und der literarischen Texte. Beide Bereiche sollten im Sinne eines „Spektrums" miteinander betrachtet werden. Es wird festgestellt, daß in neueren Übersetzungstheorien (VERMEER 1986, HÖNIG/KUßMAUL 1982, TOURY 1980, HERMANS 1985) (s. Kap. 8.4, 9.1) eine deutliche Verlagerung des Schwerpunkts vom Ausgangs- zum Zieltext und seiner Funktion zu verzeichnen sei, eine Entwicklung, die es zu relativieren gelte. Sie unterscheidet daher zwischen der Situation des Ausgangstextes und der Funktion des Zieltextes in einer anderen Kultur.

Fach- und Gebrauchstexte haben meist eine genau bestimmbare Situation, die ihre Bedeutung mitbestimmt. Demgegenüber wird gelegentlich die Meinung vertreten, ein literarischer Text sei nicht situativ gebunden.[127] Doch da-

---

[127] Vgl. R. BARTHES (1966): *Critique et Vérité*. Paris: Ed. du Seuil. Er schreibt (S. 54): „L'oeuvre n'est entourée, désignée, protégée, dirigée par aucune situation, aucune vie pratique n'est là pour nous dire le sens qu'il faut lui donner; elle a toujours quelque chose de citationnel: en elle l'ambiguité est toute pure...".

gegen führt SNELL-HORNBY die rezeptionsästhetische Theorie ISERS (1976)[128] ins Feld, der die Interaktion zwischen Leser und Text als Erschaffung einer Situation beschreibt: „Folglich sind Text und Leser in einer dynamischen Situation miteinander verspannt, die ihnen nicht vorgegeben ist, sondern im Lesevorgang als Bedingung der Verständigung mit dem Text entsteht" (1976:111). So wird die (fiktive) Wirklichkeit des literarischen Textes im Lesevorgang konkret erschaffen. Neben dem individuellen Akt der Wirklichkeitserschaffung beim Lesen hat Literatur als anerkannter Teil eines bestimmten Kulturerbes auch einen gewissen Grad an Unabhängigkeit und Stabilität erreicht, der ihr eine bestimmte zeitgenössische Deutung garantiert (s. Kap. 9.4).

Im Blick auf die Funktion von Übersetzungen entsteht ein ähnliches Bild. Viele Texte haben eine klar bestimmbare Funktion in der Zielkultur, auf die hin sie formuliert werden, doch auch literarische Texte sind nicht funktionslos: da ist wie SNELL-HORNBY (1988:114) anmerkt, zunächst die Funktion der intratextuellen Kohärenz, ohne die der Aufbau jener „alternativen Welt" in Fiktivtexten gar nicht möglich wäre, und daneben gibt es die Funktion der Übersetzung, wiederum einen „literarischen Text" oder ein Kunstwerk im Rahmen einer Zielkultur zu erschaffen. Kaum einmal wird freilich eine Übersetzung selbst zum „Klassiker" für mehrere Generationen, vielmehr wird immer wieder das Bedürfnis nach neuen Literaturübersetzungen spürbar. Im Rahmen eines solchen dynamischen Spektrums von pragmatischen bis literarischen Texten gelangt SNELL-HORNBY zu folgendem Schluß:

(1) the more "specialized" or "pragmatic" the source text, the more closely it is bound to a single, specific situation, and the easier it is to define the function of its translation;
(2) the more specific the situation and the more clearly defined the function, the more target-oriented a translation is likely to be;
(3) the more "literary" a text (whether original or translation), the more both "situation" and "function" depend on reader activation;
(4) the more "literary" a translation, the higher is the status of the source text as a work of art using the medium of language[129] (1988:115).

So kann aufgrund einer wie auch immmer gearteten „Funktion" eines Textes keine scharfe Trennung zwischen literarischen und anderen Textarten vorgenommen werden.

Ein wichtiger, bisher kaum übersetzungstheoretisch behandelter Aspekt ist der Faktor *Stil*. Um auch diesen Faktor in ein prototypologisches Gesamtspek-

---

[128] Vgl. W. ISER (1976): *Der Akt des Lesens. Theorie ästhetischer Wirkung.* München: Fink.
[129] Die Forderung nach einer möglichst „wörtlichen" Übersetzung bei Texten mit hohem Status vertritt auch Peter NEWMARK, s. Kap. 5.3.

trum einzuführen, nennt SNELL-HORNBY (1988:120ff) die Stiltheorie von LEECH/SHORT (1981). Beide gehen von einem breit angelegten Konzept des Stils als einem System der Auswahl im Sprachgebrauch aus, wobei eine Pluralität semantischer, syntaktischer und graphisch-phonologischer Möglichkeiten in Texten anzusetzen ist, die mit einer Vielfalt der Textfunktionen gekoppelt ist. Stil kann *quantitativ* beschrieben werden, indem die *Frequenz* bestimmter stilistischer Merkmale bestimmt wird (LEECH/SHORT 1981:42ff). Außerdem stellt SNELL-HORNBY (1988:120f) fest:

> Salient in Leech's approach is the notion of *foregrounding* or *artistically motivated deviation* from the norms of the linguistic code (1981:48). This may be *qualitative* (e.g. a breach of some rule or convention in the language) or *quantitative* (i. e. deviance from an expected frequency).
> Leech and Short differentiate between *transparent* style, which shows the meaning of the text easily and directly (1981:19), and *opaque style*, where the meaning of the text is obscured by means of foregrounding and its interpretation is hence obstructed (1981:28). Transparent style focusses on the content expressed, opaque style on the *medium of language* in its own right (1981:29).

Für die übersetzungsrelevante Textanalyse ergibt sich so der Auftrag, stilistische Aspekte, wie Satzstrukturen und Länge, Informationsarrangement, Frequenz von Verbalphrasen versus Nominalphrasen, Frequenz der Adjektiva usw. zu untersuchen, wobei Fragen der Sprachnorm entscheidend sind. Abweichungen von der Norm können nämlich Fehlleistungen, aber auch künstlerische Erweiterungen derselben sein. Ein transparenter Stil ist durch semantische Koordination und Verstärkung gekennzeichnet, während im opaken Stil die Wörter nicht vom Kontext her erhellt werden, sondern oft idiosynkratisch in unerwarteter Weise verwendet sind. Dann ist für das Verständnis eine Vorkenntnis der Implikationen oder ein spezifisches Fachwissen erforderlich.

BEISPIEL

Wir finden eine Erläuterung hierzu in SNELL-HORNBY (1988:122f):

(1) *He was extremely nervous. His delicate white hand fiddled incessantly with the signet ring on his little finger; his uneasy blue eyes kept squinting rapid glances into the corridor* (C. Isherwood).

Hier wird das <u>Bild der Ängstlichkeit</u> kontinuierlich verstärkt: *extremely nervous* durch *fiddled incessantly, uneasy blue eyes* durch *squinting rapid glances*. Semantische Kongruenz zeigt sich zwischen *hand* und *fiddle, eye, squint* und *glance*, sowie bei *delicate white hand, signet ring, little finger*. Solcher <u>transparenter Stil</u> hält sich an die <u>etablierte Norm</u>, ist typisch für einfache Prosa, es geht um leichte Verständlichkeit, eingängige Lesbarkeit.

> (2) *Soon the cicadas will bring in their <u>crackling</u> music, background to the shepherd's dry flute among the rocks. The <u>scrambling</u> tortoise and the lizard are our only companions* (L. Durrell).
>
> (2') *Bald werden die Zikaden ihre <u>knarrende</u> Musik anstimmen, Hintergrund für die klare Flötenstimme des Schafhirten zwischen den Felsen. Die <u>schwerfällige</u> Schildkröte und die Eidechse sind unsere einzigen Gefährten* (gedruckte Übersetzung).
>
> Hier zeigt sich im <u>opaken Stil eine künstlerische Abweichung von der Norm</u>, denn *crackle* beschreibt normalerweise das Geräusch trockener Zweige im Feuer, nicht das eines Lebewesens, und es kollokiert nicht mit 'Musik'. *Scramble* evoziert eine menschliche Bewegung mit Armen und Beinen; bei der Schildkröte soll es hier die unkoordinierte hastige Bewegung andeuten. Solche Textpassagen sind schwieriger zu übersetzen. Sehr oft werden die normabweichenden, opaken Problemstellen in der Übersetzung transparent gemacht, was von der Übersetzungskritik dann deskriptiv als „stilistische Verflachung" vermerkt wird (s. Kap. 9.1). In Beispiel (2') wurde bei „knarrende Musik" das opake Element gut wiedergegeben, die „schwerfällige Schildkröte" dagegen ist banal. Vielleicht braucht es hier noch mehr Mut des Übersetzers zu neuen Sprachformen.
>
> Vergleichbare Probleme finden sich auch in <u>Fachtexten</u>, die für einen eingeschränkten Leserkreis von Experten bestimmt sind. Verfügt der Übersetzer nicht über genügend Fachwissen, tendiert er auch hier zu (in Fachkreisen soziolinguistisch inakzeptablen) Versuchen des allgemeinverständlichen Erklärens.

Während bei LEECH/SHORT (1981) Stil als Auswahl des individuellen Schreibers angesehen wird, ist für den Bereich der Fach- und Gebrauchstexte demgegenüber eine soziale Gruppe zu sehen, deren Konventionen einen Funktionalstil ergeben. Transparenz in solchen Texten eingeschränkter Verständlichkeit resultiert dann nicht nur aus semantischen Komponenten, sondern berührt auch Fachtermini und syntaktische Konventionen. Alle die genannten Aspekte wären in einer prototypisch variablen Textanalyse zu berücksichtigen, und entsprechende sprachwissenschaftliche Methoden könnten interdisziplinär zu einer breiter fundierten Übersetzungswissenschaft beitragen.

Kommentar

Die Übersetzungswissenschaft wird zur Interdisziplin, wenn sie verschiedene linguistische Forschungserträge für das Übersetzen fruchtbar integriert. Begriffe wie „Prototypologie" und „Spektrum" deuten eine oszillierende Beweglichkeit im Sprachlichen an, die den streng klassifikatorischen Ansatz anderer übersetzungstheoretischer Modelle sprengt. Werden aber Texte und Übersetzungen als variable Erscheinungen auf einer beweglichen Skala gesehen, dann können sie auch nicht mehr nur nach einer einzigen Methode beschrieben werden. Mit dem Entwurf einer interdisziplinären Integrierung von Theorie und Praxis sind wesentliche Umrisse einer Übersetzungswissenschaft als eigenständiger Disziplin vorgezeichnet, wenngleich es sich hier noch kaum um mehr als einen vagen Entwurf handelt.

Wichtig ist die Hinwendung zum Text als einer Ganzheit, welche die Bedeutung einzelner Textelemente relativiert. Dies ist eine Entwicklung, die weithin in der übersetzungswissenschaftlichen Diskussion der 80er Jahre zu beobachten ist.

Lektürehinweise

Georges KLEIBER (1993): *Prototypensemantik. Eine Einführung.* Tübingen.

Mary SNELL-HORNBY (Hrsg.) (1986): *Übersetzungswissenschaft - Eine Neuorientierung.* Tübingen (= UTB 1415).

Mary SNELL-HORNBY (1988): *Translation Studies - An Integrated Approach.* Amsterdam/Philadelphia.

12 Translationstheorie als Handlungstheorie

> Translation ist eine Sondersorte des kommunikativen Handelns, welches kulturspezifisch ist. So ist Übersetzen ein kultureller Transfer. Oberster Primat ist der funktionale Zweck. Die Skopostheorie sieht im Translat ein Informationsangebot in der Zielkultur über ein Informationsangebot aus einer Ausgangskultur. Wichtiger als die Nähe zwischen Ausgangs- und Zieltext ist die kulturspezifische Kohärenz des Translats.

12.1 Eine allgemeine Translationstheorie (Vermeer)

Mit der pragmatischen Dimension des Übersetzens (s. Abschnitt 8) war schon der Blick auf Außersprachliches gelenkt worden. Der in den 80er Jahren erfolgten „pragmatischen Wende" der Linguistik folgt die Umorientierung der Übersetzungstheorie. Reden, sprachliches Verhalten, ist auch ein zielgerichtetes Handeln, und so bietet sich als Rahmen für eine Übersetzungstheorie, die sich nicht auf Deskription des Faktischen (s. Kap. 10.2) beschränken, sondern produktionsorientiert Anhalte geben will, die allgemeine Handlungstheorie an. In der Handlungstheorie kann die so wichtige kulturelle Einbettung der Übersetzung angemessener berücksichtigt werden, als in „rein" linguistischen Modellen.

Diese neue Sicht der Dinge im Bereich der Übersetzungswissenschaft wurde im wesentlichen von Hans J. VERMEER (1978) initiiert. Sie tritt mit dem Anspruch absoluter Gültigkeit auf und besteht daher auf einer neuen, eigenen Begrifflichkeit. Übersetzen und Dolmetschen als Handeln werden unter dem Oberbegriff „Translation" zusammengefaßt, der von KADE (1968:33) geprägt wurde und also von der Leipziger Schule (vgl. Kap. 4.2) stammt. Das Ziel ist eine grundsätzliche Neubestimmung der Theorie vom Übersetzen:

> 0. Eine „allgemeine Translationstheorie" besteht aus den Teilen: (1) Begriffsbestimmung des Terminus „Translation"; (2) Theoriebasis; (3) Einordnung in die Disziplin der Angewandten Sprachwissenschaft [Sprachpragmatik]; (4) – als Hauptteil – einem Translationsmodell mit den Unterteilen Rezeptions-, Produktions-, Reproduktionsmodell auf der Grundlage eines allgemeinen Interaktionsmodells;

(5) einem Regelinventar (das Inventar umfaßt lediglich drei Regeln); (6) einer komplexen Stilistik zur Analyse von Textstrukturen (Grundlage jeder Translation ist ein "Text"), wobei die Stilistik ihrerseits aus den Unterteilen formale Statistik und stellenwert-spezifische Kulturgrammatik besteht.
1. „Übersetzen" und „Dolmetschen" seien als *Translation* zusammengefaßt. (...)
2.1. Bei einer Translation wird ein Text aus einer Sprache A in eine Sprache Z übertragen (...) „Translation" ist Sondersorte von *Transfer* – vgl. Transfer von Bildern in Musik, Transfer einer Zeichnung in ein Bauwerk, ... Unterscheidendes Merkmal für Translation sei die Verwendung menschlicher Sprache. (...) „Translation" ist damit zugleich Sondersorte von *Reden*. „Rede" ist Sondersorte von *Handeln* (vgl. „Verbales Handeln" :: „aktionales Handeln"); Handeln ist intentionales Sich-Verhalten. – Jedes Handeln verläuft in einer gegebenen Situation, ist Teil der Situation und verändert sie zugleich. Reden ist Teilverbalisierung von Situation und zugleich situationsverändernd. - Entscheidend für Translation ist, daß das Verhältnis „Situation :: verbalisierter Situationsteil" kultur- und damit sprachspezifisch unterschiedlich ist. Damit wird es unmöglich, in der Translation nur den verbalen (sprachlichen) Teil zu berücksichtigen. (...)
3. Eine Translationstheorie umfaßt also einen sprachlichen und – als Oberbegriff - einen kulturellen Teil. Sie ist Subdisziplin der „Interkulturellen Kommunikation" (1978:99f).

Die funktionale Translationstheorie wird im wesentlichen vorgestellt in dem Buch „Grundlegung einer allgemeinen Translationstheorie" (REIß/VERMEER 1984) und in der Fachzeitschrift „TEXTconTEXT"[130]. Hier soll eine Theorie entworfen werden, die sich den Bedingungen wissenschaftlicher Beschreibung (s. Kap. 4.1), wie Objektivität und intersubjektiver Gültigkeit durch Nachvollziehbarkeit, unterwirft. Die Darstellung bewegt sich auf hoher Abstraktionsebene mit einem aufwendigen wissenschaftlichen Formelapparat.

In deutlicher Abgrenzung von der traditionellen linguistischen Übersetzungswissenschaft soll nun ein ganz neuer Ansatz formuliert werden, und „neue Paradigmen benutzen eine neue Terminologie" (REIß/VERMEER 1984:4). Anders als bisher, wo von ausgangs- und ziel*sprachlichem* Text, von Autor, Leser, usw. gesprochen wurde, ist hier vom *Ausgangs-* und *Zieltext* und vom *Zielrezipienten* die Rede. Übrigens hatte auch NIDA schon von „receptor language" anstelle von „target language" gesprochen und seinen Ansatz als „functional" bezeichnet (s. Kap. 6.1), und Translation Studies untersuchen die „Funktion" eines literarischen Textes in der Zielkultur (s. Kap. 9.3).

---

[130] 1986-1995 im Groos-Verlag, ab 1997 im eigenen Textcontext Verlag, Heidelberg.

Analysiert werden soll Translation als Prozeß und dessen Produkt, das Translat, eine Benennungsweise, mit der die Doppeldeutigkeit von „Übersetzung" als Produkt und als Prozeß im Deutschen überwunden wird. Der Handelnde ist der Translator. Die Wissenschaft vom Dolmetschen und Übersetzen heißt Translatologie, die Praxis ist Translatorik. Bei HOLMES (s. Kap. 10.1) würde dies allerdings nur zwei Bereiche der Feldtheorie umfassen.

Ausgangspunkt der Theorie ist die Einsicht, daß Sprache und Kultur interdependent sind, doch wird diese Interdependenz nicht in der engen Sicht WEISGERBERS (s. Kap. 2.3) vertreten. So wird die Translatologie als Unterdisziplin der Angewandten Sprachwissenschaft, Abteilung 'Pragmatik', eingeordnet. Diese bildet einen Teil der Kulturwissenschaft, und „Translatologie (ist) dann als eine Sondersorte kulturbedingter Textologie (Textherstellung)" zu behandeln (REIß/VERMEER 1984:1f).

Wenn jemand an einem bestimmten Ort und zu einer bestimmten Zeit etwas Sinnvolles äußert, so „produziert er einen Text", könnte man sagen. Dadurch tritt man mit einem anderen in Interaktion, im Sprachlichen ist dies eine 'Kommunikation'. Eine Äußerung ist offensichtlich von inneren und äußeren Umständen abhängig, man kann nicht überall X-Beliebiges sagen. Produzent und Rezipient eines Textes gehören als 'Kommunikationspartner' zur 'Situation'. Die 'Situation' ist wiederum eingebettet in den Kontext einer 'Kultur'. Der Begriff basiert auf einer handlungstheoretischen Kulturdefinition nach GÖHRING[131], die weiter ist als bei der literarischen Übersetzung (s. Kap. 9.4):

> Kultur ist all das, was man wissen, beherrschen und empfinden können muß, um beurteilen zu können, wo sich Einheimische in ihren verschiedenen Rollen erwartungskonform oder abweichend verhalten, und um sich selbst in der betreffenden Gesellschaft erwartungskonform verhalten zu können, sofern man dies will und nicht etwa bereit ist, die jeweils aus erwartungswidrigem Verhalten entstehenden Konsequenzen zu tragen (1977:10).

Zur Kultur gehört auch die Sprache. Die Faktoren dieses Kommunikationsmodells enthalten jeweils individuelle und überindividuelle (soziale) Merkmale. Zur Textkonstitution erläutern REIß/VERMEER:

---

[131] Vgl. H. GÖHRING (1977): „Interkulturelle Kommunikation: Die Überwindung der Trennung von Fremdsprachen- und Landeskundeunterricht durch einen integrierten Fremdverhaltensunterricht." In: *Kongreßberichte der 8. Jahrestagung der Gesellschaft für Angewandte Linguistik GAL e.V., vol. IV*, Mainz, S. 9-13. – Er hat diese Definition seinerseits von Ward Goodenough übernommen.

Der Translator geht von einem vorgegebenen, von ihm verstandenen und inter-
pretierten Text aus. Ein Text ist sozusagen ein Informationsangebot an einen
Rezipienten seitens eines Produzenten. (Die Art des Angebots hängt von den
situationellen Umständen ab, wie soeben dargelegt wurde.) Der Translator
formuliert einen Zieltext, der als Text somit ebenfalls ein Informationsangebot
an einen Rezipienten ist. Ein Translat ist somit als Informationsangebot bestimmter Sorte über ein Informationsangebot darstellbar (1984:19).

Diese Translationstheorie will also zunächst einmal die allgemeinen Bedingungen und Regeln angeben, unter denen die „Translationshandlung" abläuft.
Je größer der Abstand zwischen den Kulturen ist, um so mehr wächst auch
der Bedarf nach dem Einsatz einer „neuen" Situation in der Translation. Weil
ein Translat ein „anderer Text" ist, gibt es keine identische Weitergabe von
Information mittels einfacher Transkodierung (s. Kap. 4.2). So gilt nach
(REIß/VERMEER 1984:76):

> Entscheidend für unsere Theorie als einheitlicher Translationstheorie ist, daß
> j e d e s Translat (Übersetzung und Verdolmetschung) unabhängig von seiner
> Funktion und Textsorte als Informationsangebot in einer Zielsprache und deren
> -kultur (IA_Z) über ein Informationsangebot aus einer Ausgangssprache und de-
> ren -kultur (IA_A) gefaßt wird.

$$Trl. = IA_Z(IA_A)$$

12.2 Die Skopostheorie

Die Bedeutung der Handlungstheorie für die Translationstheorie hat noch einen weiteren Effekt. Texte werden zu einem bestimmten Zweck und für jemanden produziert, sie sind „Handlungen". Durch eine solche Handlung tritt
man mit anderen in Interaktion, in Kommunikation. Translation ist
„Sondersorte interaktionalen Handelns".

> Eine Handlung bezweckt die Erreichung eines Zieles und damit die Änderung
> eines bestehenden Zustandes. Die Motivation für eine Handlung besteht darin,
> daß das angestrebte Ziel höher eingeschätzt wird als der bestehende Zustand.
> (...) Eine Translationstheorie als spezielle Handlungstheorie geht von einer Si-
> tuation aus, in der bereits immer schon ein Ausgangstext als „Primärhandlung"
> vorhanden ist; die Frage ist also nicht: ob und wie gehandelt, sondern ob, was
> und wie weitergehandelt (übersetzt/gedolmetscht) werden soll. Unter diesem
> Gesichtspunkt ist eine Translationstheorie also eine k o m p l e x e Handlungs-
> theorie.

Translationsentscheidungen hängen also von einer dominierenden Grundregel ab; ob und was transferiert wird, entscheidet sich an ihr ebenso wie das Wie, die Translationsstrategie (REIß/VERMEER 1984:95).

Und so gilt das Postulat: „Die Dominante aller Translation ist deren Zweck" (ebd.:96). Die Ausdrücke „Zweck", „Ziel", „Funktion", „Skopos" werden synonym verwendet.[132] In diesem Sinne heißt die funktionale Translationstheorie auch „Skopostheorie".

Handeln kann als Reaktion (im weitesten Sinn) auf eine gegebene Situation beschrieben werden. „Eine Handlung ist dann 'geglückt', wenn sie als situationsadäquat (sinnvoll) erklärt werden kann" (REIß/VERMEER 1984:99), und wenn von keiner der betroffenen Parteien ein „Protest" dagegen erfolgt. Dazu gehört auch, daß das Translat in sich kohärent (verständlich) ist.

Weil der Skopos alles regiert, ist es wichtiger, daß ein gegebener Translationszweck erreicht, als daß eine Translation in bestimmter Weise durchgeführt wird. Der Skopos eines Translats kann auch von dem des Ausgangstextes abweichen (Funktionsänderung). Schließlich sollte ein Translat auch Ähnlichkeit mit dem Ausgangstext aufweisen (intertextuelle Kohärenz), doch ist diese Regel den anderen nachgeordnet. Von einem Translat kann nur verlangt werden, daß es möglichst nahe an den Ausgangstext herankommt.

Der Begriff „Äquivalenz" (s. Abschnitt 6) wird hier dynamisch erweitert zur *Textäquivalenz*, die in unterschiedlicher Ausprägung verwirklicht werden kann. Durch Änderungen des Zeitgeschmacks können Übersetzungen auch veralten. „Über Äquivalenz zwischen Ausgangs- und Zieltext kann man demnach immer nur unter Bezugnahme auf die Entstehungsbedingungen, einschließlich z. B. die Entstehungszeit, – also unter Bezugnahme auf die Translations'situation' einer Übersetzung diskutieren" (REIß/VERMEER 1984:141). Die „Zusammenfassung der allgemeinen Translationstheorie" sieht formelhaft dann so aus (vgl. REIß/VERMEER 1984:119):

(1) Ein Translat ist skoposbedingt.
Trl. = f(Sk)
(2) Ein Translat ist ein Informationsangebot in einer Zielkultur und -sprache über ein Informationsangebot in einer Ausgangskultur und -sprache.
Trl. = $IA_Z (IA_A)$

---

[132] Die Definition dessen, was „Skopos" eigentlich meint, ist nicht ganz einfach. REIß/VERMEER bemerken (1984:96): „Wir verwenden die Termini 'Zweck' (auch 'Ziel'), 'Funktion', 'Skopos' vorerst synonym. Vgl. auch 'technischer Sinn' bei Betti (1967); 'praktischer Sinn' (ib. 335); 'focus' (Schenkein 1972, 354f); 'Interaktionsform' (Kallmeyer + Schütze 1976, 12 und 15). Griechisch *skopós* = Zweck, Ziel. 'Funktion' hat auch in der vorliegenden Arbeit zwei Bedeutungen: (1) Funktion = Zweck, Skopos (wie oben); (2) Funktion = regelhafte Abhängigkeit von Größen untereinander (vgl. die Mathematik)."

(3) Ein Translat bildet ein Informationsangebot nichtumkehrbar eindeutig ab.

   Trl. $\underline{c}$ IA_Z x IA_A

(4) Ein Translat muß in sich kohärent sein.

   $N_{Trl.}$ $\underline{k}$ Sit_R

(5) Ein Translat muß mit dem Ausgangstext kohärent sein.

   $N_{Trl.}$ $\underline{fid}$ $N_{Trl.}$ $\underline{fid}$ N_{Rd}

   P_e R_{ipr}

(6) Die angeführten Regeln sind untereinander in der angegebenen Reihenfolge hierarchisch geordnet („verkettet").

Es scheint ein wissenschaftliches Axiom zu sein (s. Kap. 4.1), die eigenen Gedankenschritte in logische Formeln zu fassen, auch wenn dies nicht sehr zur Verständlichkeit beiträgt.

Kommentar

Die Verortung einer allgemeinen Translationstheorie im Bereich der Handlungstheorie stellt einen neuen Ansatz für die Disziplin der Übersetzungsforschung dar. Studien aus dieser Perspektive betrachten insbesondere den funktionalen Rahmen der Translation als schriftliche oder mündliche Sprachmittlung, jedoch nicht deskriptiv, sondern vielmehr produktionsorientiert-präskriptiv. Damit wird deutlich, daß eine rein sprachliche Betrachtung des Übersetzens unzureichend ist.

Lektürehinweise

Margret AMMAN (1990): *Grundlagen der modernen Translationstheorie - Ein Leitfaden für Studierende*. Heidelberg: TH.

Katharina. REIß und Hans J. VERMEER (1984, [2]1991): *Grundlegung einer allgemeinen Translationstheorie*. Tübingen.

Hans J. VERMEER (1978): „Ein Rahmen für eine allgemeine Translationstheorie". In: *Lebende Sprachen 23/1978*, S. 99-102.

Hans J. VERMEER (1996): *A skopos theory of translation (Some arguments for and against)*. Heidelberg.

Der Blick auf das Handeln

13 Die funktionale Translation

Die funktionale Translation stellt sich als interkulturelle Kommunikation dar, wobei der Skopos der Translation entscheidend ist. Praktisch gesehen ist Translation eine professionelle Expertenhandlung im Rahmen eines translatorischen Handlungsgefüges zwischen Initiator, Bedarfsträger und Translator.

13.1 Das Modell der interkulturellen Kommunikation (Reiß/Vermeer)

Die Allgemeine Translationstheorie (s. Kap. 12.1) gibt die Bedingungen und Regeln an, unter denen die „Translationshandlung" abläuft. Um diese allgemeingültig darzustellen, wird ein Modell der interkulturellen Kommunikation mit wissenschaftlicher Akribie beschrieben. Damit wird ein deutlicher Unterschied zum „interlingualen Kommunikationsmodell" der Leipziger Schule (s. Kap. 4.2) angedeutet.

BEISPIEL

Das Modell der interkulturellen Kommunikation wird so beschrieben (vgl. die programmatische Einleitung in *TEXTconTEXT*, Heft 1 (1986:1ff):

Gegeben sei eine Person P als Mitglied einer Gesellschaft G. Das Verhalten von P wird von Umständen bedingt, die zur Zeit und am Ort von P herrschen. Lassen wir allgemein menschliche biologisch-physiologische Bedingungen beiseite, so interessieren uns hier 3 Umstands„mengen":

1) die gesellschaftlichen Umstände (die „Kultur"). (...)

Die gesellschaftlichen Umstände können in sich wieder gegliedert sein: Einige Umstände gelten für die Gesamtgesellschaft („Parakultur"); andere für Teile davon („Diakultur), zum Beispiel P's Berufsstand oder Fußballverein; wieder andere nur für P selbst („Idiokultur").

2) Die äußeren, situationellen Umstände (die „Situation"), das heißt diejenigen Phänomene der Außenwelt, die in gegebenem Zeitpunkt an gegebenem Ort für P relevant werden (können).

---

3) Die innere aktuelle „Disposition", das heißt die individuellen Bedingungen, die die Person P zu einem gegebenen Zeitpunkt in ihrem Verhalten mitbestimmen (...).

Nehmen wir nun an, zu einem gegebenen Zeitpunkt glaube P*, für ein anderes Mitglied seiner Gesellschaft R* (in dessen Kontinuum!) eine „Information" im weitesten Sinn des Wortes zu besitzen (...). P* kann sich entscheiden, wie wir annehmen wollen, dem R* diese Information zukommen zu lassen. Da, wo Entscheidungsfreiheit a n g e n o m m e n wird, sprechen wir von „Handlung". (P*, R* und ein Beobachter B* können für ein Verhalten je verschiedene Annahmen machen!).

Will P* dem R* eine Information zukommen lassen, so wird er damit ein bestimmtes Ziel verfolgen. Man sagt nicht einfach irgend etwas dahin, man gestikuliert nicht ziellos in der Gegend herum, man handelt zielgerichtet.

Bei einer Übermittlung einer Information an R* wird P* sich auf R* einstellen. Er möchte ja, daß seine Information möglichst in dem von ihm angestrebten Sinn optimal ankommt. (...).

Angenommen nun, R* gehöre einer anderen Gesellschaft an als P* und der Unterschied zwischen beiden Gesellschaften und ihren Kulturen sei so groß, daß P* sich nicht kompetent fühle, direkt mit R* zu kommunizieren. (...)

In einem solchen Fall sucht sich P* jemanden, von dem er annimmt, daß der beide Kulturen kenne: P*s eigene (damit P* sein Anliegen verständlich machen kann) und die fremde (damit das Anliegen dem R* verständlich gemacht werden kann). Dieser Jemand ist von Berufs wegen der Translator.

(...) Der Translator entscheidet nun, auf Grund seiner Kenntnis der R-Kultur (und soweit wie möglich von R* überhaupt) darüber, ob, was und wie zu kommunizieren ist, damit die intendierte Information möglichst optimal bei R* ankommen kann. Dies ist unser Verständnis von „Translation".

Für das praktische Übersetzen relevant ist die Bestimmung der Translation als Transfer zwischen Kulturen.

> Den Translator (als Translator) interessieren weder objektive Realität noch Wahrheitswerte. Den Translator interessiert der Wert eines historischen Ereignisses, wie es sich in einem Text manifestiert, bezogen auf die geltende Norm (Kultur) und aktuelle Situation des Textes (und/oder seines Produzenten) u n d die Wertänderung bei einer Translation des Textes in einen Zieltext (REIß/VERMEER 1984:26).

Ein Translator muß also die Ausgangs- und Zielkulturen kennen, er muß „bikulturell" sein. Ein Ereigniswert kann sich interkulturell bei der Translation in seiner Art oder seinem Grad oder beidem ändern. In der Praxis sind die Konventionen und Normen der Zielkultur zu verwenden: „Ein Übersetzer sollte keine Angst haben, schlecht verfaßte Ausgangstexte zur Erfüllung seines gesetzten Ziels neu zu vertexten!" (VERMEER 1986:41) Der Ausgangstext in seiner sprachlichen Form ist 'entthront'. 'Der' Ausgangstext kann also auch nicht Grundlage und Ausgangspunkt für 'die' Übersetzung sein" (ebd.:42).

BEISPIEL

Das Buch von REIß/VERMEER nennt einige eindrückliche Beispiele für kulturelle Unterschiede:

(a)
Eine Koranübersetzung ins Deutsche trifft auf andere Wertvorstellungen über die islamische Religion, vielleicht aber auf eine ähnliche religiöse Grundhaltung. – Deutsche Hundeliebe trifft in Italien auf Hundeverachtung und -ausbeutung, in Indien auf eine ähnliche Haltung zum Tier, aber gänzlich andere Vorstellungen über den „Wert" eines Haustieres. – Menanders Moralvorstellungen treffen im heutigen Mitteleuropa auf andere Haltungen (vgl. REIß/VERMEER 1984:26).

(b)
„[Translation] problems are often as much bicultural as they are bilingual, and bicultural informants [...] are needed to determine when a good translation is not a good adaptation [= kultureller Transfer] into another culture. This is particularly obvious when one tries to translate questionnaire items into a language for whose speakers the cultural substance may be subtly different or even nonexistent. Imagine trying to use a literally translated statement like 'I would not admit a Negro to my social club' with Bantus or a statement like 'I go to church every Sunday' with Moslems or Buddhists!" (Osgood , May , Miron 1975, 17). Die Diktion dieses Zitats ist selbst typisch US-amerikanisch" (REIß/VERMEER 1984:27).

(c)
„An einem Werbestand in Deutschland lagen dicke Reiseprospekte für Wales, Großbritannien, aus. Eine Interessentin schaute sie sich an und fragte dann überrascht: *Are all your booklets in French?* Darauf eine Waliserin entsetzt über die Panne: *Oh, that would be awful, wouldn't it?* (mit emphatischer Stimmhebung und expiratorischem Satzakzent auf *would*).

Nehmen wir an, vorstehende Situationsskizze oder das in ihr Gesagte (die „Rede" darin) sei ins Deutsche zu übersetzen oder zu dolmetschen. Wir behaupten, es gebe für die hic et nunc übliche Praxis zwei Grundtypen solcher Translation (wobei von möglichen Varianten für jeden Typ abgesehen werden kann):

Typ$_1$: *Sind alle Ihre Prospekte auf französisch? Oh, das wäre ja schrecklich, nicht wahr?*
Typ$_2$: *Haben Sie denn nur französische Prospekte? Um Gottes Willen! Das darf doch nicht wahr sein!*
(REIß/VERMEER 1984:29f).

Während CATFORD (s. Kap. 4.4) noch systemlinguistisch nach austausch-
barem „Sprachmaterial" in einer vergleichbaren Situation gesucht hatte, wird
hier eine „Situationskonstanz" überhaupt negiert (REIß/VERMEER 1984:33).
Translation ist vielmehr ein „transkulturelles Handeln" (VERMEER 1986:35).
Ähnlich hatten auch HÖNIG/KUßMAUL (1982) die wichtige Rolle der Situation
hervorgehoben (s. Kap. 8.4). Damit ändert sich aber auch die Übersetzungsfunktion, denn ein Text wird jeweils in anderer Situation rezipiert und interpretiert. Mit anderen Worten:

> Es ist nicht möglich, Translation als Transkodierung tout simple der/einer Be-
> deutung eines Textes zu verstehen. Translation setzt Verstehen eines Textes,
> damit Interpretation des Gegenstandes „Text" in einer Situation voraus. Damit
> ist Translation nicht nur an Bedeutung, sondern an Sinn/Gemeintes also an
> Textsinn-in-Situation, gebunden (REIß/VERMEER 1984:58).

Die Tatsache, daß das Übersetzen wegen der verschiedenen Kulturen nicht
wortgetreu möglich ist, sondern daß eine äquivalente Wiedergabe der Botschaft in der Zielkultur zu Ausdrucksveränderungen führt, war schon früher,
etwa bei NIDA (s. Kap. 6.1) anerkannt worden und wird nunmehr erneut
fruchtbar gemacht.

REIß/VERMEER gehen noch einen Schritt weiter und stellen fest, daß es wegen des kulturellen Abstandes überhaupt keine Situationskonstanz geben kann.
Dann bleibt aber auch die Botschaft nicht unverändert. Der Translator formuliert vielmehr eine neue, „andere" Botschaft für seine Zielrezipienten. So kann
ein Translat tatsächlich nicht mehr sein als ein „Informationsangebot in der
Zielkultur über ein Informationsangebot in der Ausgangskultur":

> Eine Translation ist nicht eine Transkodierung von Wörtern oder Sätzen aus
> einer Sprache in eine andere, sondern eine komplexe Handlung, in der jemand
> unter neuen funktionalen und kulturellen und sprachlichen Bedingungen in ei-
> ner neuen Situation über einen Text (Ausgangssachverhalt) berichtet, indem er
> ihn auch formal möglichst nachahmt (VERMEER 1986:33).

Die Betonung der kulturellen Unterschiede ist vom philosophischen Standpunkt aus richtig. Besonders deutlich wird dies bei sog. „allgemeinen Texten",
wie z.B. Zeitungsartikeln, wie sie aber außer in der Translationsdidaktik, eher
selten übersetzt werden.

Die Translation unterliegt jeweils einem bestimmten Skopos (s. Kap. 12.2),
und so geschieht das Übersetzen nicht ohne funktionalen Bezug. Der Funktionalität wird sogar ein Vorrang eingeräumt, denn was "sinnvoll" in einer gegebenen Situation ist, das bestimmen die konventionell geltenden kulturspezifischen Verhaltensnormen.

13.2 Das Faktorenmodell der Translation (Reiß)

Als Grundlage für die Ermittlung von „Faktoren", die die Konstitution von Texten und damit auch die Herstellung von Textäquivalenz beeinflussen, wird ein „Faktorenmodell für die Translation" entworfen, welches das objektiv gegebene Bedingungsgefüge für einen Übersetzungsprozeß schematisch darstellen soll (vgl. REIß/VERMEER 1984:148). Das Modell findet sich auch in REIß (1986:4)[133] und REIß (1989:81)[134].

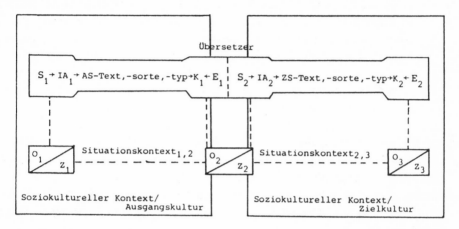

Das Modell wird bei REIß/VERMEER (1984:149-153) ausführlich erläutert. Dies könnten wir wie folgt paraphrasieren:

> Der Übersetzer nimmt als alles entscheidender Faktor die zentrale Stellung im Translationsprozeß ein. Wie alle anderen Faktoren ist er eine variable Größe (translatorische Kompetenz, Verständnis von AS-Text, subjektive Qualitätsvorstellungen, Entscheidung über Übersetzungstyp).
>
> Der Produzent (Sender: S_1) des Ausgangstextes macht mit seinem Text ein Informationsangebot (IA_1) an Ausgangstextrezipienten (Empfänger: E_1). Wird dieser Text rezipiert, so kommt ein Kommunikationsakt (K_1) zustande.Einmal ist hierbei der AS-Text selbst als Textindividuum zu beachten. Dieser repräsentiert aber auch eine Textsorte. Jeder Text ist zudem die mehr oder weniger geglückte Realisierung eines übersetzungsrelevanten Texttyps. Die Entscheidung für den Primat einer der drei Grundformen und ihre eventuelle Hierarchie in einem Text wird die Sprachzeichenwahl für den gesamten Text beeinflussen und den Übersetzer zu unterschiedlichen Übersetzungsstrategien zwingen.

---

[133] Vgl. K. REIß (1986): „Übersetzungstheorien und ihre Relevanz für die Praxis." In: *Lebende Sprachen* 1/1986, 1-5).

[134] Vgl. K. REIß (1989): „Übersetzungstheorie und -praxis der Übersetzungskritik." In: *Übersetzungswissenschaft und Fremdsprachenunterricht. Neue Beiträge zu einem alten Thema.* Hrsg. v. H. G. KÖNIGS. München: Goethe-Institut 1989, S. 71-93.

Die Sprachzeichenwahl für die Konstituierung des Ausgangstexts als Realisation eines Texttyps und einer Textsorte ist eng verknüpft mit dem **Situations-kontext$_{1,2}$**, gekennzeichnet durch eine Vielzahl von Faktoren, aus denen sie hier exemplarisch Ort und Zeit (**O/Z**) der Verbalisierung herausgreifen.

Schließlich ist ein für das Übersetzen ausschlaggebender Faktor der soziokulturelle Kontext eines Ausgangstextes, denn natürliche Sprachen sind von ihrer Kultur geprägt.

Alle diese genannten Faktoren beeinflussen nun auch die Verbalisierung des Informationsangebots (**IA$_2$**) für den Rezipienten des Translats (**E$_2$**) durch den Übersetzer. Der Situationskontext$_{2,3}$ der Translation differiert vom Kontext des Ausgangstextes, und der "Kontext der Translatrezeption von beiden. Die sozio-kulturelle Einbettung des Translats ist eine andere als die des Ausgangstextes. Der Übersetzer, der gleichzeitig Rezipient des Ausgangstextes und Produzent des Zieltextes (**E$_1$** und **S$_2$**) ist, entscheidet, ob er sein Informationsangebot demselben Texttyp und derselben Textsorte zuweisen will/soll/kann, und wählt danach seine Übersetzung.

Die im Übersetzungsmodell festgehaltenen Faktoren: Produzent, Rezipient, Text, Texttyp nach REIß (s. Kap. 7.6), Textsorte, Kontext, Kultur, und ihre Relationen untereinander bilden das relevante „Netzwerk", das die „Herstellung des Zieltextes" determiniert. Leider wird das Verhältnis zwischen dem „Faktorenmodell" und der „Zusammenfassung der allgemeinen Translationstheorie" (s. Kap. 12.1) nicht ganz klar, denn die dort so wichtigen Begriffe wie „Skopos", „Informationsangebot", „Translat", kommen hier nicht mehr vor. So scheint es, daß die beiden Autoren sich auch das Buch in zwei Teile aufgeteilt haben.

13.3 Translation als Expertenhandeln (Holz-Mänttäri)

Wenn der Translator als entscheidender Faktor im Translationsprozeß bezeichnet wird (s. Kap. 13.2), so können seine Einbettung in ein soziales Handlungsgefüge gesondert analysiert und die Bedingungen aufgezeigt werden, unter denen das translatorische Handeln erfolgt. Die Praxis verlangt oft genug vom Translator sehr weitgehende Entscheidungen (bis hin zur Nichtübersetzung, weil der herzustellende Zieltext für den Bedarfsträger irrelevant wäre), doch solche Handlungsentscheidungen sind ja nicht allein der Subjektivität des Translators zu überlassen.

Um diese situative Einbettung in die Theorie miteinzubeziehen, hat Justa HOLZ-MÄNTTÄRI (1984; 1986) das „translatorische Handeln" modellhaft zu fassen versucht. Sie meint, es sollten

Texte als Botschaftsträger in Funktionssituationen betrachtet werden, so daß die zu vollziehende translatorische Produktionshandlung „fallbezogen spezifiziert" werden kann. Auch ein Text kann und muß bei professioneller Herstellung wie jedes Produkt hinsichtlich seines Verwendungszwecks in einer bestimmten Situation beschrieben werden. Spezifikationen sind Teil der Textbestellung und damit Bestandteil des Vertrags zwischen Bedarfsträger und Produzent (HOLZ-MÄNTTÄRI 1986:351f).

Diese „Theorie über translatorisches Handeln als umfassendes Handlungskonzept" (ebd., 352) soll den Faktorenrahmen für „Professionalität" liefern. Der Translator ist „Experte für die Produktion von transkulturellen Botschaftsträgern, die in kommunikativen Handlungen von Bedarfsträgern zur Steuerung von Kooperation eingesetzt werden können" (ebd., 354). Die Expertenhandlung im Rahmen neben- und untergeordneter Handlungen wird in ein Modell gefaßt, wobei die Schritte Zielfindung (Vergleich aktueller/angestrebter Zustand), Handlungsplanung (Vergleich Handlungsplan potentiell^1/potentiell^2 und realisierbar), Handlungsausführung (Supra-Handlung und Sub-Handlungen 1-n) in einzelnen Handlungen der „Botschaftsträgerproduktion" (Melodie, Text, Bild für verschiedene Kulturräume) unterschieden werden (vgl. Modell in 1986:353). Es handelt sich hier also um eine Präzisierung der für die Translation als wichtig genannten Handlungstheorie (s. Kap. 12.1).

HOLZ-MÄNTTÄRI führt aus, daß die Erstellung eines Translats und seine Funktion in allen relevanten Komponenten zwischen den Entscheidungsbefugten abgesprochen werden kann, z. B. zwischen dem Exportleiter, dem Entwicklungsingenieur und dem Translator in einem Unternehmen. Auf diese Weise wird translatorisches Handeln funktionsbezogen beschreibbar und dadurch nachvollziehbar.

Translatorische Entscheidungen beruhen keineswegs nur auf vorgefundenen Strukturen im Ausgangstext, sondern auch auf funktionalen Gruppenentscheidungen. „Solche Handlungsgefüge-in-Situation lassen sich mit dem Systembegriff faktorisieren" (HOLZ-MÄNTTÄRI 1986:354). Leider ist die Verfasserin auf weiten Strecken mehr daran interessiert, die Systemtheorie zu erläutern, als das „translatorische Handlungsgefüge" zu beschreiben.

Wie weit sich dieser Ansatz von der sog. Textebene wegbegibt, zeigt folgendes Zitat:

> Da der neue Ansatz translatorisches Handeln in seiner ganzen Weite umfaßt, lassen sich engere Theorien als Mosaik von Theorien für spezielle Fälle begreifen. (...) Für „translatorisches Handeln" ist es wesentlich, den Gedanken fallen zu lassen, daß Texte oder Teile davon oder gar Sprachen „übersetzt" werden (HOLZ-MÄNTTÄRI 1984:20).

Deshalb reden wir auch nicht vom „Übersetzen", denn der Ausdruck verlangt schon grammatisch nach einer Aussage über das zu Übersetzende, das WAS. Damit ist der Lauf der Gedanken in einer bestimmten (retrospektiven) Weise ausgerichtet. Das aber soll vermieden werden (HOLZ-MÄNTTÄRI 1986:355).

Wie schon bei REIß/VERMEER (s. Kap. 13.1) wird das Handeln im Bezug zur Kommunikation gesehen und hier am Beispiel der Aufforderung zu Kooperation und Arbeitsteilung erläutert. Was eine „Koordinationsstrategie" ist, wird am Beispiel eines Bauernhofs expliziert. Während dort die Mitarbeit beim Holzspalten aufgrund früherer Absprachen fast wortlos erfolgt, benötigt eine Gruppe im Wochenendhaus dazu besondere koordinierende Aufforderungen, weil keine eingefahrene Ordnung den Rahmen der Handlung organisiert. „Der Initiator muß den Sachverhalt verbalisieren. Er muß auch die Koordinations-*strategie* verbalisieren, also z. B. begründen, Sägen sei gut für die Kondition oder man brauche noch Holz für den Kamin" (1986:357). Solche „Strategiemittel" (Beweggründe für das Handeln) sind kulturspezifisch. Also sind auch für die Partner im translatorischen Handeln je verschiedene „Denkräume" anzusetzen. Dies hat Folgen für die Textproduktion:

> Eine solche Theorie über den Produktionsprozeß von Botschaften und Botschaftsträgern läßt, wie gesagt, für Translation keinen Beginn beim „autonomen" Ausgangstext zu. Sollten keinerlei Daten über das Funktionsfeld des Ausgangstexts zu ermitteln sein, dann beeinflußt eben diese Tatsache die Zieltextfunktion und die Handlungen des Translators. (...) Wie weit die durch Ausgangstextanalyse gewonnenen Daten für die Zieltextproduktion relevant sind, hängt vom Zweck der neuen Kooperationssituation ab. Dieser Zweck kann wiederum nur aus den Komponenten (Rollen, Handlungen, Ziel usw.) des neuen Kooperationsrahmens erschlossen werden. Dann lassen sich Funktion und Funktionsfeld des für die neue Kooperation und Kommunikation beim Translator bestellten Textes beschreiben. Mit Kenntnis der Zieltext-Funktion ist es möglich, ein Modell für einen Zieltext zu entwerfen, der in der antizipierten Rezeptionssituation seiner Funktion, seinem Zweck, gerecht werden kann (1986:362).

Obwohl HOLZ-MÄNTTÄRIS Theorie vom translatorischen Handeln – welches die konkreten translatorischen Entscheidungen stärker determiniert als Inhalt und Form des Ausgangstexts – ursprünglich eigenständig entwickelt worden war, sind die Ähnlichkeiten zu der funktionalen Translationstheorie bei REIß/VERMEER (s. Kap. 13.1) nicht zu übersehen. Daher kann jene Theorie „heute mit der in unserem Buch vorgestellten Translationstheorie zu einer umfassenden Theorie vereinigt werden", wie im Anhang der 2. Auflage von REIß/VERMEERS Buch (1984) vermerkt wird.

13.4 Das Konzept der Berufsprofile

Es liegt in der Natur der Sache, daß sich bei HOLZ-MÄNTTÄRI keine Aussagen zum Verhältnis zwischen Texten und Übersetzungen finden. Ihr Hauptinteresse richtet sich auf die Beschreibung von Berufsprofilen, die in der Translatorenausbildung systematisch vermittelt werden sollen. Anders als normale „Kooperierende" hat ja der Translator sein Tun bewußt als zweckgerichtetes Handlungsgefüge zu behandeln. So gesehen ist der Translator nicht situationsintegrierter Kommunikationsteilnehmer oder „-verlängerer", wie es die bekannten zwei- und mehrstufigen Transfer-Modelle postulieren (s. Kap. 4.2), sondern ein Außenstehender, in eigener Situation Handelnder, ein „Botschaftsträgerproduzent für fremden Bedarf" (1986:363). Die professionelle Tätigkeit des Translators in einer Herstellung von Texten bezeichnet HOLZ-MÄNTTÄRI (1993)[135] als „Textdesign". Das Produkt „Designtext" sei verschieden vom Reden und Schreiben in eigener Handlungssituation und für eigenen Bedarf. Und der zu erstellende Text heißt jetzt „Botschaftsträger":

> Wir brauchen den Terminus *Botschaftsträger*, wenn wir auf einer höheren Systemebene allgemein von Texten, Designtexten, von reinen nonverbalen Botschaftsträgern oder auch von Medienmix reden wollen. Der professionelle Texter oder *Textdesigner* hat mit Botschaftsträgern aller Art zu tun. Ein Modell für alle seine Objekte kann daher nicht auf eine Unterart allein zugeschnitten werden; außerdem sind Vergleiche nur innerhalb desselben Rahmens möglich. (...) Kennzeichnend für Textdesign sei, daß der Textdesigner bei der Herstellung von Designtexten kein eigenes Verständigungsziel verfolgt; er entwirft und produziert Designtexte für die Verwendung durch andere in deren Handlungssituation (1993:303).

Seine „Expertenhandlung" umfaßt zwei Bereiche, die schon beschriebene „Bedarfserfassung" oder Produktspezifikation, und zweitens die „Adaptation". Was damit gemeint ist, wird ziemlich kompliziert so beschrieben:

> Wer in Kooperationssituation redet, erfährt unmittelbar, wie der Partner reagiert und kann seinen Text als funktionsgerecht oder korrekturbedürftig einschätzen. Daraus lernt er auch „Regeln" für spätere Handlungen gleicher Art. Oder systemtheoretisch ausgedrückt: Kybernetische Gefüge sind adaptations- und lernfähig. Darauf beruht ihre Existenzfähigkeit. Translatoren fassen wir als solche kybernetischen Gefüge mit Funktionen im Gefüge arbeitsteiliger

---

[135] Vgl. J. HOLZ-MÄNTTÄRI (1993): „Textdesign - verantwortlich und gehirngerecht." In: *Traducere navem. Festschrift für K. Reiß*. Hrsg. v. J. HOLZ-MÄNTTÄRI/C. NORD. Tampere: studia translatologica ser. A vol. 3., S. 301-320.

Sozietäten auf. Auch sie müssen aus dem Fall lernen können, sonst werden sie funktionsunfähig. Nun sind sie aber z. B. als Übersetzer, Kommunikationskonsultant oder auch als Simultandolmetscher in der Kabine gar nicht anwesend, wenn ihr Botschaftsträger in Situation verwendet wird, können also nicht unmittelbar feststellen, ob er „richtig", sprich „funktionsgerecht", war. Sie können diesen zweiten Zweig der Expertendistanz nur im nachhinein durch kognitive, systematische, zweckdienliche Eruierung überbrücken und aus den Ergebnissen ihre Schlüsse ziehen: durch fachgerechte, d. i. translatorische Adaptation. Auch sie gehört zum translatorischen Handeln, ist also z. B. für den Kompetenzenfächer und die Berufsausbildung relevant (1986:363f).

Translatorisches Handeln als Expertenhandlung hat nach HOLZ-MÄNTTÄRI zunächst nichts mit Worten und Sprache zu tun. Sie definiert (1986:366):

> Durch „translatorisches Handeln"
> als Expertenhandlung
> soll ein Botschaftsträger „Text"
> im Verbund mit anderen Botschaftsträgern
> produziert werden,
> ein Botschaftsträger „Text",
> der in antizipierend zu beschreibender Rezeptionssituation
> zwecks kommunikativer Steuerung von Kooperation
> über Kulturbarrieren hinweg
> seine Funktion erfüllt (sic).

Der Translator muß also texten können für fremden Bedarf. „Dabei verarbeitet er zu kommunizierende Sachverhalte und Koordinationsstrategien, sprachliche und andere Kommunikationsmittel als Material und benutzt verschiedenartige Werkzeuge" (1986:367). Außerdem soll er den Bedarfsträger bei der Spezifizierung seines Bedarfs beraten können. All dies führt zu dem Erfordernis, daß in der Ausbildung die Berufsprofile beschrieben werden müssen.

Als Gegenstand des Faches „Translatologie" wird eine Theorienbildung und deren Didaktisierung für die Ausbildung gefordert. Als Perspektive zeichnen sich zwei Berufsfelder ab: (1) Der „Translatologe" als Experte für Forschung und Ausbildung in dem Fach, und (2) der „Translator" als Experte für die Ausführung des Handlungskonzepts Translation. Damit steht die Forderung nach einer entsprechenden Veränderung von Übersetzerstudiengängen im Raum, die auch von SNELL-HORNBY (1988:132), allerdings unter anderer übersetzungstheoretischer Perspektive (s. Kap. 11.1), erhoben wird.

Wie oft bei neu entworfenen Modellen und Theorien bleiben die Verfasser kurzfristig eine praktische Verwirklichung des Konzepts schuldig. So bleibt hier nur der Hinweis für den Übersetzer, daß Forderungen von Auftraggebern (Initiatoren) durchaus nicht als willkürlich abzulehnen, sondern als Teil des translatorischen Handelns in die eigenen Aktivitäten miteinzubeziehen sind.

Kommentar

Die funktionale Translationstheorie hat unter Vertretern der Praxis viel An- klang gefunden, denn diese sind das zweckgebundene Übersetzen gewohnt. So sind viele beispielorientierte Einzelstudien entstanden. Die Funktionalität von Texthandlungen ist freilich bei Gebrauchstexten eher einleuchtend als bei literarischen Texten (s. Kap. 9.4). Dabei wird vielfach auch die neue Termino- logie übernommen. Doch der Wert dieser Ausdrücke ist im Deutschen ein anderer als etwa „translation" im Englischen. Diese wissenschaftlichen Ter- mini sind dem Nichtwissenschaftler nicht immer leicht zu vermitteln.

Die funktionale Translationstheorie oder Skopostheorie ist in der Literatur aber auch nicht ohne Widerspruch geblieben. Sie propagiert ganz dezidiert eine „Entthronung des heiligen Originals", was natürlich all jene auf den Plan ruft, für die eine Bearbeitung, eine zweckbestimmte Umformulierung, eine kulturelle Adaptation, eine Erläuterung von Textinhalten usw. keine „Übersetzung" mehr ist. Sie berufen sich vor allem auf die „Wahrheit des Textes", die man nicht eigenmächtig verändern dürfe. Hier sind die Grenzen gewiß fließend, doch es ist das Verdienst dieser translatologischen Schule, mit pragmatischen Argumenten gezeigt zu haben, daß die möglichst genaue, voll- ständige und gleichförmige Übersetzung aller Strukturen des Ausgangstextes im Sinne einer Transkodierung nicht immer sinnvoll oder überhaupt möglich ist, und zwar aufgrund der außersprachlichen, kulturellen Unterschiede, die der Translator natürlich kennen muß. Allerdings ist im Verlauf der Darstellung kaum einmal vom Translator und dem die Rede, was er tun soll, sondern un- persönlich von den „Faktoren der Translation". Doch daß überhaupt ein Translator genannt wird, ist schon wichtig.

Die Theorie vom translatorischen Handlungsgefüge nimmt die äußere Si- tuation in der Translationspraxis in den Blick, um diese didaktisch aufzuarbei- ten mit dem Ziel, professionelle Berufsprofile über den Aufbau neuer Transla- torenstudiengänge zu entwickeln. So würden Übersetzer befähigt, ihren Auf- traggebern als gleichwertige Experten gegenüberzutreten. Über den konkreten Umgang mit Texten sagt sie nichts aus.

Lektürehinweise

Margret AMMAN (1990): *Grundlagen der modernen Translationstheorie - Ein Leit- faden für Studierende.* Heidelberg.

Justa HOLZ-MÄNTTÄRI (1984): *Translatorisches Handeln. Theorie und Methode.* Helsinki.

Justa HOLZ-MÄNTTÄRI (1986): „Translatorisches Handeln - theoretisch fundierte Berufsprofile." In: M. SNELL-HORNBY (Hrsg.): *Übersetzungswissenschaft - Eine Neuorientierung.* Tübingen, S. 348- 374.

Katharina. REIß/Hans J. VERMEER (1984, ^{2}1991): *Grundlegung einer allgemeinen Translationstheorie*. Tübingen.

Zeitschrift TEXTconTEXT, Heidelberg.

Hans J. VERMEER (1986): „Übersetzen als kultureller Transfer". In: *Übersetzungswissenschaft. Eine Neuorientierung*. Hrsg. v. M. SNELL-HORNBY. Tübingen 1986, S. 30-53.

14 Der didaktische Übersetzungsauftrag

Das translatorische Handeln wird didaktisch in Form eines Übersetzungsauftrags dargestellt. Beim Übersetzen hat der Translator eine doppelte Loyalität zu beachten. Funktionale Übersetzungsprobleme können erläutert werden.

14.1 Die übersetzerische Loyalität (Nord)

Translatorisches Handeln ist bestimmt von den Aufgabenstellungen der Auftraggeber, wie gezeigt wurde. Eine didaktische Anwendung des „Übersetzungsauftrags" und eine Anwendung der Skopostheorie auf Texte wird von Christiane NORD (1991; 1993) vorgenommen. Während KOLLER (1992) (allerdings unter anderer wissenschaftstheoretischer Perspektive, s. Kap. 6.3) noch wiederholt die Forderung aufstellt, die „textbezogene Übersetzungswissenschaft" müsse die Methodik einer übersetzungsrelevanten Textanalyse und Texttypologie erarbeiten (1992:23/126/267), hat NORD einen solchen Versuch vorgelegt.

In Abgrenzung zu der strengen Zweck- und Situationsbindung der Übersetzungen als „Designtexte" bei HOLZ-MÄNTTÄRI (s. Kap. 13.3) betont NORD jedoch eine doppelte Bindung des Translators:

> Translation ist die Produktion eines funktionsgerechten Zieltextes in einer je nach der angestrebten oder geforderten Funktion des Zieltextes (Translatskopos) unterschiedlich spezifizierten Anbindung an einen vorhanden Ausgangstext. Durch die Translation wird eine kommunikative Handlung möglich, die ohne sie aufgrund vorhandener Sprach- und Kulturbarrieren nicht zustandegekommen wäre (NORD 1991:31).

Der Translator ist verpflichtet zur „Loyalität", und zwar sowohl gegenüber dem Zieltextempfänger im Sinne einer funktionsgerechten Übersetzung, als auch gegenüber dem Ausgangsautor, dessen Intention er nicht verfälschen darf.

Der Translator ist demnach bilateral gebunden: an den Ausgangstext und an die Ziel(text)situation, und er trägt Verantwortung sowohl gegenüber dem AT-Sender (oder dem Initiator, sofern dieser Senderfunktion übernimmt) als auch gegenüber dem Zieltextempfänger. Diese Verantwortung bezeichne ich als „Loyalität" – „Loyalität" ist eine ethische Qualität im Zusammenleben von Menschen; die „Treue" einer Übersetzung bezeichnet ein Abbildungsverhältnis zwischen Texten (NORD 1991:342).

Diese Verpflichtung des Translators zur dopppelten Loyalität, nämlich der Funktionsgerechtigkeit und der Treue gegenüber der Autorintention führt NORD auf kulturspezifische Konventionen zurück:

In unserer (heutigen, westlichen) Kultur erwarten wir (als „normale", nicht übersetzungstheoretisch vorgebildete Leserinnen und Leser) etwa, daß eine Übersetzung die Einstellung des Autors „genauso" wiedergibt wie das Original. (...) Es liegt daher in der Verantwortung der Übersetzer, ihre Handlungspartner nicht bewußt zu täuschen, sondern eventuelle Abweichungen vom konventionellen Übersetzungsverständnis offenzulegen und zu begründen (1993:17/18).

Diese Sicht stellt eine gewisse Einschränkung der Skopostheorie dar, für die ja zunächst grundsätzlich jeder Skopos möglich wäre, der sich in der Zielkultur verwirklichen läßt, was zu einer Entthronung des Ausgangstexts führt (s. Kap. 13.1).

Im Sinne des funktionalen Übersetzens geht NORD zunächst von der Prämisse aus, man müsse den Übersetzungsauftrag bestimmen und dann „funktionsgerecht" übersetzen. Dabei ist stets im Sinne der Autorloyalität auch der bearbeitende Umgang mit dem Textmaterial zu bedenken.

Der Translationsvorgang wird in der Regel dadurch in Gang gesetzt, daß jemand, den ich Initiator (1) nenne, sich an einen Translator (TRL) wendet, weil er einen Text in einer Sprache Z (also einen Zieltext, ZT) für einen Rezipienten in der Zielkultur (ZT-R), der er auch selbst sein kann, benötigt. Der Initiator beauftragt den Translator, einen solchen Zieltext auf der Grundlage oder unter Verwendung eines bereits vorhandenen, in der Sprache A (Ausgangssprache) von einem Textproduzenten (AT-P) verfaßten und/oder von einem Textsender (AT-S) für einen bestimmten Rezipienten (AT-R) gesendeten Texts (Ausgangstext, AT) herzustellen (NORD 1989:96).

14.2 Analyse des Übersetzungsauftrags

Die vorgängige Bestimmung eines Übersetzungsauftrags, die in der Praxis durch den „Initiator" erfolgt, wird nun zur Grundlage eines didaktischen Konzepts im Übersetzungsunterricht[136] gemacht :

> Das bedeutet, daß aus Gründen der Ökonomie zumindest im Übersetzungsunterricht die A n a l y s e d e s Ü b e r s e t z u n g s a u f t r a g e s und damit die Bestimmung der Zieltextfunktion v o r der detaillierten A n a l y s e d e s A u s g a n g s t e x t e s liegen sollte, die damit ihrerseits auch wirklich zu einer übersetzungsbezogenen Ausgangstextanalyse wird. Denn bei Kenntnis des Übersetzungsauftrags brauchen nur die Bereiche und Faktoren analysiert zu werden, die durch die Beschreibung der Zieltextfunktion als übersetzungsrelevant markiert sind.

Es ist naheliegend, daß sich aus den Anforderungen, die das Translat für den Initiator erfüllen soll, die „Zieltextvorgaben" bzw. der „Übersetzungsauftrag" herleiten lassen. NORD entwirft ein Zirkelschema des Translationsprozesses (1991:39 und 1989:105). Der „zirkelförmige Ablauf" des gesamten Übersetzungsprozesses enthält in sich weitere rekursive Kreisbewegungen im Kleinen: zwischen AS-Situation und AT bzw. ZS-Situation und ZT, zwischen den einzelnen Analyseschritten und zwischen AT-Analyse und ZT-Synthese.

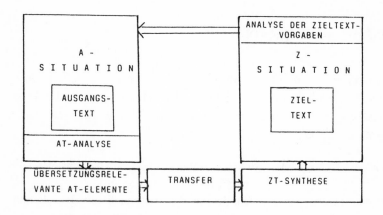

Das Modell ist so zu deuten: Weil die Zielsituation prospektiv am Anfang festliegt, beginnt der Prozeß mit einer Analyse der ZT-Vorgaben. Darauf erfolgt die Ausgangstext-Analyse im Hinblick auf das „Translationsmaterial".

---

[136] Vgl. C. NORD (1986): „'Treue', 'Freiheit', 'Äquivalenz' - oder: Wozu brauchen wir den Übersetzungsauftrag?" In: *TEXTconTEXT* 1/1986, 30-47, S. 37.

(Die relevanten) inhaltlichen oder formalen AT-Elemente werden isoliert und mit Blick auf die Zielsituation in die Zielsprache bzw. -kultur übertragen, so daß ein ZT hergestellt werden kann, der den ZT-Vorgaben entspricht und damit funktionsgerecht ist. Damit schließt sich der Kreis (NORD 1989:105).

„Funktionsgerechtigkeit" erscheint somit quasi als ein Extrakt aus der Ausgangstextanalyse. Es ist eine gewisse Ähnlichkeit zwischen NORDS Schema (AT-Analyse, Transfer, ZT-Synthese) und dem Drei-Schritt-Modell des Übersetzens bei NIDA/TABER (s. Kap. 6.2) festzustellen, ohne daß hier allerdings gesagt wird, was etwa mit 'nicht verwendbarem Material' geschehen soll und wie denn der funktionsgerechte Zieltext hergestellt werden soll.

NORDS Vorhaben der Didaktisierung des von REIß/VERMEER theoretisch entwickelten Faktorenmodells der Translation (s. Kap. 13.2) führt zu einer reichhaltigen Beispieldiskussion. Ausführlich werden Faktoren der Ausgangstextanalyse wie Sender, Empfänger, Medium, Ort, Zeit, Kommunikationsanlaß, Textfunktion sowie textinterne Faktoren der Thematik diskutiert. Die „didaktische Verwendbarkeit des Modells" (NORD 1991:161ff) bezieht sich vor allem auf die Textauswahl und Unterrichtsprogression, die Lernfortschrittskontrolle und Übersetzungskritik. Das Buch ist also weniger ein „Lehrbuch zum Übersetzen" als eines „zur Didaktik des Übersetzens". Wichtiger Ertrag ist eine Systematisierung von immer wieder auftretenden „Übersetzungsproblemen".

14.3 Die Übersetzungsprobleme

Weil die Rezeption von Texten durch die Individuen verschiedenartig ist, möchte NORD „als Korrektiv für eine solche 'Beliebigkeit'" die Rezeption durch „ein strenges Analyseschema" steuern (1991:19). Sie geht dabei von folgender Prämisse aus:

> Durch ein erschöpfendes, textinterne und textexterne Faktoren gleichermaßen berücksichtigendes Analysemodell ist die „Funktion-in-Kultur" eines zu übersetzenden Textes festzustellen. Durch den Vergleich mit der „Funktion-in-Kultur" des benötigten Zieltextes können die für eine Übersetzung des betreffenden Textes zu „bewahrenden" bzw. zu „bearbeitenden" Textelemente isoliert und beschrieben werden (1991:24).

Die tatsächlichen „Übersetzungsverfahren", die im konkreten Vollzug zur Anwendung kommen, sind freilich dieselben wie in der die Oberflächenstrukturen vergleichenden sprachenpaarbezogenen Übersetzungswissenschaft geblieben (s. Kap. 5.2). NORD betrachtet das Übersetzen als eine Tätigkeit, die „Bearbeitung" von Texten grundsätzlich einschließt,

> z. B. die Anpassung von lexikalischen oder syntaktischen Strukturen an System und Norm der Zielsprache mit den Übersetzungsverfahren Modulation und Transposition oder die Anpassung von Textsortenkonventionen an die Normen der Zielkultur durch Paraphrasen oder die Anpassung des Verhältnisses von verbalisierter und nichtverbalisierter Information an das Vorwissen des Zielempfängers durch Expansion bzw. Reduktion (1989:101).

Die Nennung von Übersetzungsverfahren wie Modulation und Transposition aus der Stylistique comparée könnte zu der verzerrten Vorstellung eines Transfers von Sprachstrukturen verführen, jedoch sind hier „Funktionselemente" gemeint. Die Funktionsgerechtigkeit der Übersetzung wird im Sinne eines handlungsorientierten Textbegriffs dadurch erreicht, daß Text und Übersetzung im Rahmen ihrer Situation gesehen werden:

> Danach analysiert der Translator den AT-in-Situation in bezug auf das darin enthaltene Translationsmaterial. Er isoliert die übersetzungsrelevanten AT-Elemente, transferiert sie gemäß dem Skopos in die Z-Kultur und produziert einen ZT, der in der Z-Situation den Zieltextvorgaben entspricht und damit funktionsgerecht ist (NORD [2]1991:39).

Auf diesem Wege können die jeweils didaktisch relevanten „Übersetzungsprobleme" diskutiert werden. Funktionsgerechtes Übersetzen ist auch „kommunikatives Handeln", und so wird hier auch wieder die Lasswell-Formel (s. Kap. 4.2; 4.5) genannt. Anhand von Textbeispielen zeigt NORD, wie der didaktische Übersetzungsauftrag formuliert und der Ausgangstext vor einer funktionsgerechten Übersetzung nach der Lasswell-Formel analysiert wird:

WER übermittelt
WOZU
WEM
über WELCHES MEDIUM
WO
WANN
WARUM
  einen Text
mit WELCHER FUNKTION? –
WORÜBER sagt er
WAS
(WAS NICHT)
in WELCHER REIHENFOLGE

unter Einsatz WELCHER NONVERBALEN MITTEL
in WELCHEN WORTEN
in WAS FÜR SÄTZEN
in WELCHEM TON –
mit WELCHER WIRKUNG? (1989:106),

Genannt werden:

1. Ausgangstextspezifische Übersetzungsprobleme: das sind z. B. individuelle Stil- oder Ausdrucksmittel oder Mittel der inhaltlichen Gestaltung, die nicht verallgemeinerbar sind;

2. Pragmatische Übersetzungsprobleme: sie sind unabhängig vom Kulturpaar vorhanden, beispielsweise der Umgang mit Zitaten, kulturspezifische Anspielungen oder Metaphern, Präsuppositionen (Empfängerbezug), Deixis (Orts- und Zeitbezug), usw.

3. Kulturpaarspezifische Übersetzungsprobleme: dazu gehören Textsortenkonventionen, die in AT und ZT unterschiedlich sein können, wie z. B. Stilkonventionen. „Für eine instrumentelle Übersetzung müßte der ZT den entsprechenden Konventionen der Zielkultur angepaßt werden; für eine dokumentarische Übersetzung dagegen könnten die Merkmale des AT 'abgebildet' werden" (NORD 1989:115). Der Vergleich kulturspezifischer Normen bei Titeln und Überschriften (Inhalt, Aufbau, nonverbale Elemente, Syntax) in vier europäischen Sprachen als Paradigma für das funktionale Übersetzen wird in NORD (1993) aufgezeigt.

4. Sprachenpaarspezifische Übersetzungsprobleme: sie betreffen die textinternen Faktoren Lexis, Syntax und suprasegmentale Merkmale, wie Eigennamen, Konnotationen, Wortbildung, Attribuierung, Fokussierung usw. Ähnliches war auch schon bei HÖNIG/KUßMAUL (1982) angesprochen worden (s. Kap. 8.4).

In der praktischen Durchführung wird jeweils, ausgehend vom zu übersetzenden Einzeltext, gefragt, wo hier die spezifischen Probleme liegen und wie sie zu lösen wären. Als „schwierig" ist ein Text dann zu bezeichnen, wenn er besonders viel Recherchetätigkeit verlangt. Da es sich hier um ein sehr praktikables Modell der Übersetzungsdidaktik handelt, nennt NORD abschließend noch einmal die notwendigen Voraussetzungen:

1) Übersetzen kann man erst lernen, wenn die Sprachkompetenz ein angemessenes Niveau erreicht hat. (...)

2) Die Sachkompetenz des Übersetzers muß für das Verständnis und die übersetzungsrelevante Analyse des AT (einschließlich der Präsuppositionen ausreichen.

3) Die Recherchierkompetenz muß voll ausgebildet sein.

4) Die Übersetzungskompetenz muß systematisch aufgebaut werden.
   a) Als „Vorübungen" empfehlen sich Textanalyseübungen (...).

b) Eine Übersetzungsaufgabe darf nicht zu viele und nicht zu komplexe Übersetzungsprobleme enthalten. Der Lerner sollte jeweils einen Teil der Übersetzungsprobleme bereits beherrschen.

c) Für die Lernerfolgskontrolle ist auch im Übersetzungsunterricht wichtig, die Aufgabe so zu stellen, daß sie von einem Lerner der entsprechenden Gruppe zu 100 % gelöst werden kann (z. B. durch selektive Bewertung) (NORD 1989:117f).

BEISPIEL

In einer *Einführung in das funktionale Übersetzen* hat NORD (1993) die Problematik am Beispiel von Titeln und Überschriften dargestellt und pragmatische, kulturpaarspezifische sowie sprachenpaarspezifische Probleme der Titelübersetzung an einem Korpus beleuchtet. Abschließend finden sich einige Thesen zur Titelübersetzung als Paradigma funktionaler Translation (1993:280ff):

1. Titel sind typische Texte. Ein Titel kann als Realisierung einer kommunikativen Handlung-in-Situation beschrieben werden, deren sprachliche Strukturen von den Bedingungen der Kommunikationssituation abhängig sind.

2. Titel sind komplexe Funktionsgefüge. Neben der Darstellungs-, Ausdrucks- und Appellfunktion finden sich bei Titeln auch die phatische Funktion (zur Stiftung, Aufrechterhaltung Bekräftigung und Beendigung des Kontakts zwischen Sender und Empfänger, insbesondere als Zwischenüberschrift) sowie die Funktion von Metatexten (Buchtitel wie „Roman", „Legende", „fairy tale" etc.) und Eigennamen.

3. Titel sind einfach strukturiert. Neben drei bis vier Titeltypen lassen sich sechs Titelformen (nominale, satzförmige, adverbiale, verbale, adjektivische, interjektionsförmige Titel) mit überschaubaren mikrostrukturellen Varianten unterscheiden. So ist Polyfunktionalität nicht ungewöhnlich.

4. Titel bilden eine Textsorte. Sie haben gemeinsame Funktionen in einer vergleichbaren Kommunikationssituation, und eine Verletzung der Konvention erzielt beim Empfänger eine besondere Wirkung.

5. Titel haben konventionelle und individuelle Merkmale. Da Titel anderer Kulturen nicht die gleichen Merkmale aufweisen, ist die Bewußtmachung intuitiven Wissens hier als Grundlage des Übersetzens unumgänglich.

6. Titel sind Teil des kulturspezifischen Textkorpus. Besonders Buchtitel sind sozusagen öffentliches Allgemeingut. Zu solchen Texten gehören Dichterworte, aber auch Werbeslogans, Sprichwörter, textsortentypische Formeln, und sie repräsentieren das Bildungswissen ihrer Zeit. Oft werden andere bekannte Texte zitiert (Intertextualität).

7. Titel sind übersetzbar. Theoretisch kann jeder Text als Ausgangstext für eine Übersetzung dienen. Das Korpus zeigt, daß ein beträchtlicher Teil des in einer Kultur vorhandenen Titelvorkommens aus übersetzten Titeln besteht.

216

8. Am Anfang steht der Übersetzungsauftrag. Wenn Titel in der Praxis übersetzt werden, muß jemand diese Übersetzung veranlaßt haben. Der wichtigste Aspekt ist hier der Zweck der mit der Übersetzung erreicht werden soll. Daher ist eine genaue Kenntnis der Zielsituation für den übersetzten Titel erforderlich.

9. Die Funktionsanalyse des Ausgangstitels liefert das „Material" für die Übersetzung. Die Polyfunktionalität der Elemente läßt es geraten erscheinen, bei der Analyse von den Funktionen und nicht von den Elementen auszugehen. Man sollte fragen, durch welche Elemente eine bestimmte kommunikative Funktion realisiert ist, und nicht welche Funktion ein bestimmtes Element realisiert. (Funktionselemente können sprachlich oder formal markiert sein, z. B. rhetorische Stilfiguren oder Mittel der Interpunktion – Appellfunktion –, sie können auch semantisch wirksam sein, z. B. wertende Adjektive – Ausdrucksfunktion, oder pragmatisch determiniert sein, z. B. Realienbezeichnungen, die nur aus der Sicht einer anderen Kultur exotisch wirken.

10. Die Übersetzungsstrategie ergibt sich aus dem Vergleich von Ausgangstextanalyse und Übersetzungsauftrag. Aus dem Material, das der Ausgangstext liefert, wird nach Maßgabe des Übersetzungsauftrags der geforderte Zieltext hergestellt, wobei die loyalitätspflichtigen Funktionselemente auf jeden Fall, die anderen im Rahmen ihrer Zweckdienlichkeit zu verwenden sind.

11. Übersetzen ist immer auch Bearbeiten. Loyalität gegenüber den Intentionen des Senders und den Erwartungen des Empfängers, und Funktionsgerechtigkeit in einer neuen, von anderen Koordinaten bestimmten Kommunikationssituation, macht ein gewisses Maß von Bearbeitung oft unumgänglich.

12. Die Qualität einer Übersetzung bemißt sich an ihrer Funktionsgerechtigkeit und Loyalität. Der Auftraggeber befindet über die Akzeptanz der Übersetzung.

13. Die Titelübersetzung verdeutlicht die Skoposabhängigkeit des Übersetzungsvorgangs. Beispiele zeigen, daß es für einen Titel nicht nur eine mögliche Übersetzung gibt, sondern daß eine spezielle Zielsituation je nach Adressatenkreis, Medium, Funktion usw. unterschiedliche Übersetzungen verlangen kann.

14. Die Titelübersetzung verdeutlicht die Rolle des Empfängerbezugs. Horizont und Perspektive des Zielempfängers entscheiden über die phatische Wirkung eines Titels. Zu den Bedingungen der Appellrealisierung gehört nach dem kulturspezifischen Wissen, dem Sprachwissen, den konventionsbedingten Erwartungen oder der Literaturkenntnis auch die Ansprechbarkeit durch poetisch-rhetorische Stilmittel.

15. Die Titelübersetzung verdeutlicht die Rolle der Konvention. Die Nichtbefolgung von Textsortenkonventionen birgt die Gefahr unerwünschter Textwirkung.

16. Die Titelübersetzung verdeutlicht den Wert der Ausgangstextanalyse. Eine Neuformulierung des Titels ist nur dann legitim, wenn sie die einzige Möglichkeit darstellt, die Loyalität gegenüber dem Autor mit der Funktionsgerechtigkeit in der Zielkultur zu vereinbaren.

17. Die Titelübersetzung verdeutlicht die Hierarchie der Übersetzungseinheiten. Einheiten sind: Text als ganzes, Funktionseinheiten in Syntax und Lexik, konkrete sprachliche Elemente als solche. Sprachenpaarspezifische Übersetzungsprobleme auf der untersten Ebene kommen erst dann zum Tragen, wenn die übergeordneten Kategorien einer strukturanalogen oder wörtlichen Übersetzung des Titels nicht im Wege stehen.

Kommentar

NORDS ausführliche Darstellung des Umgangs mit Textelementen-in-Funktion stellt mit der Forderung der Loyalität eine gewisse Einschränkung der funktionalen Translationstheorie dar, auf die sie sich aber ausdrücklich beruft. Dort wird der Kohärenz zwischen Ziel- und Ausgangstext ein geringerer Stellenwert beigemessen.

Abgesehen davon, daß der für Praktiker selbstverständliche Umgang mit Auftraggebern hier in der Theorie berücksichtigt wird, findet man recht wenig konkrete Anweisungen für das praktische Übersetzen. Obwohl die dem Ganzen zugrundeliegende funktionale Translationstheorie eine entsprechende Perspektivenänderung zulassen, wenn nicht gar aufdrängen würde, finden sich keine zielsprachlich begründeten Aussagen darüber, warum denn nun eine bestimmte Übersetzungslösung eher „funktionsgerecht" sei als eine andere, es heißt immer nur, „daß" man funktionsgerecht übersetzen müsse.

Lektürehinweise

Christiane NORD (1991): *Textanalyse und Übersetzen*. Heidelberg.
Christiane NORD (1993): *Einführung in das funktionale Übersetzen. Am Beispiel von Titeln und Überschriften*. Tübingen.

Der Blick auf den Übersetzer

15 Übersetzen als Deverbalisieren

> Die französische Übersetzungswissenschaft betont den kommu-
> nikativen Charakter des Übersetzens. Nach dem Modell des
> Dolmetschens soll der Übersetzer einen verstandenen Sinn idio-
> matisch angemessen wiedergeben, unabhängig von den Sprach-
> strukturen im Ausgangstext.

15.1 Die Pariser Schule (Seleskovitch, Lederer)

Nachdem die verschiedenen Faktoren des Übersetzungsprozesses analysiert
wurden (s. Kap. 13.2), kann auch gefragt werden, wie denn Übersetzer eigentlich mit den Texten umgehen, wie sie denken, worauf sie zu achten haben.
Eine solche Fragestellung begibt sich wieder ganz auf das Feld der angewandten Übersetzungswissenschaft, wenn man die Disziplin in verschiedene Ar-
beitsbereiche einteilt (s. Kap. 10.1.). Die am Pariser Institut für Dolmetscher
und Übersetzer (E.S.I.T.) von Danica SELESKOVITCH begründete und von
Marianne LEDERER weitergeführte Lehrrichtung hat in diesem Sinn die
„théorie interprétative de la traduction" entwickelt. Die schon in den 70er Jahren entwickelten Vorstellungen sind später nicht wesentlich verändert worden.
In einem Sammelband von SELESKOVITCH/LEDERER (1984): *Interpréter pour
traduire* mit Aufsätzen ab 1973 sowie einem Lehrbuch von LEDERER (1994)
mit dem etwas irreführenden Titel *La traduction aujourd'hui* ist diese Auffassung zugänglich.

Die *théorie interprétative de la traduction* kommt von der Beobachtung
und Analyse des Dolmetschvorgangs her. Jede Kommunikation erfolgt aus
einer Mitteilungsabsicht heraus, und beim Übersetzen geht es daher mehr um
Verstehen und Ausdruck als um Sprachvergleich. In deutlicher Abgrenzung
vom Transkodieren (s. Kap. 4.2) und von der Stylistique comparée (s. Kap.
5.1), die wohl zu sehr die Sprachstrukturen betrachtet, wird das Übersetzen
als eine natürliche zielsprachliche Wiedergabe des vom Autor gemeinten Sinns
definiert:

Quelques dizaines de termes seulement devront être transcodés; le gros du texte, la masse des arguments, des faits et des idées qu'il contient devra être interprété. (...) On ne réexprime pas des idées comme on traduit des langues. Pour fournir des équivalences aux textes, il faut une opération interprétative que se concentre sur les idées exprimées par les énoncés plutôt que sur les énoncés eux-mêmes. (...) (Il faut traduire) en articulant naturellement dans sa langue le sens voulu par l'auteur (SELESKOVITCH/LEDERER 1984:8f).

Der Dolmetschvorgang besteht im Prinzip darin, daß eine Aussage spontan verstanden und vom Dolmetscher dann in der anderen Sprache für die angesprochenen Hörer wieder zum Ausdruck gebracht wird. Genauso sollte auch das Übersetzen ablaufen. Modellhaft wird dieser Übersetzungsprozeß dreiphasig dargestellt: Verstehen – Deverbalisierung – zielsprachliche Wiedergabe.

Jeder Text besteht aus einem Minimum expliziter Sprachelemente, hinter denen sich Implizites verbirgt. Den Sinn übersetzen heißt dieses Implizite übersetzen. Den sprachlichen Ausdruck als expliziten Teil des Sinns versteht LEDERER als „synecdoque" (1994:216), d. h. ein Merkmal zur Bezeichnung eines Ganzen, als „pars pro toto". Als „Sinneinheiten" werden Satzteile definiert, die durch den Augenblick des Verstehens begrenzt sind (SELESKOVITCH/LEDERER 1984:39)[137], und sie sind mehr als einzelne Wörter mit ihrer Bedeutung, stellen aber noch nicht die ganze Kommunikation dar. An Satzbeispielen zeigen die Autorinnen, wie die weitgespannte, vage Bedeutung von Wörtern (s. Kap.3.3) und ihre Mehrdeutigkeit, die linguistisch eine Übersetzungsschwierigkeit darstellt, durch die Betrachtung des Kontextes aus Situation und umgebender Textpassage aufgehoben wird. Dann ist ein entsprechender Satz verständlich und kann auch übersetzt werden (SELESKOVITCH/LEDERER 1984:16). Zum Unterschied eines Satzes als Element der Sprache und als Äußerung vergleiche man im übrigen auch HÖNIG/KUßMAUL (1984) (s. Kap. 8.4).

Polysémie et ambiguïté sont caractéristiques de tout assemblage de mots hors contexte, elles disparaissent lorsque la phrase est placée dans le fil de son discours. Seule l'intention de communiquer qui construit la parole libère les mots de la polysémie, les phrases de leur ambiguïté et les charge de sens. (...) Le sens s'appuie sur les significations linguistiques mais il ne s'y limite pas et c'est l'ensemble du texte au fur et à mesure qu'il se déroule à la lecture qui permettra de comprendre le vouloir dire de l'auteur (SELESKOVITCH/LEDERER 1984:17).

---

[137] Dies wird an dem sprachenpaarspezifischen Phänomen illustriert, daß ein französischer Dolmetscher das im Deutschen am Ende auftretende Verb vorziehen und praktisch aufgrund seines Verstehens „erraten" muß und kann.

BEISPIEL

Wie sich eine Wortbedeutung erst im Rahmen des Kontextes erschließt, wird am folgenden Satz aufgezeigt:

C'est une épreuve redoutable que de présenter, tout nu, son enfant au public.

Die Bedeutung dieses isolierten Satzes ist nicht klar. Verständlich und damit eindeutig übersetzbar wird er erst, wenn man den Textabschnitt betrachtet, der dem Satz vorangeht (vgl. *Le Monde 1.8.1973*):

Les résultats de la recherche ne peuvent être socialement utilisés que dans la mesure où ils sont extraits de leur gangue théorique, méthodologique, ou empirique. Pour le corps social dans son ensemble, une recherche ne présente d'intérêt que si les phénomènes, les situations, les transformations économiques et sociaux étudiées, sont mis en lumière par un discours scientifique intelligible... tout cela exige de la part des chercheurs une grande maturité. C'est une épreuve redoutable que de présenter, tout nu, son enfant au public.

Nach der Lektüre des Abschnittes ist klar, was mit dem „Kind" gemeint ist (vgl. Seleskovitch/Lederer 1984:15-17).

Für das Verstehen konstitutiv ist neben dem Sprachwissen aber nicht nur die Redesituation und der sprachliche Kontext, sondern auch ein notwendiges Hintergrundwissen über den angesprochenen Gegenstand, das Fachgebiet.[138] Als Grundpfeiler des Übersetzens werden „la connaissance de la langue originale et la connaissance du sujet traité" genannt (SELESKOVITCH/LEDERER 1984:36). Der Sinn ergibt sich als kognitive Reaktion aus dem Zusammentreffen der sprachlichen Form auf der Textebene mit dem schon vorhandenen Wissen des Lesers/Hörers.

Unter Hinweis auf den Einwand, daß es ja nicht immer gelingt, genau das zu sagen, was man wollte, wird festgestellt, daß der Redner seine Mitteilung auf das Wissen seiner Adressaten abstellen und sich entsprechend mehr oder weniger explizit ausdrücken muß. Da die Wissensbasis der Leser verschieden ist, werden auch die Ergebnisse ihrer Verknüpfung unterschiedlich sein. Jedes Verstehen ist subjektiv und der Sinn nur eine Annäherung an das Gemeinte. Daher sind mehrere Übersetzungen niemals identisch, auch wenn der verstandene Sinn durchaus derselbe ist. Meistens gelingt das Verstehen in der All-

---

[138] Vgl. SELESKOVITCH/LEDERER (1984:19): Prenons la phrase suivante: «On nomme *substitution* une application de l'ensemble E sur lui-même, c'est-à-dire la transformation d'une permutation de ses quatre éléments en une autre permutation». On conçoit que, n'ayant pas fait de mathématiques modernes je ne comprenne pas cette phrase, c'est-à-dire que je n'en saisisse par le sens. Que puis-je dire après l'avoir lue et relue?

tagskommunikation mühelos, doch bei einem Zeit- oder Kulturabstand können sich mehrere Sinnvarianten anbieten. Hier verweisen SELESKOVITCH/LEDERER den Übersetzer wieder auf die Treue zur Mitteilungsabsicht des Autors, ohne allerdings klare Kriterien zu nennen:

> Parmi ces sens dont on ne saurait contester la prétention à exister, parmi tous ces possibles, ce qui importe à la traduction c'est la fidélité au vouloir dire de l'auteur, c'est le refus de laisser s'y substituer ce que l'insuffisance des connaissances ou l'inflexion voulue par tel ou tel intérêt pourrait attribuer au dire. La méthode du traducteur veut qu'il écarte à la fois les interprétations trop faciles et celles qui seraient manifestement tendancieuses (...). C'est dire que la gamme des interprétations possibles diminue dès que la phrase est replacée dans son contexte (et cela peut être un livre entier) car en général le vouloir dire n'est pas équivoque et cherche à se manifester de façon à se faire comprendre (SELESKOVITCH/LEDERER 1984:23/24).

Dies ist eine Argumentation, die von Vertretern der Dekonstruktion (s. Kap. 2.6) gewiß massiv angezweifelt würde. Zweifel an der Richtigkeit der Interpretation gibt es kaum, denn das Verstehen erfüllt sich wie in der normalen Kommunikation auch, wenn ein Redner etwas mitteilt und von den Hörern genauso verstanden wird, wie er es gemeint hat. Situation und aktueller Kontext wirken hier klärend mit. Eine linguistische Analyse wird sogar als hinderlich angesehen für ein angemessenes Verstehen in „Treue zum Autor" (SELESKOVITCH/LEDERER 1984:35; LEDERER 1994:51).

15.2 Die Deverbalisierung

Dreh- und Angelpunkt dieses Modells ist die „Deverbalisierung" (déverbalisation). Der Übersetzer muß sich vom Wortlaut lösen und den Sinn übertragen, wie dies beim Dolmetschen einsichtig ist. Der Dolmetscher kann sich ja nicht an schriftliche Vorlagen halten, er übersetzt den Sinn. Dies wird durch seine „mémoire cognitive" (LEDERER 1994:23) ermöglicht: er merkt sich nicht Wörter, sondern Sinneinheiten. Diesen Sinn erfaßt man nicht in zwei Etappen (1. Verstehen der Sprache des Textes, 2. Herleitung des Sinns), sondern die Sinnerfassung ist „immédiate" (LEDERER 1994:25), und gleichzeitig fallen dem Dolmetscher dazu spontan die passenden zielsprachlichen Formulierungen ein:

> La déverbalisation est le stade que connaît le processus de la traduction entre la compréhension d'un texte et sa réexpression dans une autre langue. Il s'agit d'un affranchissement des signes linguistiques concomitant à la saisie d'un sens cognitif et affectif (LEDERER 1994:213).

Wichtig ist die Trennung von Sprache und Denken. Es kommt nicht auf die einzelnen Wörter an, sondern auf das, was der Redner gemeint hat. Immer wieder wird auf die Unterscheidung zwischen *langue* und *parole* (s. Kap. 3.2) hingewiesen, denn Übersetzungen erfolgen nicht auf der Ebene des Sprachsystems, sondern der Rede.

Der Übersetzungsprozeß, der beim Dolmetschen quasi automatisch, eben „simultan" und damit im Sinnerfassen und Wiedergeben spontan abläuft, wird nun auf das schriftliche Übersetzen übertragen. Auch der Übersetzer darf sich nicht von einzelnen Textstrukturen binden lassen, sonst verliert er den Gedankenfluß. Der Ausdruck sollte spontan aus dem Gedanken fließen, sonst wird dieser nicht wirklich in seiner Tiefe wiedergegeben und statt dessen „wortgetreu" irgend etwas ausgesagt. Erwähnt wird die praktische Erfahrung beim Übersetzen mit hoher Geschwindigkeit. Sobald man an einem Wort hängenbleibt, ist auch der Formulierungsstrom unterbrochen. Interessanterweise wird hier die in der Praxis erforderliche Schnelligkeit des Übersetzens ganz anders definiert als etwa bei WILSS' „Übersetzungsfertigkeit" (s. Kap. 4.6).

Die in den Sprachzeichen wirksamen Merkmale sind von Sprache zu Sprache verschieden. Dieser mangelnde Isomorphismus von expliziter 'synecdoque' und implizitem Referenten stellt die Problematik des Übersetzens dar. Unterschieden wird dabei zwischen der langue-orientierten Übersetzung in „correspondances" als kontrastiven Wortentsprechungen (s. Kap. 4.3) und der Sinnübertragung in „équivalences" als angemessenen Formulierungen für eine Sinneinheit. Diese Betonung des Sinns der Mitteilung in natürlicher Ausdrucksweise findet sich auch schon bei NIDA (s. Kap. 6.1). Der Übersetzer soll sich fragen, wie ein bestimmter Gedanke denn normalerweise in der Zielsprache ausgedrückt wird (SELESKOVITCH/LEDERER 1984:24). Entscheidend ist der Aspekt des Verständlichmachens.

> L'opération traduisante se scinde par définition en deux parties, celle de l'appréhension du sens, et celle de son expression. Dans cette deuxième phase le traducteur s'exprime, il parle comme l'auteur avant lui et comme tous ceux qui s'expriment dans leur langue. Mais *s'exprimer* ne veut pas toujours dire *se faire comprendre*. Traduire honnêtement, traduire fidèlement par contre c'est chercher à se faire comprendre, et se faire comprendre suppose trouver l'expression juste (SELESKOVITCH/LEDERER 1994:31).

Dies gelingt, wenn die Übersetzung den Normen der Zielsprache entspricht, nicht fremdartig wirkt:

> Faire comprendre le sens d'un énoncé dans une autre langue c'est le réexprimer dans des formes qui seront d'autant plus claires qu'elles auront été trouvées dans le refus conscient de la transposition verbale (ebd.: 1984:34).

BEISPIEL

Die **Synekdoche** zeigt sich in den Sprachen unterschiedlich, wenn nämlich verschiedene Aspekte in einem Wort hervorgehoben werden: «Ainsi (F) *'tiroir'* désigne l'objet tiré, (D) *'Schublade'* l'objet poussé.»

La synedcoque se manifeste également dans le discours. Exemple tiré de *Cannery Row:"The ties were pulled down a little"* - *«Ils avaient défait leur cravate»*. Dans l'image totale de noeuds défaits et de cravates tirées vers le bas la traduction française désigne la cause, l'anglais le résultat (LEDERER 1994:216). Diesen Perspektivenwechsel unterstrich freilich schon die kontrastive Stilistik im Bereich der Modulation (s. Kap. 5.2).

Ein anderes **Beispiel:**
E: *One morning in June 1976, three Americans sat in the Lowndes Hotel, Knightsbridge, discussing a problem. One of the three was due to travel to Libya later the day on a visit which could possibly drum up more business for their company.*

F: *Un matin de juin 1976, trois Américains étaient installés à l'hôtel Lowndes à Londres et discutaient ferme. L'un d'entre eux devait se rendre le jour même en Libye dans l'espoir d'y décrocher de nouveaux contrats pour leur société.*
(vgl. SELESKOVITCH/LEDERER 1984:126).

Der Sinn sollte also in der Übersetzung ohne formalen Bezug zur Vorlage deutlich werden. Dies findet **didaktische Anwendung:** Untersucht wird ein Satz aus der französischen Pléiade-Ausgabe des „Julius Cäsar" von Shakespeare, nämlich aus der Rede des Antonius (2. Akt, 2. Szene), wo er unter anderem sagt:

„I speak not to disprove what Brutus spoke.", was ins Französische übersetzt wurde mit *„Je ne parle pas pour désapprouver ce que disait Brutus."*

Der phonetische Übergang von „disprove" zu „désapprouver" wird als „codeswitching" kritisiert. Um solches zu vermeiden wird empfohlen, daß sich die Studierenden/Übersetzer einmal die Situation im Kontext der Intrige vor Augen halten: Brutus und seine Freunde haben soeben Cäsar umgebracht, Antonius redet nach Brutus zur Menge, neben dem blutigen Leichnam Cäsars; er wird sie gegen die Mörder aufhetzen...
Wenn man nun fragt, wie man denn „to disprove" auf Französisch sagen könnte, dann kommen Ausdrücke wie *qualifier de mensonger, démentir, infirmer, démontrer que ses propos sont fallacieux, apporter la preuve contraire, refuter, prendre le contrepied, s'élever contre...*

Hierzu wird angemerkt: «Pour qu'une expression soit intelligible, il faut que la langue que l'on traduit se fasse sens et que celui-ci à son tour s'exprime en dehors de toute référence formelle à la langue originale. Il ne suffit pas de comprendre pour se faire comprendre, il faut délibérément s'exprimer en dehors de toute ressemblance de forme» (SELESKOVITCH/LEDERER 1984:33).

Mit der Forderung nach natürlicher, spontaner Ausdrucksweise wird im Grunde, zwar unter anderem Blickwinkel, Ähnliches gefordert wie in der funktionalen Translationstheorie (s. Kap. 13.1).[139]

> La traduction fonctionnelle, celle qui n'est pas exploration de la langue étrangère mais transmission d'un message, est elle aussi discours, et marquée par les caractéristiques du discours. Pour transmettre les idées, elle ne peut se contenter de transposer la marque elliptique qui les fait comprendre dans la langue première. (...) La clarté du message qu'elle transmet dépend de l'adéquation de la parole nouvelle à la logique de composition des énoncés dans la langue seconde (SELESKOVITCH/LEDERER 1984:68).

Die strikte Forderung nach Deverbalisierung, nach einem sich Lösen von den ausgangssprachlichen Strukturen, beruht auf der Geltung des „Génie de la langue" (LEDERER 1994:61), des eigenen Wesens der Einzelsprache (s. Kap. 2.1). Dem kann eigentlich nur der Muttersprachler gerecht werden (LEDERER 1994:147).

> Plus souvent que les incorrections, infractions aux règles normatives de la langue, ce sont les violations du génie de la langue, de ce qui semble être une logique intrinsèque et conforme à des règles supérieures de l'esprit, qui rendent obscure la formulation dans une langue donnée (SELESKOVITCH/LEDERER 1984:42).

BEISPIEL

Nachstehende französische Übersetzung aus dem Deutschen ist syntaktisch verquer und kaum verständlich (vgl. SELESKOVITCH/LEDERER 1984:42; 63):

Un rôle décisif dans ce changement d'optique a joué la critique de civilisation exercée par les intellectuels et qui, avant d'être prise au sérieux, était passé inaperçue, puis était devenue l'objet de moquerie. En effet elle avait suscité un sentiment d'inconfort...

Nachvollziehbar wird sie erst, nachdem man den deutschen Originaltext gelesen hat (Robert Jungk, *Der Jahrtausendmensch*, G. Bertelsmann: München, 1973, S. 33):

Eine entscheidende Rolle in diesem Wandlungsvorgang spielte die zunächst unbeachtete, später verspottete Zivilisationskritik der Intellektuellen. Sie weckte das Unbehagen..

---

[139] Erkenntnisse der funktionalen Translationstheorie werden freilich nirgends erwähnt, auch nicht bei LEDERER (1994). Andererseits hat auch jene Theorie die Pariser Schule völlig ignoriert.

Eine unnatürliche, fremdartige Formulierung würde nicht nur Verständlichkeitsprobleme schaffen, sondern auch den Gedanken als solchen verfälschen (SELESKOVITCH/LEDERER 1984:85). Dies ist eine ganz andere Sicht aufs Übersetzen, als etwa bei Vertretern der Descriptive Translation Studies DTS (s. Kap. 10.2.), wo gerade die Beeinflussung der Zielsprache durch Fremdes aus der Ausgangssprache untersucht wird.

15.3 Ein sprachphilosophischer Ansatz (Ladmiral)

Die jahrhundertealte Dichotomie zwischen „Treue" und „Freiheit" im Übersetzen (s. Kap. 1.4) wird auf der Basis der Sprachphilosophie von dem Franzosen Jean-René LADMIRAL diskutiert, der den Übersetzer vor diese Grundalternative gestellt sieht: «condamné à être libre, le traducteur est un décideur» (1993:291). Aus der Perspektive des Übersetzers als Person sieht er die Übersetzungstheorie viel eher bei der Erkenntnistheorie als etwa bei der Kommunikations- oder Handlungstheorie (s. Kap. 12.1) angesiedelt (1988:35). Das ist ein neuer Gedanke, der in den bisherigen Theorien noch nicht vorkam. Im Blick auf die Reaktionen der Übersetzer angesichts der genannten «alternative stratégique de décision traductive» (1993:292) fand LADMIRAL zu der griffigen Formel von den «sourciers et ciblistes» (1993). Die *sourciers* sind die ausgangssprachlich orientierten Übersetzer. Sie wollen Form und Inhalt des Ausgangstextes erhalten, während die *ciblistes* sich an der Zielsprache ausrichten und dem Geist der Textvorlage nachspüren. Ihnen kommt es auf Verständlichkeit und leichte Lesbarkeit an.

LADMIRAL sieht in jener unentrinnbaren Grundalternative ein „Theorem" des Übersetzens, und er plädiert eindeutig für die „ciblistes", denn die Utopie der „sourciers" sei im Grunde eine Wiederholung des Ausgangstextes in der Zielsprache, wenn versucht wird, möglichst alle seine Aspekte äquivalent zu halten, so wie es z. B. in den normativen Äquivalenzforderungen KOLLERS (s. Kap. 6.3) angelegt ist.

LADMIRAL übernimmt das Modell der „Deverbalisierung" von der Pariser Schule (s. Kap. 15.2), doch geht er von philosophischen und literarischen Texten aus. Das Wesentliche sei hier die durch die Worte erschaffene Welt. Es gibt keine andere Wirklichkeit als die durch Sprache in der subjektiven Vorstellung entstehende, und in einer Übersetzung wird diese geistige Welt von der Ausgangssprache gelöst, um dann in den Zeichen der Zielsprache neu zu erstehen:

> La traduction constitue, à cet égard, un dispositif privilégié d'appréciation esthétique et d'analyse linguistique (ou «textologique»), car elle «décroche» du langage la réalité référentielle (qui, encore une fois, n'existe pas); elle la «déverbalise», de par les vertus et les nécessités de cette mort des signifiants de langue-source qui est le préalable à la réincarnation des signifiés en langue-cible (1993:293).

Aus der Sicht der linguistischen Sprachwissenschaft ist solches Übersetzen freilich ein chaotischer, weil nicht methodisch kontrolliert ablaufender Akt. SAUSSURE hatte ja postuliert, daß bei einer Loslösung der Gedanken vom Lautbild der Zeichencharakter zerstört würde (s. Kap. 3.2). Aber natürlich bezieht sich jenes feste Band der Bedeutung auf die Zeichen in der *langue*. Beim Gebrauch der Zeichen auf der *parole*-Ebene kommen pragmatische Aspekte mit ins Spiel.

BEISPIEL

LADMIRAL erläutert seine Vorstellung an Hand von Wortübersetzungen (vgl. 1993:290ff).

Das griechische Wort πολις (polis) müßte z. B. von einem „sourcier" mit f. *la Ville* oder *la Cité* übersetzt werden, während ein „cibliste" eine Veränderung vornehmen würde, je nach Kontext *les Etats* und auch *les familles* schreiben wird. In einem anderen Kontext wird man vielleicht mit *Athènes* oder *Thèbes* zu übersetzen haben, um klar zu machen, worum es sich handelt. Und bisweilen wird sogar *la démocratie* das angemessene zielsprachliche Äquivalent für den griechischen Ausdruck sein.

Oder da sind die vielen Verkleinerungsformen, die Diminutiva im Russischen („*Mütterchen*"), die als solche nicht übersetzbar sind, wohl aber deren Bedeutung „Zärtlichkeit".

Aus dem Buch „Alice im Wunderland" von Lewis Carroll nennt er Kapitel VII. Der englische Titel *A Mad Tea Party* gab Anlaß zu vielerlei Übersetzungsvorschlägen im Französischen, wie *Une folle partie de thé* (wörtlich, sourcier), *Un thé de fous, Un goûter de fous, Un thé chez des fous, Un thé extravagant, Le thé de fous, Alice prend le thé chez les fous, La folle réception, Un thé fou*. Die letzte Lösung ist die interessanteste, denn sie enthält mehrere Sinndeutungen: „c'est qu'en français *«un thé»*, ce peut être une qualité de thé (par opposition à d'autres sortes); c'est tout au plus une unité de consommation, une «consommation» (comme «un café», «une bière» ou, de préférence, «un whisky»,...): on n'est pas tant invité à «un thé» qu'à «prendre le thé», ou «pour le thé» (et là, c'est un moment de l'après-midi); et si on va dans «un café» (pour boire «un thé», par exemple), c'est un local, etc. A quoi je répondrai qu'on peut aller à «un thé dansant» ce qui fait qu' *«un thé fou»* est du français possible ou virtuel, sinon tout à fait actuel" (LADMIRAL 1993:293f).

LADMIRAL macht seine Vorstellungen gerne in metaphorischen Bildern deutlich, und die Rede von Tod und Auferstehung der Bedeutungen ist für ihn ein Paradigma des Übersetzens. Sprachphilosophisch betrachtet besteht das Wesen des Übersetzens in einem Verzicht auf die Strukturen der Ausgangssprache. Hier könnte man auch an die Scenes-und-frames-Theorie nach FILLMORE denken (s. Kap. 11.3), wenn man sich etwas vorstellen soll, um dazu die zielsprachlich/kulturell natürlichen Frames zu finden.

Schließlich gilt es auch das Verhältnis des Übersetzers zu seiner Zielsprache, in der Regel die Muttersprache, zu betrachten. LADMIRAL verwendet zur Beschreibung die Metapher des Geschlechtslebens:

> Alors que les ciblistes se veulent éminemment respectueux du plaisir des langues, du plaisir propre à la langue dans laquelle on parle (ou écrit), c'est-à-dire en l'occurrence qu'ils entendent respecter la langue-cible, je suis tenté de dire que la logique des sourciers, c'est la logique du viol! On connaît le fameux principe de Pannwitz, que Benjamin reprend à son compte: «*l'erreur fondamentale de celui qui traduit est de conserver l'état contingent de sa propre langue au lieu de la soumettre à la motion violente de la langue étrangère …*» (...)
> Le viol de la langue-cible n'a que la valeur d'un passage à la limite métaphorique. Pris à la lettre, ce ne peut être qu'une illusion.
> Si on viole vraiment la langue, c'est inefficace, ça ne fait pas sens. (...)
> Il n'est pas vrai qu'il faille qu'on plie la langue-cible à des exigences qui soient celles de la langue, étrangère, du texte-source. Pour reprendre encore la même métaphore que tout à l'heure, je dirai qu'il y a des rencontres qui commencent comme des viols et qui se terminent par des égarements partagés... C'est à ce prix qu'une traduction poétique trouvera le chemin de nous toucher. La traduction réussie fait advenir des possibles de la langue qui sommeillaient encore en elle, dans le jardin intérieur des éventualités captives qu'elle renfermait. Au risque d'abuser de l'isotopie métaphorique où je me suis mis, je dirai qu'à cet égard la morale est sauve, car c'est le consentement que la langue („cible") donne au traducteur qui rend son travail fécond et permet l'accouchement d'une traduction viable, poétiquement efficace. Dans cette conjoncture heureuse, la traduction célèbre la langue-cible (1993:296f).

LADMIRAL philosophiert anregend über das Übersetzen, ohne wirklich textbezogen praktikable Vorschläge zu machen. Wichtig ist ihm, daß die Entscheidungssituation des Übersetzers bewußt gemacht wird. Daher entwirft er eine „*Epistémologie de la traduction*" (1988). Metatheoretisch unterscheidet er vier Typen der „traductologie"; man vergleiche hier auch die Übersetzungswissenschaft als Disziplin (s. Kap. 10.1):

1) Von vorgestern sei die normative Übersetzungswisssenschaft, deren Vertreter von „Glanz und Elend des Übersetzens" reden und am Wort der AS kleben.

2) Nach dem Kriege entstand die „deskriptive Übersetzungswissenschaft", zu der v. a. die Stylistique comparée (s. Kap. 5.1) zu zählen ist. Das sei die Übersetzungswissenschaft von gestern (vgl. 1988:40).

3) Dann bleibt festzustellen, daß für die Zukunft wohl eine „traductologie inductive" in Richtung der kognitiven Psychologie zu erwarten sei.

4) Doch gegenwärtig herrsche eine praxisorientierte Übersetzungswissenschaft (traductologie productive) vor, indem als Hilfsmittel für die Übersetzer Konzepte und Prinzipien einzelner Übersetzungsprobleme erstellt werden. Und hier nennt LADMIRAL seinen eigenen Entwurf der *Théorèmes pour la traduction* (1979).

In der Praxis ist der Übersetzer oft zwischen widersprüchlichen Imperativen hin- und hergerissen. Für seine Einzelfallentscheidung können ihm die „théorèmes" wohl hilfreich sein, die eine Art Entscheidungslogik sein sollen. Weil nicht alles, besonders im Blick auf einzelne Wörter, gleichzeitig möglich ist, muß der Übersetzer im Einzelfall entscheiden, was ihm hier wichtig ist. LADMIRAL erläutert[140]:

> Par exemple: il faudrait respecter le nombre de syllabes (des «pieds»), et puis le nombre de mots, et puis le niveau de style, et puis certains effets allitératifs ... et puis le sens exact, etc. – et tout ça en même temps! Il faudra choisir. Dans certains cas, il faudra trancher! S'il s'agit d'un doublage cinématographique, il faudra respecter essentiellement le nombre des syllabes et la position précise de certains phonèmes comme les occlusives pour «coller» au mouvement des lèvres des acteurs, etc.; toujours au cinéma, les sous-titres sont conditionnés en revanche par d'autres contraintes (vitesse de lecture, adéquation globale et synthétique à la situation, etc.) et la «commande» que le traducteur a alors à traiter est tout à fait différente (1985:303).

Genannt werden Aspekte wie Treue und Freiheit, formale und dynamische Äquivalenz, „dissimilation" und „transparence", „le Même et l'Autre", etc. Auch wenn LADMIRALS Beispiele vorwiegend wort- und satzorientiert sind, ist entscheidend, daß er aus dem Blickwinkel des Übersetzers argumentiert. Sein zielsprachenzugewandtes Übersetzen trifft sich mit dem der Funktionalisten, die gleichfalls eine strikte Orientierung an den Ausgangstexten ablehnen.

---

[140] Vgl. J.-R. LADMIRAL (1985): „Les 'théorèmes pour la traduction'". In: H. BÜHLER (Hrsg.): *X. Weltkongreß der FIT.* Wien: Braumüller 1985, S. 299-304.

Kommentar

Der Hinweis darauf, daß das Übersetzen eine zwischenmenschliche Kommunikation darstellt, wo die Vermittlung einer Botschaft das wichtigste ist, befreit den Übersetzer von der mikrostrukturellen Fixierung auf den Ausgangstext. Allerdings übersieht die Vorstellung, daß das Übersetzen immer nur mit spontanem Verstehen und freiem Formulieren zu bewältigen sei, daß oft auch rhetorische und funktionalstilistische Faktoren beim Verfassen von Texten wichtig sind, die besser realisiert werden, wenn sie bewußt im Sinne einer Textüberarbeitung eingebracht werden. Auch ist das Übersetzen keine rein (ziel)sprachliche Aufgabe, bei der vorwiegend der „génie de la langue" wichtig ist. Auch beim literarischen Übersetzen kann man sich nicht auf ein unproblematisches, normalsprachliches Verstehen des Textes zurückziehen.

Obgleich viel von Situation und Kontext die Rede ist, bestehen die zahlreichen Beispiele der französischen Übersetzungsschule stets nur aus Sätzen oder Syntagmen. Auch fehlt die Untermauerung der Übersetzungslösungen durch eine kritische begründende Analyse.

Lektürehinweise

Jean-René LADMIRAL (1979): *Traduire: théorèmes pour la traduction.* Paris.
Jean-René LADMIRAL (1993): „Sourciers et ciblistes". In: J. HOLZ-MÄNTTÄRI/C. NORD (Hrsg.): *Traducere Navem. Festschrift für Katharina Reiß.* Tampere, S. 287-300.
Marianne LEDERER (1994): *La Traduction aujourd'hui. Le modèle interprétatif.* Paris.
Danica SELESKOVITCH/Marianne LEDERER (1984): *Interpréter pour traduire.* Paris.

16 Das hermeneutische Denken

> Die Hermeneutik reflektiert den Umgang des Übersetzers mit
> Welt, Sprache und Texten. Übersetzungstexte sind übersumma-
> tive, multiperspektivische Ganzheiten, die zuerst verstanden
> werden müssen, bevor eine Übersetzung formuliert wird. Die
> Übersetzungslösungen können dann anhand der translatorischen
> Kategorien begründet werden.

16.1 Die Sprache: das individuelle Allgemeine

Sprache wird als Ausdruck eines je eigenen, kulturspezifischen Weltbildes
gesehen (s. Kap. 2.1), und Sprache ist ein universales Kommunikationsmittel
(s. Kap. 3.1). Bedeutungsinhalte von Wörtern im Sprachsystem sind vage, in
Äußerungen werden sie durch den Kontext eindeutig (s. Kap. 15.1). Verstehen wird zwar allgemein als subjektiv definiert, dennoch ist Kommunikation
als soziale Tatsache und auch das Übersetzen möglich. Weil das Zeichensystem 'Sprache' als soziales Faktum von vornherein eine gleichartige Schema-
tisierung der Welterfahrung durch die Individuen bewirkt, kann vernünftige
Kommunikation gelingen. Andererseits ist ein individueller Überschuß von
Sinn und Gemeintem (s. Kap. 2.6) nicht auszuschließen. Sprache erweist sich
als eine Interaktion von zwei Funktionen, die untrennbar verbunden sind und
sich jeweils nur durch ein Zurücktreten oder Vorherrschen voneinander unterscheiden lassen. So bezeichnet sie Manfred FRANK (1987) als *Das individuelle
Allgemeine*.

Damit ist an Texten immer auch beides gültig: Analyse/Kritik *und* Verste-
hen/Intuition. Beides ist nicht zu trennen. Kritische Textstukturierung
(Analyse) und verstehende Auslegung (Interpretation) ergänzen und korrigieren einander. Verstehen geht einer Textanalyse wegweisend voraus, ja es regt
den Prozeß methodischen Nachdenkens erst an. Und dann wird das Verstandene durch genauere Betrachtung der Textebene fundiert. Entscheidend aber
in der Kommunikation, und damit auch beim Übersetzen, ist die Mitteilbar-
keit. Spontanes Formulieren individuellen Sinns muß dialektisch gekoppelt
sein mit rhetorisch/stilistischen Aspekten der Verständlichkeit und pragmatischen Angemessenheit. Doch umgekehrt ist der Sinn eines Textes-in-Situation

nicht alles; ein individueller Sinnüberschuß ist immer möglich. Dies wiederum schließt Verstehen nicht aus, sondern befreit nur von einem utopischen Absolutheitsanspruch der restfrei analysierbaren Wahrheit eines Textes. Diese zweifache Sicht von Sprache ist Grundlage des hermeneutischen Ansatzes im Übersetzen.

Hans-Georg GADAMER schlägt vor, „das hermeneutische Phänomen nach dem Modell des Gesprächs" zu betrachten (1960:360). Der Text ist einem Leser zunächst einmal fremd. Es gilt daher, in einen Dialog mit dem unverständlich erscheinenden Text einzutreten. Dabei werden implizit Fragen an ihn gerichtet, und ausgehend vom Text beantwortet. Es soll also zunächst die Fremdheit des Textes anerkannt und in Auseinandersetzung mit der eigenen Vormeinung allmählich ein Einverständnis erarbeitet werden. Um jedoch fragen zu können, muß schon ein bestimmtes Vorverständnis vorhanden sein; Verstehen ereignet sich nur auf dem Boden von Gemeinsamem. Deswegen kommt der Übersetzer nicht ohne eine hermeneutisch unverzichtbare Wissensbasis an fachlichen und kulturellen Kenntnissen aus. (Höre ich zum ersten Mal einen Vortrag über Kernspintomographie oder über die Theologie der Offenbarung oder über Wohngebiete in Südafrika usw., so werden mir die Ausführungen bis zu einem gewissen Grade „unverständlich" sein. Verfüge ich aber über ein Vorverständnis, dann kann ich die gehörte Mitteilung „einordnen".)

Das Textverstehen ist also ein Vorgang, bei dem das vorhandene Wissen in einem Lernprozeß mobilisiert, modifiziert und bereichert wird. Damit dies geschieht, sollen die vorhandenen Vorverständnisse einerseits eingeschränkt werden, damit nicht subjektive Meinungen die Einsicht verstellen, doch andererseits auch aktiviert werden, denn nur auf der Grundlage des schon Gewußten können sich mir die neuen Sinnhorizonte erschließen, das zunächst Befremdende im Text wird in einer „Horizontverschmelzung" (GADAMER) allmählich vertraut. Beim Übersetzen ist der zu übermittelnde Sinn des Textes die „Sache selbst" (HEIDEGGER), die Text und Übersetzer miteinander verbindet, so wie beim Gespräch die Wahrheit des Verstandenen beiden gemeinsam gehört.

Wenn die Sprache aber bloß ein Kommunikationsmedium ist (s. Kap. 4.2) und nicht die besprochene Sache selbst, dann wird für den Übersetzer die Unterscheidung zwischen dem „Gesagten", der Textoberfläche, und dem „Gemeinten", dem Mitteilungsinhalt, virulent. Die außersprachliche Wirklichkeit steht hinter den Texten, und das Gemeinte ist nicht unmittelbar mit den Textstrukturen, dem Gesagten identisch, vgl. hierzu auch SELESKOVITCH/ LEDERER (s. Kap. 15.1). Die Textstrukturen ermöglichen nur ein „Hindurchblicken" auf die Situation. Damit wird aber jeder positivistisch ausgerichteten Übersetzungswissenschaft der Boden entzogen. Aufgrund der Individualität von Texten kann der Übersetzer den Einzelfall nicht so entscheiden, wie er vergleichbare andere Fälle entscheiden würde. Aus dieser Perspektive ist eine Übersetzungslösung nur im Rahmen des betreffenden Textes bindend. Eine solche Sicht der Dinge macht natürlich jegliche Aufstellung vergleichender Stilistiken auf der Basis potentieller Entsprechungen sinnlos (s. Kap. 5.2) und steht in diametralem Gegensatz zu WILSS' Vorstellung einer Schemabasierung des Transfers als Fertigkeit (s. Kap. 4.6).

16.2 Übersummativität, Multiperspektivität, Individualität von Texten (Paepcke)

Wenn Übersetzen in der Praxis ein Expertenhandeln ist (s. Kap. 13.3.), dann kann auch gefragt werden, in welcher Weise der Übersetzer sich dieses Handelns bewußt ist und wie er sein eigenes Denken und Handeln reflektiert. Übersetzer und Übersetzerinnen sind selbst in einer Kultur verwurzelt, die beim Übersetzen im Dienste zwischenmenschlicher Verständigung mit einer anderen Sprache und Kultur in Berührung kommt. „Wer übersetzt, ruht in der Lebenswelt von Sprachen. Dabei vollzieht sich solche Teilhabe an zwei Sprachen und deren Lebenswelt in der Weise, daß jede der beiden im Miteinanderteilen das Ganze hat" (PAEPCKE 1986:XIV). Die wissenschaftliche Erörterung des übersetzerischen „Umgangs mit Texten" stellt sich daher sinnvollerweise in den Horizont der Hermeneutik, welche von jeher den deutenden Umgang der Menschen mit ihrer Lebenswelt reflektiert.

Hier ist nicht mehr die Rede von „Strukturen", „Funktionen", „Transferprozeduren", „Äquivalenzen" oder „Faktoren", sondern von Übersetzern als Individuen, die in bestimmter Weise an einen zu übersetzenden Text herangehen und sprachbezogene Entscheidungen treffen. Das hermeneutische Denken geht nicht von der Analyse der Dinge aus, sondern vom Denken, der Intuition des Menschen. Damit rückt es auch in die Nähe der Erkenntnistheorie, wie LADMIRAL betonte (s. Kap. 15.3). Aussagen sind hier meist nicht operationalisierbar und exakt, dafür aber intuitiv evident und können erklärt werden. Typisch ist oft eine metaphorische Redeweise zur bildhaften Erklärung des nicht modellhaft Beschreibbaren, was der Hermeneutik den Ruf der „Unwissenschaftlichkeit" eingetragen hat.

Seit den 70er Jahren hat Fritz PAEPCKE den hermeneutischen Übersetzungsansatz vertreten, und seine zahlreichen, teilweise schwer zugänglichen Einzelstudien wurden erst spät in dem Buch *Im Übersetzen leben - Übersetzen und Textvergleich* zusammengestellt (1986). Ausgehend von einzelnen Textbeispielen hat PAEPCKE den hermeneutischen Ansatz unzählige Male demonstriert, wobei jeweils die spezifische Übersetzungsproblematik der betreffenden Textvorlage diskutiert wurde. Allerdings hat er nie versucht, die so gewonnenen Einsichten zu verallgemeinern oder den eigenen Ansatz als solchen didaktisch explizit zu machen. Dennoch lassen sich in der Zusammenschau aller dieser Einzelstudien (vgl. PAEPCKE 1986) wiederkehrende Ansatzpunkte erkennen.

PAEPCKE stellt einmal fest, „daß eine Reihe von sprachlichen Erscheinungen in jedem Text auftreten, sich ähneln und sogar gleichen" (1986:167). Er nennt Bereiche wie „Verstehen und Übersetzen", „Rhetorik und Hermeneutik", „Regel und Spiel", „Identität und Differenz", „Über- und Unterangebot", „Sprache und Gravitation", „Umgang mit dem Anderen", deren Anwendbarkeit „im wissenschaftlichen Verfahren einsichtig gemacht werden" sollten (1986:37). Diese recht allgemeinen Paarungen sollen wohl eine Art Komplementarität des Gegensätzlichen anzeigen, womit der Übersetzer in seiner Arbeit konfrontiert ist, und sie erinnern uns etwas an die Theoreme LADMIRALS (s. Kap. 15.3).

Doch PAEPCKE geht einen entscheidenden Schritt weiter und betrachtet die zu übersetzenden Texte stets als ein Ganzes. Nicht Wörter oder Sätze werden übersetzt, sondern ganze Texte, und so kann auch eine Beispieldiskussion nicht satzorientiert vorgehen. Texte bilden eine übersummative Sinneinheit, ihre inneren Verhältnisse sind komplexer Natur:

> Innerhalb einer größeren Form werden zwar die kleineren Einheiten durch den umfassenden Textrahmen bestimmt, doch der Grundsatz der Autonomie gilt auch für die kleineren Formen. Das Verhältnis zwischen kleineren Einheiten und großer Einheit ist daher nicht das Verhältnis der Absorption: Die kleineren Einheiten werden durch die Gesamtgestalt des Textes nicht zur Auflösung gebracht. Auch nicht das der Addition oder Summation, denn die kleineren Einheiten sind immer nur ein Teilganzes im Verhältnis zur übersummativen Ganzheit. Das Verhältnis liegt auch nicht im Aggregat, wenn darunter das bloße Neben- und Ineinander verstanden wird. Die Relation der unterschiedlichen Elemente auf der Textebene ist das Verhältnis wechselseitiger Anpassung oder Zuordnung, und es ist zu fragen, welche inhaltlichen Konsequenzen sich für die kleineren Formen daraus ergeben, daß sie in einem größeren Rahmen stehen (PAEPCKE 1986:103f).

Die Textbotschaft kann also nicht an der Summe der sprachlichen Zeichen selbst abgelesen werden, denn durch den Text wird nicht nur die Bedeutung seiner sprachlichen Elemente, sondern gleichzeitig etwas darüber Hinausweisendes, der Sinn des Textes verstanden. So stellen Texte sich als eine Gestalteinheit dar, bei der das Ganze mehr als die Summe seiner Teile ist. Die Textlinguistik (s. Kap. 7.1) verweist hier erklärend auf die Verknüpfung der drei semiotischen Dimensionen.

Aus diesem Grunde sind Texte in ihrer Sprachstruktur auch nicht notwendig homogen. Sie vereinigen in sich eine Vielzahl unterschiedlicher Elemente und Zeichenfunktionen, was mit der Bezeichnung Multiperspektivität (STOLZE 1982:32) zum Ausdruck gebracht wird:

> Der Text ist ein Gebilde der Perspektivität, denn es wird nicht kontinuierlich aus einer Perspektive erzählt, vielmehr springen die Perspektiven fortgesetzt um. Leser und Hörer sollen nämlich durch die Textstruktur aufgefordert werden, im Vorgang des Lesens und Hörens sich durch die verschiedenen Darstellungsperspektiven des Textes hindurchzubewegen. Dabei nehmen sie das jeweils Neue auf dem Horizont der vorangegangenen Darstellungsperspektiven wahr. Als perspektivische Gebilde macht also der Text eine ständige Beziehung seiner Darstellungsperspektiven aufeinander erforderlich (PAEPCKE 1986:103).

So bedeutet jede Verabsolutierung eines Teilaspekts in Textanalysen eine Verkürzung der Textwirklichkeit. Es reicht nicht aus, nur Teiltexte zu untersuchen, wichtig ist die Bezugnahme auf den Gesamthorizont von Situation und Kontext. Ein Text ist niemals nur „informativ" oder „operativ" (s. Kap. 7.6), und auch die „Funktion" kann nicht das ausschließliche Übersetzungskriterium sein. Vom Übersetzer ist vielmehr ein äußerst flexibles Verhalten gefordert, das das Textganze in der Zusammenschau seiner vielen Aspekte zu erfassen trachtet. Man vergleiche in diesem Sinne die Forderung SNELL-HORNBYS nach einer Integration verschiedener linguistischer Theorien im Textganzen (s. Kap. 11.2).

Wenn ein Textelement nur im Rahmen eines multiperspektivischen Ganzen seine textuelle, verständliche Bedeutung hat (s. Kap. 15.1), dann ist das Wichtigste an Texten nicht deren typische, wiederholbare Struktur, sondern die Individualität. Diese Meinung ist im Bereich der Literatur anerkannt (s. Kap. 9.2). So schreibt Armin Paul FRANK (1988)[141], er wünsche sich:

> daß sich der Übersetzer auch von „übersetzungswissenschaftlichen" Rezepten nicht irreleiten läßt, die von ihm verlangen, er müsse, wenn er beispielsweise Il nome della rosa übersetzt, einen Roman übersetzen. Mitnichten: Er muß nicht einen Roman übersetzen, auch nicht einen historischen Kriminalroman, sondern einen Roman: diesen ganz bestimmten unverwechselbaren vor ihm; denn jedes literarische Werk, das diesen Namen verdient, ist anders als jedes andere (1988:496).

Damit sind Texte als Äußerungen auch Individualitäten. Sie sind nicht bloß ein „kulturspezifisches Informationsangebot" (VERMEER 1986:36), sondern Mit-

---

[141] Vgl. A. P. FRANK (1988): „'Längsachsen': Ein in der Textlinguistik vernachlässigtes Problem der literarischen Übersetzung". In: R. ARNTZ (Hrsg.): *Textlinguistik und Fachsprache. AILA-Symposion Hildesheim 13.-16. April 1987.* Hildesheim: Olms 1988, S. 485-497.

teilungen von Individuen (im Rahmen von Kommunikationssituation, Kultur, Fachbereich usw.). Um diese überzeugend und im Dienste der Verständigung weitergeben zu können, ist zunächst deren Verstehen gefordert. Nicht irgendwelche „Zieltextvorgaben" (NORD 1991:37) eines Übersetzungsauftrags sind der erste Schritt beim Übersetzen (s. Kap. 14.2), sondern die Frage, was denn überhaupt mitgeteilt werden soll.

Übersetzen bleibt freilich nicht beim Verstehen hängen, sondern führt hinüber zum Formulieren. Eine „funktionsgerechte" Übersetzung, so könnte man zumindest sagen, ist eine solche, die wie ein eigenständiger Text wirkt. Sie ist überzeugend formuliert. Wenn Verstehen das Bewußtsein steuert, dann ist der Mitvollzug konstitutiv für das Verstehen. Man kann dies auch als „Identifikation mit der Mitteilung", mit der Sache des Textes bezeichnen, PAEPCKE nennt es „Leibhaftigkeit" des „Menschen der Mehrsprachigkeit":

> Als Übersetzer erschließt er einen Text, indem er ihn an den Leser heranbringt und im Medium der Leibhaftigkeit beim Leser vergegenwärtigt. In dieser Sicht hält das Übersetzen den Text in ganzer Breite offen, es stellt ihn vor, und im tentativen Erproben aller Möglichkeiten entsteht die Übersetzung, wenn beim Übersetzen die jeweils vorausgehende Übersetzung durch einen neuen Entwurf abgelöst wird. Dies alles verweist auf die Geschichtlichkeit des Übersetzens, die in der Leibhaftigkeit des Übersetzers fundiert ist (1986:XVIII).

Solche Identifikation ist keine moralische Kategorie, wie KOLLER (1992:210) offenbar meint. Der Übersetzer macht sich vielmehr zum Anwalt der Sache, um überhaupt in die Lage versetzt zu werden, überzeugend in der Zielsprache darüber zu reden. Solches überzeugendes Formulieren ist nicht nur eine Frage der Idiomatik, wie bei SELESKOVITCH/LEDERER betont wird (s. Kap.15.2), sondern es ist ein Reden von der Sache her.

Diesen Gedanken veranschaulicht vielleicht der Begriff der „Mimesis", den Aristoteles von Plato übernommen und zur allgemeinen Kategorie des künstlerischen Darstellens gemacht hat. Mimesis hat Verweischarakter und bedeutet die Vergegenwärtigung vorgegebener oder eigener Gedanken im Sinne von Nachgestaltung. Identifikation schafft Texttreue, denn der Übersetzer ist erkennend und formulierend am Gegenstand des Textes beteiligt, er „steht dahinter".

Es bleibt die Frage, ob die Sprache im Übersetzer ihr Subjekt gefunden hat. Er bewegt sich wie ein Mitspieler im Medium von zwei Sprachen, deren Mittel sich nicht decken. Übersetzen ist dann immer aufs neue die Suche nach sinnbewahrenden Formulierungen in der anderen Sprache, es ist ein „hermeneutischer Entwurf" (PAEPCKE 1986:86). Weil Übersetzungen stets den Sprachstand des Übersetzers dokumentieren, sind sie auch viel zeitgebundener als Originale. Das ist ein weiteres „Theorem" (LADMIRAL), das nicht vermeidbar ist. Übersetzungen sind oft nur vorläufig, können veralten, müssen überarbeitet werden. Diese „Unzulänglichkeit" befreit allerdings den Übersetzer auch vom zwanghaften Streben nach dem Absoluten, hin zu sprachlicher Gestaltungsfreiheit in der Zielsprache. Dazu braucht es natürlich auch den Mut zur sprachlichen Kreativität, und sei es nur im syntaktischen Bereich.

PAEPCKE verglich dieses suchende Formulieren einmal mit dem Speerwurf: jeder Sportler entwickelt intuitiv seine „eigene Methode". Im Zusammenwirken sporttechnischer Regeln mit der freien Gestaltung der Körperkräfte stellt ein gelungener Wurf eine befriedigende Höchstleistung dar und birgt dennoch in sich immer die Potentialität einer weiteren Verbesserung. Damit gehört zum Begriff des Übersetzens ganz wesentlich die Dynamik. Übersetzungen können ihr Ziel immer „nur optimal" erreichen, es gibt keine Musterübersetzung.

BEISPIEL

PAEPCKE hat in seinen Beiträgen neben wertvollen Untersuchungen im Bereich der französischen Rechtssprache und Übersetzung vor allem auch ideologische Aspekte des Umgangs mit Sprache untersucht. So entstanden Aufsätze wie:

Freiheit durch Sprache (1976)
Ersatz emotionaler Bedürfnisse in Demagogie und Werbung (1974)
Sprachliche Gewöhnung an Aggression (1974)
Sprache als Zeremonie: Ideologie und Selbstverständnis in der politischen Rede von Charles de Gaulle (1968)
Georges Pompidou und die Sprache der Macht (1974)

Später widmete er sich verstärkt literarischen Texten, insbesondere Gedichten, in denen sich für ihn die Leibhaftigkeit des Menschen am klarsten ausdrückt. Es finden sich Artikel wie:

Blaise Pascal und die Logik des Herzens (1985)
Tradition und Aufbruch: André Gide (1985)
René Char - Sein zwischen Mensch und Mensch (1985)
Schuld der Unentschiedenheit (Albert Camus) (1980)
Zur Sprache und Begriffswelt von Pierre Teilhard de Chardin (1966)
Erfahrener Abgrund - 'Suite lyrique' von Fabrice Gravereaux (1985)
Die Wirklichkeit in der Sprache erkennen (Für Hilde Domin) (1982)
Mit der Sprache des Alltags gegen die Resignation. Bemerkungen zu Arno Plack, Philosophie des Alltags (1980).
Alle genannten Aufsätze finden sich im Sammelband (PAEPCKE 1986).

Eine Didaktisierung des Übersetzungsprozesses im Sinne der Operationalisierung bestimmter Analysemethoden und Transferstrategien ist im hermeneutischen Denken, schon aufgrund der Individualität der Texte, ausgeschlossen. Andererseits wird hier der Übersetzer mit seiner Übersetzungskompetenz viel ernster genommen. Es wird ihm zugetraut, daß er einen Text, eine Mitteilung, richtig verstehen und sie überzeugend wiedergeben kann.

PAEPCKE kreist in seinen Übersetzungskommentaren vor allem um das Verstehen des Originals, um eine mimetische „Vergegenständlichung" der Textvorlage, wobei funktionale Aspekte des Übersetzens in der zielsprachlichen Formulierung kaum gesehen wurden. Auch Sigrid KUPSCH-LOSEREIT argumentiert nur ausgangstext-bezogen und nennt „außersprachliche Verstehensbedingungen" (1993:207)[142] wie Horizont, Situation, Weltwissen und die „Verstehenssteuerung durch den Text" (ebd.:210) mittels Textkohäsion, Referenzhinweisen, Thema, Textkohärenz, Textorganisation. Der zweite Teil der Sprachmittlung, das Formulieren, bleibt unterbelichtet.

16.3 Die Kategorien des Übersetzens (Stolze)

Während die übersetzungsbezogenen Aussagen im Horizont des hermeneutischen Denkens vielfach recht allgemein, bildhaft und subjektiv wirken, weshalb solche Ansätze ja auch von den Vertretern der exakten Wissenschaft etwas belächelt werden, hat Radegundis STOLZE (1992) den Versuch unternommen, „linguistische Kategorien des Verstehens und Formulierens beim Übersetzen" zusammenzustellen. Wenn dem Übersetzer im Sinne der Hermeneutik die Freiheit des Verstehens zugemutet wird, indem die Wahrheit des Textes nicht direkt aus den Sprachstrukturen abgeleitet werden kann, dann ergibt sich für ihn aber auch eine sehr viel größere Verantwortung. Er kann sich nicht mehr hinter eingeübten Strategien verschanzen, sondern muß sein eigenes Denken und Handeln reflektieren. Auch wenn seine Übersetzungslösungen im ersten Impuls intuitiv-kreativ erfolgen, muß er in der Lage sein, sie im nachhinein anhand linguistischer Kriterien zu begründen. Diese Verknüpfung entspricht dem dialektischen Verhältnis von Individuellem und Allgemeinem in Sprache und Texten (s. Kap. 16.1).

STOLZE geht von dem Gedanken aus, daß der Übersetzer, aufgrund seiner besonderen Verantwortung gegenüber dem Ausgangstext wie gegenüber den Empfängern, sich sein Handeln bewußtmachen und es kritisch reflektieren müsse. Das Wissen um Maßstäbe dieser Reflexion sieht sie als Teil der Übersetzungskompetenz. Zu solcher doppelten „Loyalität" vergleiche man auch NORD (s. Kap. 14.1). Weil das Übersetzen aber, trotz aller Situationsgebundenheit und Zweckorientierung ein Handeln in und mit Sprache ist – indem die

---

[142] Vgl. S. KUPSCH-LOSEREIT (1993): „Hermeneutische Verstehensprozesse beim Übersetzen." In: J. HOLZ-MÄNTTÄRI/C. NORD (Hrsg.): *Traducere Navem*. Tampere: studia translatologica 1993, S. 203-218.

verstandenen Mitteilungen sprachlich ausformuliert werden müssen – nennt sie Kategorien aus der Linguistik, mit denen die Übersetzungslösungen erläutert und begründet werden können.

Im Sinne der Hermeneutik werden Texte als Ganzheiten betrachtet (s. Kap. 16.2), doch werden Einsichten, Ergebnisse und Verfahren auch aus anderen übersetzungswissenschaftlichen Ansätzen übernommen und fruchtbar gemacht. Im Blick auf das Verstehen werden Kategorien der Rezeption diskutiert, und im Blick auf das Formulieren Kategorien der Produktion. Anders angelegt ist dagegen die makrostrukturell und mikrostrukturell nach dem jeweiligen Text zu erstellende „Aspektliste" bei GERZYMISCH-ARBOGAST (s. Kap. 7.8).

Um nicht wieder an den Textstrukturen kleben zu bleiben, verneint STOLZE (1992:54ff) ausdrücklich das Vorhaben einer „Textanalyse" und plädiert dagegen für die Textexegese im Sinne einer Darstellung des eigenen Textverständnisses als Vorbereitung für das Übersetzen. Wichtig ist in diesem Ansatz auch, daß die Beschränkung auf bestimmte Textformen, seien es Gebrauchstexte, Fachtexte oder literarische Texte aufgegeben wird. Vielmehr werden linguistische Kategorien genannt, die für alle Texte anwendbar sind. Großen Raum nehmen schließlich die zielsprachlich bezogenen Erörterungen zum Formulieren ein, denn darauf kommt es ja letztendlich beim Übersetzen an. Anhand verschiedenartiger Beispieltexte diskutiert STOLZE (1992:89ff) fünf translatorische Kategorien:

(1) Da ist zunächst die Kategorie 'Thematik', der Blick aufs Textganze. Im verstehenden Umgang mit Texten ist es sinnvoll, vom Großen zum Kleinen vorzugehen. Übersetzungspraktisch wird ein Text als Ganzes zuerst einmal durchgelesen. Erst wenn man einen Inhalt gesichert hat, kann man diesen auch überzeugend wiedergeben (vgl. WINTER 1992:41ff). Hier wird der Begriff der Identifikation mit der Sache wichtig (s. Kap. 16.2). Das erste Leseverständnis wird dann ergänzt durch Zusatzinformationen über Verfasser, Erscheinungsort, Quellenangabe, Zeit, die nicht im Text stehen. Dies entspricht dem, was sonst mit der sog. Lasswell-Formel (s. Kap. 4.2; 4.5; 14.2) abgefragt wird. So entsteht das wichtige Vorverständnis, welches jedes weitere Vorgehen des Übersetzers schon entscheidend determiniert. Seine Recherche wird unterschiedlich ausfallen, je nachdem ob es sich um einen älteren oder einen Gegenwartstext handelt, um einen literarischen, einen Werbe- oder um einen Fachtext. Irrelevante Strategien werden an dieser Stelle bereits ausgeschieden.

Der verstandene Textinhalt sollte nun methodisch vertieft werden. In der Linguistik sind Verfahren zur Analyse von Textkohärenz und thematischer Progression entwickelt worden (s. Kap. 7.1; 7.4). Die Kenntnis linguistischer Formen der Textkohärenz und der thematischen Progression hilft einerseits, das vorhandene Vorverständnis zu präzisieren, aber andererseits bietet sie auch Anweisungen für die Textkonstitution in der Zielsprache. Inkohärente Ausgangstexte können durch den Übersetzer „verbessert" werden.

Die Redeperspektive (persönliche Rede, unpersönliche Äußerung) ist zu beachten. Sie zeigt sich im syntaktischen Profil. Ein in Übersetzungen häufig zu beobachtender, durch grammatische Schwierigkeiten induzierter Perspektivenwechsel (vgl. dazu PAEPCKE 1986a:132 oder STOLZE 1992:238) verwischt dagegen das Gemeinte. Schließlich sind sprachenpaarspezifische Schwierigkeiten zu bedenken, wie z. B. unterschiedliche Betonungsstrukturen im Englischen und Deutschen (s. Kap. 7.3).

(2) Hinzu kommt die Kategorie 'Semantik'. Ein Text als sinnvoller Zusammenhang hat ein Thema, welches sich vorzugsweise in wiederkehrenden Bedeutungsmerkmalen der Wörter spiegelt. Ein geeignetes Beschreibungsinstrument solcher Bedeutungsstränge oder Isotopieebenen bietet die Strukturelle Semantik und Wortfeldtheorie (s. Kap. 3.6; 7.8). Die Analyse eines prägenden Wortfeldes ist oft ein Schlüssel zum Textverständnis, und andererseits bietet sie ein Grundgerüst für die Formulierung der Übersetzung (vgl. STOLZE 1992:123ff). Die Erstellung der lexikalischen Einheiten hat bei der Textproduktion nämlich Vorrang vor den syntaktischen Formen (WINTER 1992:43). Ein verfehltes Textverständnis kann zu einer partiell unverständlichen Übersetzung führen.[143] Mit einer bewußten Anwendung der Wortfeldtheorie und Synonymik auf das Textganze einer Übersetzung ließe sich dieser Mangel beheben.

(3) Ein wichtiger übersetzungsrelevanter Textbereich ist die Fachkommunikation, die unter die Kategorie 'Lexik' gefaßt wird. Bis vor kurzem ging es auch hier vorwiegend um Wörter, um die Terminologie. Der Fachwortschatz als wichtigstes Kennzeichen der Fachtexte weist freilich im Vergleich der Disziplinen signifikante Unterschiede auf. So sollte der Übersetzer die unterschiedliche Art der Begriffsbildung in den exakten Natur- und Technikwissenschaften gegenüber den historischen Geistes- und Sozialwissenschaften bedenken. So öffnet sich das Übersetzen interdisziplinär zur Terminologiewissenschaft.

Die Fachsprache der naturwissenschaftlich-technischen Fächer dient der Erkenntnis und Beschreibung außersprachlicher Gegenstände und Sachverhalte. Sie enthält die exakt definierten Termini im Rahmen eines Begriffssystems, deren Menge im Zuge des wissenschaftlichen Fortschritts kumulativ erweitert wird und eine Terminologienormung verlangt. Die Art der Notation von Ter-

---

[143] Übersetzungskritisch ist ja oft zu beobachten, daß eine Übersetzung nur deshalb nicht befriedigt, weil ihr Wortfeld nicht stimmt. Das Textganze ist inkohärent, obgleich die Übersetzung der einzelnen Textelemente für sich genommen nicht falsch ist. Vgl. U. HESSELING (1982): *Praktische Übersetzungskritik, vorgeführt am Beispiel einer deutschen Übersetzung von Erich Fromm's „The Art of Loving".* Tübingen: Stauffenburg, besonders S. 49.

minologien in Datenbanken sowie Methoden der Recherche muß unterrichtet werden.

Die Fachsprache der Sozial- und Geisteswissenschaften demgegenüber ist interpretatorisch offen. Sie dient der Beschreibung von Prozessen und der Deutung von Lebenszusammenhängen. Die begrifflichen Definitionen als Inhalt der Begriffswörter sind nicht systematisch hergeleitet oder terminologisch fixiert, sondern im wissenschaftlichen Diskurs konventionell vereinbart und oft auch strittig. Diese Feststellung hat Konsequenzen für das Übersetzen, weil ein Begriff und eine fachliche Aussage nur vor dem Hintergrund ihres wissenschaftlichen Gedankengebäudes richtig verstanden wird.

Das Fachdenken spiegelt sich auch in den Textstrukturen, und es ist klar, daß ein Fachtext der Elektrotechnik gewisse Unterschiede zu einem in der Psychologie aufweist. Worin diese bestehen, kann anhand entsprechender Modelle aus der Textlinguistik dargestellt werden (vgl. BAUMANN 1987)[144]. Dabei zeigt sich, daß sozial-geisteswissenschaftliche Texte aufgrund oft komplexerer Argumentationsstrukturen syntaktisch mehr Sprachzeichen der Kohäsion enthalten (Konjunktionen, Pro-Formen, Partikeln usw.), während technische Texte häufiger die Reihung kurzer Aussagesätze kennen. Die im Sinne der Übersetzungsfertigkeit (s. Kap. 4.6) mechanisch gefundenen fachlichen Textbausteine können nun im Gesamttext kritsch überprüft werden.

Im Bereich der Fachtexte ist unbestritten, daß man „funktionsgerecht" übersetzen müsse. Dabei ist freilich auf die Unterschiede in der Textkomposition bei der fachinternen Kommunikation unter Experten eines Faches im Gegensatz zur fachexternen Kommunikation mit Laien hinzuweisen. Bei der fachinternen Kommunikation gilt die Beachtung der üblichen Diktion in der Zielsprache als Übersetzungsaufgabe. Die fachexterne Kommunikation demgegenüber ist im Sinne des demokratischen Wissenstransfers in die Öffentlichkeit durch die Medien von sehr großer Bedeutung. Übersetzer müssen wissen, mit welchen sprachlichen Mitteln etwa populärwissenschaftliche Texte oder Zeitungstexte in einer bestimmten Zielkultur üblicherweise formuliert werden. Dabei geht es nicht um das Ausmerzen der Termini und Begriffswörter, denn die gehören gerade zum fachlichen Textinhalt und sind mit sprachlichen Kompensationsstrategien zu erläutern (vgl. STOLZE 1993).

(4) Wenn also davon die Rede ist, für wen eine Übersetzung angefertigt wird, dann sind wir bei der Kategorie 'Pragmatik'. Die Zwecksetzung bestimmt die rhetorische Auswahl der Sprachmittel. Hier verbindet sich die Identifikation mit der Botschaft (s. Kap. 16.2) nun mit dem Skopos der Aussage (s. Kap. 12.2) in einer bestimmten Situation. Doch mehr noch als das „Wozu" einer Aussage ist das „Für wen" entscheidend.

---

[144] Zur „Bedeutung des Fachdenkens für die Untersuchung von Fachtexten" vgl. K.-D. BAUMANN (1992): *Integrative Fachtextlinguistik*. Tübingen: Narr (FFF 18), S. 139-158.

Sprechergruppen und deren Texte stehen in sozialen Zusammenhängen, und Texte sind dann verständlich, wenn sie das Hindurchblicken auf jene Situation ermöglichen. Auf Unterschiede im Differenzierungsgrad von Äußerungen wurde schon hingewiesen (s. Kap. 8.4). Daher ist die intensionale Analyse von Wortbedeutungen stets auch durch die extensionale Analyse von Konnotationen des Wortgebrauchs zu ergänzen. Die Sprechergruppenzugehörigkeit eines Textes spiegelt sich in Wörtern, die zu einem sozialen Wortfeld gehören können, wie z. B. die Sprache von Parteien, der Kirchen, der Gewerkschaften, der Feministinnen, der Esoteriker, von Jugendlichen, im Soziologenjargon, usw. Historische Veränderungen schlagen sich in einem Sprachwandel nieder.

An dieser Stelle kommen auch die Kulturunterschiede zum Tragen (s. Kap. 13.1). Übersetzen ist nicht Kulturvergleich, sondern es ist ein Überbrücken vergleichend festgestellter Unterschiede. Es können besonders drei Arten interkultureller Unterschiede genannt werden: Da gibt es reale Inkongruenzen durch unbekannte Kulturspezifika, formale Inkongruenzen durch kulturspezifische Textbaupläne, semantische Inkongruenzen durch kulturspezifische Assoziationen bestimmter Wörter (STOLZE 1993:264). Solche Inkongruenzen werden meist nur an bestimmten Textstellen virulent, und hier reagiert der Übersetzer wiederum mit Kompensationsstrategien. Das tun Übersetzer seit jeher intuitiv, es sollte jedoch auch begründet werden.

(5) Alles bisher zum Übersetzen Gesagte findet seinen Niederschlag in der konkret gewählten sprachlichen Form, weshalb die Kategorie 'Stilistik' von besonderer Bedeutung ist. Stil ist ein sinnstiftender Faktor im Rahmen der Multiperspektivität von Texten. Die Fülle der sprachlichen Möglichkeiten kommt v. a. in der Literatur voll zum Tragen, während andere Sprachbereiche oft eine funktional bestimmte Auswahl aus den Sprachformen, eine stilistische Reduktion aufweisen. Hier ist an die Bedeutung von Textstatus und Stil nach LEECH zu erinnern (s. Kap. 11.4). Stil ist die bewußte Auswahl eines Autors/Sprechers aus dem Zeichenpotential der Sprache. Die Kreativität von Autoren in ungewohnten syntaktischen Formen oder neuer Bildsprache sollte im Übersetzer eine Entsprechung finden. Einsichten aus der Literaturwissenschaft sollten hier fruchtbar gemacht werden. Andererseits sind nur solche Übersetzungen stilistisch angemessen, die den Normen einer bestimmten Textsorte oder situativen Sprachebene genügen.

In einer „Systematik der translatorischen Kategorien" sind nachstehend verschiedene sprachwissenschaftliche Bereiche überblicksartig zusammengestellt, wobei die Semantik der Thematik untergeordnet wurde.

Systematik der translatorischen Kategorien

THEMATIK	LEXIK	PRAGMATIK	STILISTIK
Kohärenz/ Textanalyse/ Semantik	Terminologische Exaktheit/ Fachhermeneutik	Kulturunterschiede/ Textfunktion/ Empfänger	Stilanalyse/Textsortenkonvention/ Funktionalstil
Thematische Struktur • Kontext (Ort, Sender, Zeit) • thematische Progression (Thema/ Rhema) • Titel (Bedeutungsselektion) • Sprecherperspektive (1./2./3. Person, Modus)	**Naturwissenschaftlich-technische Fachkommunikation** • systemgebundene exakte Definition • kumulative Termbildung • Wortbildungstendenzen • Synonyme als Problem • Normung • Datenbanksuche • lineare Textstruktur	**Skopos der Übersetzung** • Übersetzungsauftrag (Textwiedergabe, Zusammenfassung, Neugestaltung) • Zweck des Übersetzungstextes • Medium und Adressat • Kommunikationsform (fachintern, fachextern) • Sprachebene (diatopisch, diaphasisch, diastratisch)	**Erwartungsnormen der Textsorte** • Bedienungsanleitung • medizin. Beipackzettel • EDV-Handbuch • Werkstatthandbuch • Kochrezept • Fachzeitschriftenartikel • Konferenzbericht
Semantik • Isotopien • Wortfelder im Text • Kompatibilität von Wörtern • Synonymie	**Sozial-/geisteswissenschaftliche Fachkommunikation** • deutende Begriffswörter • approximative Begriffsbildung durch Konvention • Interpretation von Meinungen, Prozessen und Sachverhalten • gemeinsprachliche Wörter in fachspezifischer Fixierung • Prozeßdarstellung durch Nominalisierung • Texte mit Kohäsionssignalen	**Kulturunterschiede** • Realia • Stereotypen • Gruppenpräferenzen • Wertvorstellungen • sprachenpaarspezifische Differenzen • Idiomatik • faux Amis **Kompensationsstrategien bei Verständnisbarrieren** • explikativ (erläuternde Ergänzungen) • paraphrasierend (Umschreibung) • referentiell (Anknüpfung an Bekanntes) • modifizierend (Neuformulierung, Adaptation, Auslassung)	• Börsenmeldung • Geschäftsbrief • Gesellschaftsvertrag • Kaufvertrag • Patentschrift • Gerichtsurteil • Arbeitszeugnis • Schulzeugnis • internationales Abkommen (EU-Texte) • Verwaltungsvorschrift **Technisches Schreiben** • logische Satzreihen • keine gedanklichen Lücken • chronologische Handlungsabfolge durch Satzperspektive • fachliche Wortbildung • Schematexte • konsistente Terminologie
Gliederungssignale • Anfangs- und Schlußsignale von Abschnitten • Textsortensignale (Anrede- und Grußformeln, Zwischenüberschriften) • Enumeration (kulturspezifisch versch.) • Konjunktionen und Modalpartikel **Textstatus** • Unterhaltung, Erbauung (Literatur) • Information (Fachbücher,	**Textuelle Fachsprachlichkeit** • Besonderheiten der Rechtssprache • Unterschiede der Rechtsordnungen (common/civil law) • transparentes Formulieren	**Urkundenübersetzung** • Textstruktur dokumentarisch erhalten • Standardformeln • Identität der Form • ministerieller Erlaß	

Korrespondenz, Anleitungen, Berichte) • Aufforderung (Erlasse, Vorschriften, Urteile) • Bestätigung (Dokumente, Urkunden, Verträge, Rechnungen) • Suggestion (Werbetexte, Predigten, Tendenzschriften)	• Metaphorik in Wirtschaftstexten • Mehrfachadressiertheit von Gebrauchstexten • Stilistik des technischen Schreibens	Werbetexte • Kulturspezifik • Aktualität (Anknüpfung an Zeitgeist) • Personalisierung (persönliche Anrede) • positive Aussage (keine negativen Assoziationen) • expressive Sprachmittel • Floskeln literarische Texte • Zweckfreiheit • Kulturspezifik und subjektive Weltdeutung • Personalisierung • Fiktionalität • literarische Ästhetik und sprachliche Kreativität • Offenheit für visionäre Gestaltung • Interpretationsfreiheit	• Äußerungsform für direktive Sprechakte • Relation von Text und Abbildungen • Orientierung an gängigen Beschreibungsweisen Mediensprache und journalistische Texte • expressive Sprachform (Adjektive, Redensarten) • Ironie, Anspielungen • Fremdwort im Deutschen • Stabreim, Wortspiele, Kunstwörter Sprachklang • emotionaler Satzrhythmus • künstlerische Normabweichung • Vokalklang, Reim • Metaphern • dynamische Rhetorik

Entscheidend bei der Orientierung an diesen Kategorien ist, daß beim Übersetzen eines bestimmten Textes meist nicht alle Kategorien gleichzeitig Anwendung finden. Auch ist deren Gewichtung in jedem Text anders. Daher können sie keineswegs als ein weiteres „Schema" aufgefaßt werden, das beim Übersetzen mechanisch anzuwenden wäre, oder als eine spezifisch auszufüllende „Matrix", sondern sie dienen einfach der Sensibilisierung des Übersetzers für Textaspekte, die es beim Übersetzen zu beachten gilt. Viele Übersetzungen sind ja auch deswegen unbefriedigend, weil ganz naiv gar nicht gesehen wurde, wo das eigentliche Problem des Textes liegt. Solche Begründungsmaßstäbe können linguistisch benannt werden.

16.4 Stimmigkeit von Übersetzung und Textvorlage

Die translatorischen Kategorien STOLZES sind sinnvoll nur anwendbar, wenn Texte und Übersetzungen als Ganzes betrachtet werden. Beide sollen in ein Verhältnis der Stimmigkeit zueinander treten (STOLZE 1992:72). Stimmigkeit bedeutet, daß die Gesamtmenge der Sinnmerkmale in Ausgangs- und Zieltext etwa gleich sein sollte, so daß das Übersetzen ein Zugang zur übergreifenden Wirklichkeit hinter den Texten ist, die als Teilganzes auf der Text- und Übersetzungsebene erscheint. Diese Vorstellung wurde angeregt vom Begriff der „Symmetrie" als Evolutionsparadigma in den modernen Naturwissenschaften, wo er eine harmonische Einheit gleichgewichtiger Einzelelemente auf einer höheren Ebene bezeichnet. Die Evolutionstheorie sieht die Entstehung höherwertiger Gestalt als eine Reihe fortlaufender lokaler Symmetriebrüche an, die freilich die übergreifende Einheit der globalen Symmetrie des Ganzen nicht verletzen.

Auf das Übersetzen übertragen heißt dies, daß die Sinneinheit des Gemeinten zwischen Textvorlage und Übersetzung als Stimmigkeit in der Asymmetrie einzelner Textstrukturen sichtbar wird (vgl. STOLZE 1992:71f). Dies gelingt nur, wenn die Übersetzung unabhängig von den Strukturen des Ausgangstextes formuliert wird (s. Kap. 15.2). Übersetzen ist ein Sprachentwurf wie Reden und Schreiben, der dann nach Evaluation überarbeitet wird.

Das Verhältnis der Stimmigkeit ist im direkten Vergleich einzelner Textstellen miteinander nur bruchstückhaft nachweisbar. Aufgrund der Unterschiede der Einzelsprachen als Ausdruck ihrer Kulturen (s. Kap. 2.3) sowie der Notwendigkeit, bei der Realisierung der einzelnen Aspekte abzuwägen, geht in einer Übersetzung immer an einer Stelle etwas verloren, was an anderer Stelle gewandelt wieder auftreten kann. Ob im direkten Vergleich dann „wörtliche" oder „nichtwörtliche" Bezüge oder sog. Modulationen oder Paraphrasen usw. (s. Kap. 5.2) feststellbar sind, ist daher relativ unerheblich. Ob eine bestimmte Formulierung nun eine „Bearbeitung" des Ausgangstextes ist oder nicht (s. Kap. 6.4), wird nicht diskutiert. Eine Übersetzung kann nicht direkt aus der Textvorlage hergeleitet werden. Entscheidend sind vielmehr die Genauigkeit der Inhaltswiedergabe und die Wirkung des Ganzen.

Während die „wissenschaftlichen Übersetzungskritiken" immer wieder die Notwendigkeit einer Hierarchisierung der einzelnen Übersetzerentscheidungen betonen (s. Kap. 6.3; 7.8; 14.2), wird hier darauf verzichtet. Die einzelnen Kategorien sind im Textganzen verknüpft, so daß man kaum sagen kann, welcher Aspekt nun wichtiger wäre als ein anderer. Es bleibt immer der dynamische Versuch, möglichst viel davon in der Übersetzung zu realisieren.

Wie sich die hermeneutische Auffassung in veränderten Übersetzungslösungen auswirkt, soll nun an einem Textbeispiel aufgezeigt werden.

Beispiel

(a)

VIVRE EN VILLE

Héritières des cités antiques, les villes médiévales restèrent longtemps confi-
nées dans leur vieilles enceintes romaines. L'explosion démographique des XIIe
et XIIIe siècles favorisa l'expansion des cités. Elles débordèrent de leurs en-
5 ceintes et des villes neuves furent créées. Au plus fort de l'expansion, les villes
ne rassemblaient cependant pas plus d'une personne sur dix. Dans les régions
les plus urbanisées – la Flandre et l'Italie –, les très grosses villes comptaient à
peine 50 000 habitants. Paris, la plus grande ville de l'époque, avait environ
200 000 habitants au début du XIVe siècle. Ces villes attiraient un flux régulier
10 de paysans qui venaient y travailler en «hommes libres». Depuis le XIIe siècle,
les villes ou communes obtenaient des rois ou des seigneurs des libertés en
achetant prix d'or des chartes de franchise.
Dans les rues étroites des villes, ou l'affluence des passants tournait rapidement
à la cohue, le citadin pouvait jouir d'une liberté de mouvement inconnue à la
15 campagne. Le nouveau venu n'était jamais perdu longtemps; il disposait pour
s'orienter de repères simples: l'église, le beffroi, la halle. Il était accueilli par
ses „pays", originaires de la même province, qui l'intégraient rapidement à leur
communauté. Dans chaque quartier, les mêmes maisons abritaient «Messire
Denier» et «Dame Pauvreté»: riches marchands et artisans misérables. Les
20 pauvres occupaient les combles, sous les toits, au-dessus des vastes apparte-
ments des négociants. Aux premiers revenaient le froid et la corvée d'eau à la
fontaine, aux autres la chaleur de la cheminée. «Peuple menu» et «peuple gras»
s'opposaient dans leur manière de vivre. La richesse des grands bourgeois pro-
voquait de brusques flambées de colère parmi les pauvres tenaillés par la faim
25 et le chômage. Pauvres et riches étaient pourtant également dépendants de la
campagne qui les nourrissait. Tous craignaient la guerre et la famine, mais aussi
l'épidémie ou l'incendie, qui se propagaient, sans distinction, des maisons de
bois aux palais de marbre. (P. Marchand, 1992).

In: «À l'ombre des châteaux forts.» Encyclopédie découverte Junior. Galli-
mard-Larousse 1992. Publication sous la direction de Pierre Marchand, p. 643.

(b)

LEBEN IN DER STADT

Als unmittelbare Erben der antiken Städte blieben die mittelalterlichen Städte
lange Zeit eingeschlossen in ihren alten römischen Mauern. Die Bevölkerungsexplosion des 12. und 13. Jahrhunderts bewirkte dann aber, daß sie über die
5 Befestigungsmauern hinauswuchsen. Es entstanden auch immer neue Städte.
Aber selbst zur Zeit des größten Wachstums wohnte nur einer von zehn Menschen in einer Stadt. In den Gegenden, die am meisten verstädtert waren – Flandern und Italien –, hatten nur die größten Städte mehr als 50.000 Einwohner.
Paris zählte zu Beginn des 14. Jahrhunderts rund 80.000 Einwohner, Venedig

10 90.000, Köln 40.000 und Gent 60.000. Die Städte zogen einen stetigen Strom von Bauern an, die hier als freie Männer arbeiten wollten. Seit dem 12. Jahrhundert kauften sich viele Gemeinden vom König oder einem Feudalherrn einen Freibrief. Gegen eine große Geldsumme verzichtete der Herr damit auf seine Rechte über die Stadt. Diese konnte sich jetzt selbst verwalten und brauchte
15 meist keine Abgaben mehr zu zahlen.

In den engen, höchstens drei Meter breiten Straßen führte der Strom der Passanten oft zu einem beängstigenden Gewühl; der Stadtbewohner genoß jedoch eine Bewegungsfreiheit, die auf dem von Lehnsherren beherrschten Land unbekannt war. Auch konnte der Neuankömmling sich niemals lange verlaufen. Er hatte
20 einfache Orientierungspunkte: die Kirche, den Belfried, die Markthalle. In jedem Stadtteil beherbergten oft die gleichen Häuser gleichzeitig Reiche und Arme. Die Armen lebten in drangvoller Enge unter den Dächern über den großen Wohnungen der Kaufleute. Sie litten im Winter unter der Kälte und mußten ihr Wasser vom Brunnen die vielen Stockwerke hinaufschleppen. Die Begüter-
25 ten und die Habenichtse unterschieden sich stark in ihrer Lebensweise. Arme und Reiche waren jedoch gleichermaßen abhängig vom Land, das sie ernährte. Alle fürchteten den Krieg und die Hungersnot, aber ebenso die Seuchen und die Feuersbrünste, die sich, ohne Rücksicht auf arm oder reich, in Windeseile ausbreiteten.

(Übers. H. Weigelt, Bearbeitung S. Auer, 1992).

In: „Die Zeit der Ritter und Burgen. Leben im Mittelalter." Die große Bertelsmann Enzyklopädie des Wissens. Bertelsmann Lexikon Verlag, S. 71.

(c)
STADTLEBEN
Als Nachfahren der antiken Gemeinwesen blieben die mittelalterlichen Städte lange Zeit noch in ihren alten römischen Befestigungen eingeschlossen. Die Bevölkerungsexplosion im 12. und 13. Jh. förderte dann die Ausbreitung der
5 Städte. Sie wuchsen über ihre Stadtmauern hinaus, und neue Städte wurden gegründet. Doch auch auf dem Höhepunkt ihrer Ausdehnung versammelten die Städte nicht mehr als ein Zehntel der Bevölkerung. In den städtereichsten Gebieten – Flandern und Italien –, zählten die Großstädte kaum 50.000 Einwohner. Paris, damals die allergrößte Stadt, hatte am Anfang des 14. Jh. ungefähr
10 200.000 Einwohner. Diese Städte zogen einen regelmäßigen Strom von Bauern an, die kamen um hier als „Freie" zu arbeiten. Seit dem 12. Jh. erwarben nämlich die Städte oder Gemeinden von den Königen oder Lehnsherren Freiheiten, indem sie gegen Gold Freibriefe kauften.

In den schmalen Gassen der Städte, wo der Andrang der Fußgänger rasch zum
15 Gewühl wurde, konnte der Städter eine Bewegungsfreiheit genießen, wie sie auf dem Lande unbekannt war. Der Neuankömmling verlief sich nicht lange, denn er hatte einfache Orientierungspunkte: die Kirche, den Rathausturm, die Markthalle. Er wurde von seinen Landsleuten empfangen, die aus derselben Provinz stammten und ihn rasch in ihre Gemeinschaft eingliederten. In jedem Stadtvier-

20   tel wohnten Arm und Reich, wohlhabende Händler und ärmliche Handwerker zusammen im gleichen Haus. Die Armen bevölkerten die Dachböden über den geräumigen Wohnungen der Kaufleute. Ihr Los war die Kälte und die Last des Wasserpumpens am Brunnen, die anderen hatten die Wärme am Kamin. So führten die „kleinen Leute" und die „Pfeffersäcke" ein recht gegensätzliches

25   Leben. Der Reichtum der Großbürger rief unter den von Hunger und Arbeitslosigkeit geplagten Armen auch oft Ausbrüche von Wut hervor. Doch Arme und Reiche waren gleichermaßen vom Land abhängig, das sie ernährte. Alle fürchteten Krieg und Hungersnot, aber auch Seuchen und Brände, die sich unterschiedslos ausbreiteten, von den Holzhäusern bis in die Marmorpaläste. *(Neuübersetzung R. Stolze).*

Kommentar:

Der Text (a) stellt ein Kapitel aus einem reich bebilderten Jugendbuch über das Mittelalter dar. Es ist also ein Fachtext in fachexterner Kommunikation. Er richtet sich an Leser mit relativ wenig Vorwissen, eine Textfunktion, die auch in der Zielsprache bezweckt ist. Spezifisch sind einige Fachausdrücke aus dem Mittelalter (*cité, enceinte, hommes libres, seigneurs, libertés, charte de franchise, beffroi, pays, campagne, comble*), die das enthaltene Hintergrundwissen vermitteln. Dies zeigt sich auch an der Hervorhebung mancher Ausdrücke mit Anführungszeichen.

Die gedruckte Übersetzung (b) geht satzweise vor, teilweise ohne Rücksicht auf die deutsche Idiomatik im Textganzen. Dadurch wirkt der Text wenig flüssig, und stilistisch unschöne Wiederholungen häufen sich *(Städte, Mauern, Strom, Arme und Reiche, die gleichen Häuser gleichzeitig Reiche und Arme).*
Unbekannte Informationen *(Freibrief, Straßenbreite, Gegensatz Stadt-Land)* wurden im Sinne einer Bearbeitung für die Textfunktion 'Sachbuch' durch Zusätze erläutert (z. B. *weitere Städte, gegen eine große Geldsumme, drei Meter breit, von Lehnsherren beherrschtes Land).*
Manche Erklärungen sind allerdings auch redundant *(große Geldsumme, in drangvoller Enge, beängstigendes Gewühl, litten im Winter, die vielen Stockwerke hinauf, in Windeseile).* Dafür wurden andere Aspekte weggelassen *(riches marchands et artisans misérables, La richesse des grands bourgeois..., Il était accueilli..., chômage),* oder nicht erklärt *(? Belfried, ? freie Männer, ? Feudalherrn).*
Die Übersetzung tendiert dazu, Informationen aneinanderzureihen und weist inhaltlich starke Abweichungen vom Ausgangstext auf.

In der Neuübersetzung (c) wurde versucht, durch fachlich präzise Formulierungen (Kat. 'Lexik'), insbesondere durch sprechende Adjektive und terminologische Wortkomposition, die dahinterliegende Objektwelt zu verdeutlichen *(Gemeinwesen, städtereich, Großstadt, allergrößte, wohlhabend, Großbürger).*
Außerdem wurde versucht, unter Beachtung der Kompatibilität von Wörtern (Kat. 'Thematik') ein textinternes semantisches Netz um „Stadt" zu bilden *(Städte, Stadtmauern, Gassen, Städter, geräumige Wohnungen, Dachböden, Kamin).* Die Formulierungen stehen dem Ausgangstext näher, appellieren aber, wegen der fehlenden Zusätze, mehr an die Vorstellungskraft des Lesers und der Leserin.

Durch Einfügung von Partikeln *(auch, dann, jedoch, nämlich,* usw.) wurde der Gesamttext kohärenter gemacht, Fremdwörter wurden vermieden (Kat. 'Pragmatik'). Für die Metapher *„peuple gras"* wurde der stilistisch vergleichbare mittelalterliche Ausdruck *„Pfeffersäcke"* eingesetzt (Kat. 'Stilistik').

Das Ziel war, nicht nur bestimmte Informationen zu vermitteln, sondern in der Vorstellung des Lesers vom Textganzen her das „Bild" einer solchen Stadt entstehen zu lassen.

Kommentar

Die Hermeneutik argumentiert aus der Sicht des Übersetzers selbst und eröffnet dadurch neue Denkansätze. Nicht das Verhältnis zwischen Text und Übersetzung oder die Faktoren des Übersetzungsprozesses werden diskutiert, sondern die Probleme des Übersetzers bei seinem Umgang mit Texten. Ein solcher Ansatz appelliert an die Kreativität des Übersetzers und zwingt ihn zu eigenem Nachdenken. Andererseits ist dies schwieriger zu vermitteln, da sich nicht leicht klare Schemata und feste Strategien fixieren lassen. Mit den translatorischen Kategorien liegt jedoch ein linguistisches Instrumentarium vor, mit dem die Entscheidungen zumindest begründet und überprüft werden können. Hier werden praxisorientiert Beispiele für das Übersetzen diskutiert.

In dem Anspruch, sich vom Ausgangstext zu lösen und eine zielsprachlich kohärente und kulturspezifisch adäquate Übersetzung zu gewinnen, trifft sich die Hermeneutik mit der funktionalen Translationstheorie und der französischen Übersetzerschule. Der Übersetzungsprozeß wird als ein Vorgang angesehen, bei dem ein erster Entwurf wiederholt überarbeitet und näher an die Vorlage sowie an funktionsgerechte Formulierungen herangeführt wird.

Lektürehinweise

Hans-Georg GADAMER (1960): *Wahrheit und Methode.* Tübingen. Insbesondere Kapitel 3 „Sprache als Medium der hermeneutischen Erfahrung." Auch abgedruckt in H. J. STÖRIG (Hrsg.) (1963), S. 402-409.

Fritz PAEPCKE (1986): *Im Übersetzen leben - Übersetzen und Textvergleich.* Hrsg. v. K. Berger und H.-M. Speier. Tübingen.

Radegundis STOLZE (1992): *Hermeneutisches Übersetzen. Linguistische Kategorien des Verstehens und Formulieren beim Übersetzen.* Tübingen.

17 Der prozessuale Ansatz in der Übersetzungsdidaktik

Protokolle des Lauten Denkens geben Hinweise auf den kognitiven Prozeß des Verstehens und Formulierens. Sie dienen in der Übersetzungsdidaktik zur Reflexion des eigenen Handelns. Das Denken verläuft assoziativ-holistisch, und der Übersetzungsprozeß sollte von einer Makrostrategie gesteuert sein, damit weder bloße Kreativität noch verabsolutierte Einzelstrategien das Ziel verdunkeln. Planvolles translatorisches Handeln ist Ziel der Ausbildung.

17.1 Der Blick in die 'Black Box' – Lautes Denken (Krings, Königs)

Während in der Hermeneutik die Tatsache des Verstehens einfach als gegeben vorausgesetzt wird (s. Kap. 16.1), wird neuerdings gefragt, wie die Prozesse des Verstehens denn kognitiv ablaufen. In der älteren Übersetzungswissenschaft wurde vornehmlich das Übersetzungs*produkt* untersucht, doch nun zeichnet sich zunehmend ein wachsendes Interesse am Übersetzungs*prozeß* ab, nämlich an den Vorgängen, die einen bestimmten Übersetzer unter bestimmten Bedingungen bei der Übersetzung eines verstandenen Textes zu einem bestimmten Übersetzungsresultat führen. Diesbezügliche Einsichten könnten dann übersetzungsdidaktisch verwertet werden.

Das translatorisch so wichtige Verstehen wird kognitiv untersucht. Neuere Forschungen in der Psycholinguistik haben gezeigt, daß menschliches Verstehen nicht Informationen addiert, sondern in vorhandene Wissensschemata integriert:

> Bei jeder neuen Information werden die Karten des Wissens auch neu gemischt, und der Mensch entscheidet darüber, mit welchen Karten er weiterhin spielen will und welche er gegebenenfalls zur Seite legen kann. Dabei ist natürlich interessant zu ermitteln, nach welchen Gesetzmäßigkeiten der Mensch seine mentalen Karten neu mischt (KÖNIGS 1993:231).

Um den Weg zu einer Übersetzung klarer beschreiben zu können, ist zunächst zu erforschen, welche mentalen Operationen denn beim Übersetzen überhaupt ablaufen. Übersetzen ist eine komplexe Art der Sprachverwendung, deren Funktionieren mit Instrumentarien der Psycholinguistik zu untersuchen ist. Hans P. KRINGS (1986; 1988) hat sich hierzu, neben anderen, ausführlich geäußert. Entsprechende Forschungen sind meist nicht aus einer originär übersetzungswissenschaftlichen Perspektive heraus entstanden, sondern überwiegend im Rahmen benachbarter Disziplinen, wie z. B. der Sprachlehr- und Lernforschung und der Fremdsprachendidaktik. Dieser neue prozeßanalytische Ansatz läßt sich in folgenden Thesen zusammenfassen:

1. Die mentalen Prozesse, die beim Übersetzen „In den Köpfen der Übersetzer" ablaufen, sind ein zentraler Bestandteil von übersetzerischer Wirklichkeit und gehören somit zum Gegenstandsbereich der Übersetzungswissenschaft. (...)
2. Gegenstand des übersetzungsprozessualen Ansatzes sind dabei alle kognitiven Prozesse, die zur Entstehung eines Übersetzungsproduktes führen, von den ersten Recherchierarbeiten bis zum letzten Korrekturlauf (...).
3. (... Eine solche) auf den Übersetzungsprozeß bezogene übersetzungswissenschaftliche Forschung ist grundsätzlich *empirisch-induktiv*.
4. Im Gegensatz zu den ebenfalls zahlreichen *normativen* Ansätzen in der Übersetzungswissenschaft ist der übersetzungsprozessuale Ansatz grundsätzlich *deskriptiv*, er beschreibt das konkrete übersetzerische Vorgehen der als Versuchsperson fungierenden Übersetzer mit allen Defiziten, die dieses aus einem normativen Blickwinkel möglicherweise beinhaltet.
5. Ziel des übersetzungsprozessualen Ansatzes ist der graduelle Aufbau eines *differenzierten Modells des Übersetzungsprozesses* und die Klärung des Einflusses der prozeßrelevanten Variablen (...) (KRINGS 1988:394).

Erste empirische Untersuchungen in dieser Richtung dienten auch dem Zweck, die Versuchsparameter des inzwischen wissenschaftsmethodisch konsolidierten Verfahrens des *„Lauten Denkens" (LD)* zu entwerfen und dessen Brauchbarkeit zu erhärten. Entwickelt wurde die Methode in der Psychologie, man vergleiche dazu die einflußreiche Arbeit von ERICSSON/SIMON (1984)[145]. Fortgeschrittenen Fremdsprachenlernern wurde ein Text zur Übersetzung vorgelegt. Nun sollten sie alle ihre Gedanken laut verbalisieren, die Tonbandaufnahme wurde danach für die Analyse transkribiert (vgl. KRINGS 1986). Später wurde das gleiche Verfahren auch mit einem Berufsübersetzer durchgeführt (KRINGS 1988). Insgesamt wurden dabei hochinteressante Ergebnisse

---

[145] Vgl. K.A. ERICSSON/H. A. SIMON (1984): *Protocol Analysis. Verbal Reports as Data.* Cambridge/London.

erzielt, so daß festgestellt werden kann, daß das introspektive Verfahren durchaus einen Aufschlußwert besitzt.

KRINGS (1986) unterstreicht wiederholt, daß im Übersetzungsprozeß lexiko-semantische Probleme den größten Raum einnehmen, indem Ähnlichkeitsassoziationen im Leserbewußtsein ablaufen. Die ganze formale Seite der Sprachregeln wird relativ schnell – wohl zur eigenen Entlastung – automatisiert, jedenfalls ist sie nicht mehr bewußt verfügbar. Insgesamt ist eine starke Dominanz der Muttersprache in den Suchstrategien zu beobachten. Frank G. KÖNIGS stellt fest, daß „der übersetzungsbezogene Verstehensprozeß des Ausgangstextes bei Wörtern, nicht bei Sätzen oder ganzen Texten" ansetze (1993:233f), und daß hier Nomina stärker verstehensfördernd seien als andere Wortarten. Dies kann als ein Indiz für die heuristische Rolle semantischer Isotopieebenen und Wortfelder in Texten gewertet werden (s. Kap. 16.3).

Im Vergleich der Redeprotokolle von Lernern und Berufsübersetzern zeigte sich beim Berufsübersetzer eine viel höhere Konzentrik oder Rekursivität im Gegensatz zur Linearität des Übersetzungsprozesses bei Anfängern, d. h. der professionelle Übersetzer wies viel mehr Vor- und Rückgriffe bei der Textbearbeitung auf als Lerner, die vorzugsweise Satz für Satz vorgehen. Auch problematisiert der Berufsübersetzer größere Teile des Textes, während die Lerner oft naiv an den Fakten kleben. So bringt der Berufsübersetzer den zielsprachlichen Text durch einen „gesamthaften, auf die interne Kohärenz achtenden Formulierungsprozeß hervor" (KRINGS 1988:404). Ein solches Verhalten war auch im Rahmen des hermeneutischen Denkens als Forderung an den Übersetzer gestellt worden (s. Kap. 16.2). KÖNIGS sieht hier auch eine Anwendungsmöglichkeit im Unterricht:

> Ist der Unterricht auf der Lernzielebene auf globales Übersetzen festgelegt, so bietet sich hier anhand von lernseitigen Übersetzungsdiskussionen (...) an, auf den multiple stage-Charakter jeglicher Übersetzung hinzuweisen (...), demzufolge jede Übersetzung dadurch zustande kommt, daß Lösungen verfeinert und sowohl hinsichtlich des zielsprachlich Gemeinten als auch bezüglich des verwendeten Sprachmaterials mehreren Überarbeitungsphasen unterworfen werden. Praktisch kann man dies etwa im Unterricht dadurch demonstrieren, daß man Texte nach einem bestimmten zeitlichen Abstand noch einmal bearbeiten läßt und dann auch die Unterschiede zwischen den beiden Fassungen zum Gegenstand unterrichtlicher Diskussionen macht (1989:170).

Die Übersetzungsvarianten, die erwogen und zum Teil wieder verworfen wurden, waren beim Berufsübersetzer viel zahlreicher, so wie er auch eine deutlich diversifiziertere Benutzung von Hilfsmitteln hatte. Die Studierenden hatten sich vielfach mit dem zweisprachigen Wörterbuch als Verständnishilfe begnügt. In seinem Bericht über die Protokollanalysen stellt KRINGS fest: „Alle drei Befunde sprechen gegen die Annahme eines höheren Automatisierungsgrades beim Berufsübersetzer" (1988:409). Diese Beobachtung stellt eine schwerwiegende Infragestellung für andersgeartete Forschungsvorhaben dar, die das Übersetzen als „Fertigkeit" operationalisieren wollen (s. Kap. 4.6).

Die Bedeutung solcher, zunächst rein deskriptiver Prozeßvergleiche für die Übersetzungsdidaktik liegt auf der Hand. Bei Vorliegen genauerer Daten über die Prozeßstruktur des Übersetzens bei Lernern und Professionellen hätte man auch Orientierungsmarken darüber, wo eine Übersetzungsdidaktik die Auszubildenden „abholen" sollte und wo sie prozeßmäßig gesehen hinzuführen hätte. Vielleicht könnte dabei auch die Methode des „Lauten Denkens" selbst eingesetzt werden, um den Lernern die Defizite in ihrem übersetzerischen Vorgehen bewußt zu machen. Auf eine sinnvolle Verwendung der Methode in der Fremdsprachendidaktik verweist KÖNIGS (1989).

17.2 Psycholinguistische Studien: Intuition und Kognition

Erst sehr spät wurde also in der Übersetzungswissenschaft erkannt, daß der Übersetzer als das erkennende Subjekt in die Textanalyse integriert werden muß, daß es nicht ausreicht, nur „objektiv" linguistische Oberflächenstrukturen (s. Kap. 3.4) und Texttypen zu beschreiben oder den textpragmatischen Hintergrund aufzuhellen (s. Kap. 8.1). Es scheint so, als habe WILSS (1988) in seinem Buch *Kognition und Übersetzen* diese Wende mitvollzogen, wenn es dort heißt:

> Insofern wir als Übersetzer tätig werden, müssen wir daran interessiert sein, uns Rechenschaft über unser Verhältnis zu dem von uns zu übersetzenden Text zu geben. Das Verhältnis zu diesem Text ist aber immer auch ein Verhältnis zu uns selbst als Person, die zum Zweck der Erledigung eines Übersetzungsauftrags in die Rolle des Übersetzers geschlüpft ist (1988:59).

Dies klingt wie ein Bekenntnis zur Subjektivität und Individualität des Übersetzers, doch WILSS sieht diesen Aspekt immer noch als negativen an. Sein interessantes Versprechen einer „kognitiven Darstellung des Übersetzungsprozesses" wird leider nicht eingelöst. Statt dessen trägt er aus allen Winkeln der übersetzungswissenschaftlichen Literatur einzelne Beiträge zu Begriffen wie *kognitive Psychologie, Übersetzen als Verständigungshandlung, Handlungs-theorie, die Rolle des Übersetzers im Prozeß, Übersetzen als verstehensbasierte Handlung, Übersetzen als Problemlösungsoperation, als Entscheidungsprozeß, Kreativität und Intuition beim Übersetzen* usw. zusammen. Diese überblicksartige Zusammenstellung zeigt, daß diese neuen Parameter vielfach bedacht werden, jedoch zeichnet sich noch kein klares Bild ab. Wir finden Feststellungen wie folgende:

> Nichtwörtliche Übersetzungen erfordern einen größeren Problemlösungsaufwand als wörtliche Übersetzungen, deren Reichweite in der Übersetzungspraxis oft überschätzt, aber auch unterschätzt wird (...) (WILSS 1988:88).

Aus der teilweise widersprüchlichen Darstellung gewinnt man den Eindruck, daß die zahllosen verschiedenen Ansätze nicht kongruent sind. Der Versuch, die auseinanderdriftenden Tendenzen der gegenwärtigen Übersetzungswissenschaft, wie sie ja im übrigen auch in der vorliegenden Einführung deutlich werden, zusammenzuhalten, macht deren unübersichtliche Lage nur noch plastischer. Wenn es in der Einleitung (1988:IX) heißt: „Die Übersetzungswissenschaft ist und bleibt letztlich eine Grenzwissenschaft, die durch das oft problematische, gleichzeitig zentripetal und zentrifugal wirkende Kräftespiel zwischen objektiven und subjektiven Faktoren charakterisiert ist", so ist der erste Buchteil eine Explikation dieses Satzes. Jeweils zu Kapitelbeginn werden wünschbare Objektivierungsmechanismen entworfen, die dann wieder, mit Hinweis auf den relativen Charakter des Übersetzens als menschlicher Tätigkeit zurückgenommen werden. Psycholinguistische Aspekte werden nicht klar von den individuellen Fähigkeiten der Übersetzer abgehoben, was aber für eine Theoriediskussion unabdingbar wäre. Wiederholt wird auch festgestellt, das Übersetzen sei ein Entscheidungsprozeß, ohne daß gesagt wird, was für Entscheidungen denn nun zu treffen seien:

> Nach LEVYs Meinung stehen as- und zs-Textsegmente in der Regel nicht in einer Eins-zu-Eins-Entsprechung, sondern in einer Eins-zu-Viele-Entsprechung. Die übersetzungsprozessuale Konflikt- und Entscheidungssituation ist für den Übersetzer um so schwerer zu bewältigen, je komplexer das zu übersetzende Textsegment in syntaktischer, semantischer, pragmatischer und stilistischer Hinsicht ist (1988:93).

Das nicht Meßbare, nicht „Operationalisierbare" des menschlichen Übersetzens wird zwar ständig betont, aber als Defekt gesehen. Die Beobachtung, daß Menschen in einer historisch und sozial geprägten Umwelt leben, die ihr individuell verschiedenes Verhalten beeinflußt; daß man nur etwas übersetzen kann, was man zuvor verstanden hat; daß Verstehen ein bestimmtes sachliches und kulturelles Vorwissen und entsprechende Erfahrung voraussetzt etc.; das sind objektiv nicht bestreitbare Tatsachen, deren Implikationen jedoch nicht bis in letzte Detail hinein analysierbar sind. Das weiß WILSS wohl, denn „dazu gehört auch die Auseinandersetzung mit dem ungemein problematischen Gegenstand der Übersetzungskreativität" (1988:107). Er bleibt jedoch im Grunde in seiner mechanistischen Vorstellung der „Transferprozeduren" stecken (s. Kap. 4.5), auch wenn hier Begriffe wie „Kreativität", „Entscheidung", „Intuition" genannt werden.

In der Psycholinguistik lassen sich freilich durchaus klare Einsichten in das Wirken der Intuition gewinnen. Es scheint in der Praxis so zu sein, daß sowohl in bezug auf Texte, als auch hinsichtlich des Verstehens einzelner Wörter ein assoziatives holistisches Denken vorherrscht. Wörter werden tatsächlich „deverbalisiert" (s. Kap. 15.2), und die Bedeutung wird aus einer zunächst noch ungefähren Kernbedeutung allmählich durch Informationen aus dem Kontext angereichert und präzisiert. Robert de BEAUGRANDE (1988:422f) verweist auf Untersuchungen von KINTSCH (1986)[146], nach denen eine kontextfreie Bedeutungserfassung zwischen 50 und 500 Millisekunden dauert, danach gewinnt der Kontext die dominante Rolle im Bedeutungsaufbau.

An dieser Stelle kommt erneut die scenes-and-frames-Semantik nach FILLMORE ins Spiel (s. Kap. 11.3). Die Wortbedeutungen werden auf Prototypen als vorhandenen Schemata aufgebaut. Ein Ausgangstextelement aktiviert aufgrund der Wörter ein Bedeutungsfeld, dieses wiederum aktiviert ein entsprechendes Bedeutungsfeld in der Zielsprache, und daraus wird dann, wie beim Reden oder Schreiben, die Textbedeutung konkretisiert. Da der zu formulierende Sinn von den Sprachstrukturen losgelöst ist, stellen sprachenpaarspezifische Unterschiede keine große Schwierigkeit dar: „The bilingual maintains control with equal facility, no matter which language is being used" (DE BEAUGRANDE 1988:426).

Dies bedeutet für den Übersetzungsunterricht, daß rasche Bedeutungserfassung, Textverstehen und spontanes Formulieren als Schreibkompetenz die wichtigsten zu trainierenden Fähigkeiten des Übersetzers sind. Solches wird insbesondere auch von der französischen Übersetzerschule gefordert (s. Kap. 15.1). Demgegenüber wären „Übersetzungstechniken" aus der sprachenpaarbezogenen Übersetzungswissenschaft (s. Kap. 5.5) weniger wichtig; denn immer dann, wenn die eingefahrenen Gleise verlassen werden müssen – und das ist bei neuen Texten fast immer der Fall – reagiert der so konditionierte Übersetzerstudent hilflos. DE BEAUGRANDE (1988:427) fordert daher zu Recht einen Wechsel von der bislang eher „deterministischen" zu einer mehr „probabilistischen" Behandlung des Stoffes.

Der erste Impuls beim Verstehen ist also intuitiv-ganzheitlich und kann gegebenenfalls anschließend bewußt gesteuert werden. Damit läuft der psycholinguistisch eruierte Prozeß gerade umgekehrt zur These von WILSS, der meint: „Auf unsere intuitiven Fähigkeiten greifen wir als Übersetzer vor allem dann zurück, wenn wir auf der Basis rationaler Problemlösungsstrategien zu keinem brauchbaren Ergebnis gelangen" (1988:142).

---

[146] Vgl. W. KINTSCH (1986): *The Representation of Knowledge and the Use of Knowledge in Discourse comprehension.* University of Colorado Institute of Cognitive Science Technical Report 152.

Inzwischen hat Hans G. HÖNIG (1990) aufgrund psycholinguistischer Tests nachgewiesen, daß Intuition und Kognition beim Suchen und Finden zielsprachlich stimmiger Formulierungen nicht dem Prinzip einer linearen Progression des einen nach dem anderen folgen, sondern vielmehr interdependent sind. Meist wird dabei versucht, das intuitive Urteil wiederum kognitiv abzustützen. „Aber auch diese Lösung muß wieder durch ein Evidenzerlebnis und damit wieder durch den intuitiven Eindruck der 'Stimmigkeit' bestätigt werden" (1990:155).

Wichtig ist festzuhalten, daß intuitive Urteile an fast allen mentalen Übersetzungsvorgängen beteiligt sind. Intuition ist die Fähigkeit zu raschem, ganzheitlich-synthetischem, überblicksartigem Erfassen von Zusammenhängen. Die gleichzeitige assoziative Zusammenschau vieler Einzelaspekte führt zu einem unmittelbar erhellenden Begreifen der Situation (vgl. STOLZE 1992:27). Dagegen arbeitet Kognition mit den Daten, die im Augenblick zur Verfügung und in direkter Relation zu dem zu lösenden Problem stehen. Beide Denkweisen sind im Übersetzungsprozeß miteinander verknüpft. Eine Zerlegung der kognitiv-intuitiven Ketten in ihre Faktoren würde die Komplexität der mentalen Prozesse sichtbar machen.

17.3 Konstruktives Übersetzen (Hönig)

Folgerichtig sieht HÖNIG (1995) die Übersetzungskompetenz als wichtigen Forschungsgegenstand. Verstehen ist ein „Sinngebungsprozeß, der grundsätzlich graduell fortschreitet und dessen Ende niemals objektiv, sondern immer nur subjektiv, nämlich aus dem Verstehensinteresse der rezipierenden Person, definiert werden kann" (HÖNIG 1989:126). Er lehnt das kognitiv-deskriptive Modell der Introspektion bei KRINGS ab (s. Kap. 17.1), weil kognitiv-verbale Daten nicht mit den komplexen mentalen Operationen gleichgesetzt werden könnten. Auch ist er an einer übersetzungsbezogenen Gesamtstrategie interessiert, und nicht bloß an einer Beschreibung dessen, „was in den Köpfen von Übersetzern vorgeht".

Nicht alles an einem Text Beobachtbare ist für dessen Übersetzung relevant. Vielmehr ist es Teil der Übersetzungskompetenz, daß der Übersetzer selbst beurteilen kann, ob seine sprachliche und kulturelle Kompetenz ausreicht oder ob er noch recherchieren muß. Die translatorische Kompetenz eines Professionellen manifestiert sich „eher darin, daß aufgrund einer übersetzerrelevanten Textanalyse/-synthese ein Übersetzungsauftrag zurückgewiesen wird, als in der – gerade bei Lernern sehr verbreiteten – Einstellung: 'Ich versteh's zwar nicht, aber ich mach's mal'" (HÖNIG 1989:127).

Durch die didaktische Einführung einer „übersetz*er*relevanten Textanalyse"
soll nun die Reflexion über den „gesamten Text in seiner kommunikativen
Funktion" vor den Beginn des übersetzerischen Handelns gesetzt werden,
damit Probleme auf einer höheren Verarbeitungsstufe systematischer ange-
gangen werden können. Als „translatorische Myopie" [Kurzsichtigkeit] bezeichnet HÖNIG die verbreitete Fehlhaltung, einzelne Textkonstituenten wegen
ihrer subjektiven Schwierigkeit so lange geistig zu fixieren, bis man am Ende
vor lauter semantischen Bäumen den Wald des Textes nicht mehr sieht. Auch
SELESKOVITCH/LEDERER 1984:30) hatten einmal angemerkt, daß eine spontan
gefundene Übersetzungslösung oft durch das Bemühen um lexikalische Entsprechung in ihrer Nähe zum Sinn wieder aufgegeben wird (s. Kap. 15.1).
Daher sollten Studierende dazu ermuntert werden, das Gemeinte „mit eigenen
Worten" nachzuerzählen, weil so oft rascher funktionsgerechte und zielsprachlich idiomatische Formulierungen gefunden werden. Vor allem sollte
die „didaktogene Fehlhaltung" der Fehlervermeidungsstrategien abgebaut
werden. HÖNIG wendet sich dezidiert gegen die Übersetzungstechniken der
sprachenpaarbezogenen Übersetzungswissenschaft und Fehleranalyse (s.
Kap. 5.5):

> Eine große Versuchung für den Lehrenden (und eine große Gefahr für den Ler-
> nenden) liegt in der Verabsolutierung von Regulierungen des übersetzerischen
> Verhaltens auf der Ebene der Sprachsysteme. Derartige Anleitungen (etwa
> Friederich 1969 oder Newmark 1988) können leicht als Fehlervermeidungs-
> strategien mißbraucht werden. Dies liegt nahe, weil bei den Lernern eine große
> Bereitschaft gegeben ist, das übersetzerische Verhalten an Regeln auszurichten
> und den scheinbar mühsameren Weg über den Aufbau einer translatorischen
> Kompetenz zu vermeiden (1989:130).

So erhebt sich mit Blick auf die Übersetzungskompetenz nun die Frage nach
der Ordnung des Denkens. In jedem Erkenntnisprozeß sind die schon vorhandenen Erkenntnisstrukturen beteiligt und werden durch selbst verändert. Dabei
entsteht neues, unerwartetes und unvorhersagbares Material, das sich möglicherweise als kreativer Einfall erweist. HÖNIG weist darauf hin, daß die mentalen Prozesse bei der Verarbeitung sprachlicher Daten keinesfalls nur logisch
konsequent, sondern vielmehr simultan, vernetzt und holistisch ablaufen.
Wenn nun in Introspektionsprotokollen (s. Kap. 17.1) bzw. durch deren Aus-
wertung der Eindruck vermittelt wird, die mentalen Prozesse seien konsequent
logisch geordnet, so unterliegt dies dem grundsätzlichen Problem, „daß allein
durch die Bewußtmachen der weitgehend unkontrollierten Prozesse beim
Übersetzen die Gefahr besteht, daß diese verfälscht oder unter dem Druck des
Versuchsdesigns erfunden werden" (1995:40).

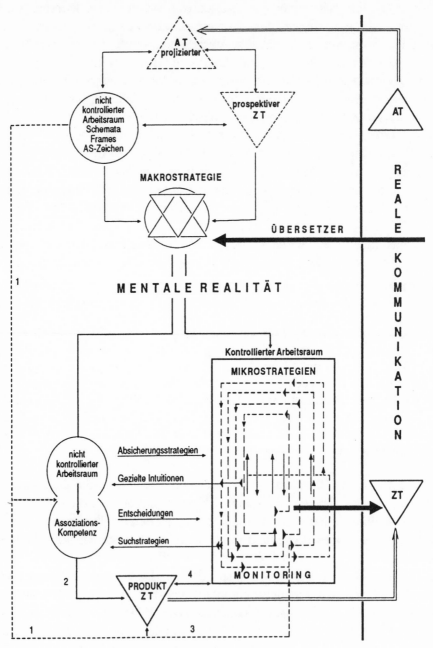

Eine idealtypische Modellierung des Übersetzungsprozesses

Vor dem Hintergrund seines didaktischen Ziels unternimmt es HÖNIG, ein Flußdiagramm zur Darstellung der mentalen Prozesse beim Übersetzen zu entwerfen (vgl. 1995:51), denn für die Anwendung übersetzerischer Mikrostrategien ist die didaktische Vermittlung einer Makrostrategie entscheidend, und ohne ein Bewußtsein von der Rolle des Übersetzers, kann dieser auch das notwendige Selbstbewußtsein nicht entwickeln. HÖNIG bemerkt dazu (siehe nebenstehende Abbildung):

> Beginnen wir unsere Besichtigung des Modells rechts oben, also beim Ausgangstext (AT) in der realen Kommunikation, wo er vom Übersetzer zuerst erfaßt wird. Für die Übersetzung wird der AT aus dieser "natürlichen" Umgebung entfernt und in die mentale Realität des Übersetzers projiziert. Durch diese Projektion wirkt er subjektiv "größer" als in der realen Kommunikation, denn er bindet nun mehr mentale Kapazität, als dies bei der nicht-übersetzungsbezogenen Rezeption der Fall wäre.
> Der *projizierte AT* wird nun zum Objekt der mentalen Verarbeitungsprozesse. Dabei lassen sich grundsätzlich *zwei Verarbeitungsräume* unterscheiden: der unkontrollierte *(= unko. Ar.)* und der kontrollierte Arbeitsraum *(= ko. Ar.)*.
> An den unkontrollierten Bearbeitungsprozessen sind vor allem *Schemata* und *frames* beteiligt, die beide gemeinsam als strukturierte Domänen des Langzeitgedächtnisses definiert werden können. (...)
> Gleichzeitig bauen sich innerhalb dieses "Verstehens" unwillkürlich Erwartungsstrukturen in bezug auf den prospektiven Zieltext auf. Ganzheitliche Erwartungsstrukturen (...) sind Teil jedes Textverarbeitungsprozesses, aber beim Übersetzen sind sie ZT-orientiert und überlagern die Prozesse im *unko. Ar.*
> Der qualifizierte Übersetzer wird sich aus dem Zusammenspiel von projiziertem AT, prospektiven ZT und der Daten aus seinem *unko. Ar.* seiner übersetzerischen Aufgabe bewußt. Das heißt, er erarbeitet sich eine übersetzerische *Makrostrategie,* die er entweder aufgrund seiner beruflichen Erfahrung weitgehend automatisch herstellt, oder die er ganz bewußt (möglicherweise gestützt auf eine übersetzungsrelevante Textanalyse) formuliert. (...) Gesteuert von dieser Makrostrategie erfolgen nun die weiteren mentalen Prozesse, die sich sowohl im *unko. Ar.* als auch im *ko. Ar.* vollziehen. Erst jetzt sollte also die eigentliche Übersetzungsphase beginnen (1995:55f).

HÖNIGS Ziel einer professionellen Makrostrategie, die das translatorische Verhalten steuern soll, wird an zahlreichen Beispielen *ex negativo* aufgezeigt, indem an schlechten Übersetzungen das Fehlen einer solchen Überblicksperspektive nachgewiesen wird.

HÖNIG plädiert für *Konstruktives Übersetzen* (1995), das dann möglich wird, wenn die Beteiligten über den Vorgang Bescheid wissen. „Nur wer die Konstruktionsprinzipien versteht, kann konstruktive Beiträge liefern" (1995:10). Mit der Metapher des Brückenbaus beschreibt er die Übersetzerkompetenz im Sinne eines selbstbewußten Übersetzens (1995:91). Dieses übersetzerische Selbstbewußtsein basiert auf einer Bewußtheit in Makrostrategie und Materialkunde, und führt hin zu Selbstvertrauen durch Kompetenz und Systemkunde. Das Bewußtsein ist nicht einfach gegeben, sondern als Produkt der Gehirntätigkeit ein sich selbst schaffendes Phänomen, indem es durch neu einströmende Informationen und Gedanken ständig verändert wird.

So soll durch eine sinnvolle Makrostrategie die didaktogene Verabsolutierung von Mikrostrategien verhindert werden. Die erlernbare Übersetzungskompetenz schafft das übersetzerische Selbst-Bewußtsein (= Selbstvertrauen), aus dem heraus der Übersetzer seine (angeborene) Assoziationskompetenz bewußt einsetzt. Im Blick auf einen bewußten, ganzheitlichen Umgang mit Texten im Übersetzen wäre auch an die „translatorischen Kategorien" STOLZES zu denken (s. Kap. 16.3).

17.4 Kreativität beim Übersetzen (Kußmaul)

Da kreative Einfälle beim Übersetzen unbestritten sehr wichtig sind, hat Paul KUßMAUL (1993) in eigenen Untersuchungen anhand von Dialogprotokollen des lauten Denkens die Entwicklung von Kreativität beim Übersetzen erforscht.

Im Sinne der Kreativitätsforschung analysierte er die „Vorbereitungsphase" und die „Inkubationsphase", in welcher es zu Kombinationen und Reoganisationen des Wissens kommt. Schwierig sei es, die „Illuminationsphase" zu isolieren, denn sie ist eng mit der „Evaluationsphase" verknüpft. Generell ist damit zu rechnen, „daß es Vor- und Rückgriffe gibt, sozusagen gedankliche Schleifen, und daß manche Phasen mehrfach durchlaufen werden" (1993:284). Häufig zeigte sich in den Protokollen auch, daß ein Mangel an Evaluation zum Verlust guter Ideen führen kann, was HÖNIGS Postulat einer „Makrostrategie" unterstützt.

Anhand solcher Protokolle des lauten Denkens kann auch überlegt werden, welches die günstigsten Bedingungen für die Entfaltung von Kreativität sind. Wie groß soll eine Gruppe sein? Wie oft sollen Pausen eingelegt werden? Wie können psychologische Blockierungen überwunden werden? (vgl. KUßMAUL 1991)[147].

---

[147] Vgl. P. KUßMAUL (1991): „Creativity in the Translation Process. Empirical Approaches." In: K.VAN LEUVEN-ZWART/T. NAAIJKENS (Eds.): Translation Studies: The State of the Art. Proceedings of the First James S. Holmes Symposium on Translation Studies. Amsterdam: Benjamins, S. 91-101.

BEISPIEL

KUßMAUL (vgl. 1993:279-285) bringt ein Beispiel für die assoziativen Denkprozesse:

In einem beim LD-Test verwendeten Text ging es um das Thema „Kater im Urlaub". Die Situation, in der man leicht ein Glas über den Durst trinkt, wurde sehr lebendig wie folgt geschildert:

How well the summer wine goes down, whilst you bask in the balm of an island evening, fanned by the flattery of murmuring machos and lulled by the lilt of gypsy guitars. How different the next day when your head is hurting like an off-course cable car and the sun slugs you right in the eye. (Cosmopolitan, August 1980, S. 82).

Die Testpersonen waren damit beschäftigt, die Stelle „fanned by ... „ zu übersetzen und äußerten sich wie folgt:

A: „Mandeläugige Männer" hätte ich gesagt oder so, das...
B: Ach so, zwei „ms".
A: Normalerweise sagt man „mandeläugige Mädchen".
B: Ja. *(7 Sekunden Pause)* Laß dich doch mal von diesen wunderschönen Spanien-bildern da an der Wand inspirieren *(lacht)*.
A: Da sind keine Männer drauf *(lacht, - 5 Sekunden Pause)*.
B: Ja, irgendwas „lulled by the lilt of gypsy guitars". *(Die Kassette wird umgedreht, 10 Sekunden Pause)*.
A: Jetzt habe ich eben gesagt „umschmeichelt von bewundernden Blicken".
B: Ja, das klingt doch!
A: Dann lassen wir das mit den Männern doch ganz weg.
B: Ja.
A: Also sind aus den „murmuring machos" „bewundernde Blicke" geworden *(lacht)*.

Nach dem Wenden der Kassette als Ablenkungsaktivität wird die geistige Blockade überwunden und Testperson A macht kreativ einen neuen Vorschlag, mit dem sie sich vom Ausgangstext löst (deverbalisiert) und einen neuen Weg beschreitet.

Daß Flüssigkeit des Denkens der Kreativität dienlich ist, läßt sich auch am obigen Beispieltext zeigen. Im Zusammenhang mit der Stelle „flattery of murmuring machos" kam es bei den Testpersonen zu folgendem Dialog:

A: ... umschmeichelt von den ... also Casanova war schon mal nicht schlecht. Jetzt müssen wir nur noch die Verbindung herstellen. Kühner Casanovas ...
B: kühner, kerniger und ortskundiger Casanovas *(Lachen)*
A: k, was gibt es denn mit k?
B: Küche, Kleiderschrank, Kinder *(Lachen)*
A: Kinderreicher Casanovas *(Lachen)*. Kerniger Casanovas.
B: Nee. *(Pause)* Liebestoller Latin Lovers.
A: Ja!

Flüssiges Denken zeigt sich hier in der Nennung von alliterierenden Adjektiven.
Daß der Mangel an Evaluation der gefundenen Lösungen aber auch zum Verlust guter

> Ideen führen kann, zeigen die Überlegungen zum letzten Satz *„How different the next day..."* Die dazugehörige Passage im Protokoll lautet:
>
> A: ... dann muß der letzte Satz aber noch besser werden! Wie ernüchternd ist dagegen der Morgen danach. Die Lichtstrahlen schmerzen wie hunderttausend Nadelstiche. Gibt es nicht irgendwie sowas? Da gibt es etwas, aber ich komme nicht darauf. *(Pause.)*
> B: Ein Brummschädel zum Platzen - so etwas vielleicht.
>
> Nach einer längeren Diskussion entscheiden sich die Testpersonen für:
>
> „Der Schädel brummt und man erleidet Höllenqualen. Grelles Licht und Lärm werden einfach unerträglich."
>
> Sie hatten offenbar nicht bemerkt, daß sie bereits eine viel bessere Lösung gefunden hatten. Hier hätte das <u>überwachende Bewußtsein</u> (nach Hönig im kontrollierten Arbeitsraum) helfen können.

KUßMAUL hat (1995) in *Training the Translator* eine kognitionswissenschaftliche Fundierung des Übersetzungsunterrichts vorgelegt. Folgende thematische Schwerpunkte der Übersetzungsdidaktik werden in den Kapiteln angesprochen:

> What goes on in the translator's mind?
> Creativity in translation
> Pragmatic analysis
> The analysis of meaning
> Text analysis and the use of dictionaries
> Evaluation and errors
> A summary of strategies.

Gegenstand des Buches ist es also, „to explore various aspects of the methodology of translation" (1995:2), wobei es vor allem um das Lehren, um die Vermittlung dieses Übersetzerverhaltens geht. KUßMAUL möchte das „Blackbox-Modell" des Übersetzungsprozesses (s. Kap. 17.1) durch ein epistemisch fundiertes Modell ersetzen, das sich auf die Vorstellung vom Übersetzer als einem planvoll, bewußt und verantwortlich handelnden Subjekt stützt. Nur wer methodisch vorgeht, kann übersetzerische „Verhaltensketten" oder eine Art „kognitive Landkarte" aufbauen, die erkenntnissichernd und erkenntniserweiternd wirkt.

Die Arbeit mit Protokollen des lauten Denkens ist ein sehr anregendes Medium für den Übersetzungsunterricht, da die Studierenden wirklich konkret ihre eigene Arbeit diskutieren können, und gewiß auch nicht wenig Spaß dabei haben.

Kommentar

Durch Erkenntnisse der psycholinguistischen Forschung setzt sich in der Übersetzungswissenschaft allmählich die Einsicht durch, daß Denkprozesse des Übersetzers einen entscheidenden Faktor im gesamten Übersetzungsprozeß darstellen. Empirische Untersuchungen wurden vor allem aus der Perspektive der Übersetzungsdidaktik angestellt. Es sollten Orientierungsdaten über das tatsächliche Verhalten von Übersetzerstudenten gesammelt werden, um im Unterricht darauf zu reagieren. Andererseits ergibt sich auch die Notwendigkeit, in der Zukunft verläßliche Kriterien zur Strukturierung der erforderlichen Makrostrategien zu entwickeln, unter welche dann die faktenbezogenen Mikrostrategien sinnvoll eingeordnet werden können. Psycholinguistische Fragestellungen sind eher deskriptiv ausgerichtet und bieten daher keine unmittelbaren Hinweise für das praktische Übersetzen. Sie arbeiten meist kritisch mit vorliegenden Übersetzungen, wobei ein „besseres" Verhalten dann induktiv hergeleitet werden kann.

Lektürehinweise

Hans G. HÖNIG (1995): *Konstruktives Übersetzen*. Tübingen.

Frank G. KÖNIGS (1993): „Text und Übersetzer: Wer macht was mit wem?" In: J. HOLZ-MÄNTTÄRI/C. NORD (Hrsg.): *Traducere Navem. Festschrift für Katharina Reiß*, Tampere 1993, S. 229-248.

Hans P. KRINGS (1988): „Blick in die 'Black Box' - Eine Fallstudie zum Übersetzungsprozeß bei Berufsübersetzern." In: ARNTZ (Hrsg.): *Textlinguistik und Fachsprache. AILA-Symposion*, Hildesheim 1988, S. 393-412.

Paul KUßMAUL (1995): *Training the Translator*. Amsterdam/Philadelphia.

Wolfram WILSS (1988): *Kognition und Übersetzen. Zu Theorie und Praxis der menschlichen und der maschinellen Übersetzung.* Tübingen.

18 Zusammenfassung

Mit dem Problem des Übersetzens kann man sich auf verschiedenste Weise befassen. Im vorliegenden Studienbuch wurde ein Überblick über wichtigste übersetzungswissenschaftliche Ansätze gegeben, die in ihrem Grundansatz vorgestellt und in ihren Überschneidungen oder Gegensätzen voneinander abgegrenzt wurden. Dabei hat diese – naturgemäß plakative – Einführung gezeigt, daß es nicht nur eine einzige, alles umgreifende „Übersetzungstheorie" gibt. Vielmehr ist die Disziplin einer „Wissenschaft vom Übersetzen" ein Feld, in dem mehrere Teiltheorien einander sinnvoll ergänzen können und in dem besonders auch die angewandte Wissenschaft zum Tragen kommt. Gerade weil Übersetzen sich immer erst im Prozeß der Erstellung einer Übersetzung verwirklicht, geht eine Theorie ohne Praxis ins Leere, während die Praxis stets der theoretischen Untermauerung bedarf, um ihrer kommunikativen Verantwortung gerecht zu werden.

Interdisziplinarität

Es hat sich auch gezeigt, daß „Übersetzungswissenschaft" zwar durchaus eine eigenständige Disziplin mit einem genuinen Forschungsbereich – eben dem Prozeß und Produkt der Übersetzung – ist, daß sie aber immer interdisziplinär Erkenntnisse aus anderen Bereichen, wie der generativen und der kontrastiven Grammatik, der Pragma-, Sozio- und Psycholinguistik, der Kommunikations- und Handlungstheorie, der Hermeneutik sowie der Literaturwissenschaft und der Kulturwissenschaften miteinbezogen hat. Dies liegt in der Natur der Sache, denn Übersetzen hat nicht nur mit Sprache und Grammatik, sondern auch mit Kulturspezifika und der kommunikativen Situation von Menschen zu tun.

In den vorgestellten verschiedenen Übersetzungstheorien, die immer mit einem Autorennamen verbunden sind, spiegelt sich natürlich auch die Entwicklung der Sprachwissenschaft in den vergangenen vierzig Jahren wider. Nach dem Schwerpunkt auf der Systemlinguistik in den 60er Jahren verlagerte sich das Interesse in den 70ern zunehmend hin zur Textlinguistik, bevor mit der Pragmalinguistik die Sprachverwendung mit ihren Bedingungen in den Blick genommen wurde. In den 80er Jahren kam schließlich die Wende zum Kognitiven; es wurden nicht mehr nur Sprachprodukte analysiert, sondern die Denkprozesse selbst. Diesen allgemeinen Entwicklungen folgte stets auch die Übersetzungswissenschaft.

Gleichzeitig wurden aber die schon vorhandenen Ansätze ausgebaut und weiterentwickelt. Dadurch ist das jetzige, im synchronen Querschnitt recht uneinheitliche, ja oft widersprüchliche Gesamtbild der Übersetzungswissenschaft entstanden. Die diachrone Entwicklung der Blickrichtung von den Sprachsystemen über die Texte bis zum Handeln und dann zum Übersetzer wurde schon genannt. Quer durch alle Ansätze geht aber der – anscheinend unüberbrückbare – Graben zwischen denen, die im Sinne „moderner Wissenschaftlichkeit" jeden einzelnen Faktor analytisch-methodisch beschreiben, um genau zu sein, und denen, die mehr ganzheitlich-schematisch argumentieren, um das Wesentliche zu sagen, und die individuelle Anwendung dem Leser überlassen. Auch kann man unterscheiden zwischen eher mikrostrukturalistischen Ansätzen, die insbesondere syntaktische Strukturen analysieren, und eher makrostrukturalistischen Ansätzen, die vornehmlich die Textgliederung und situative Einbettung betrachten.

Modellstrukturen

Wollte man nun fragen, „was denn das alles fürs Übersetzen bringt", so gelangt man zu einer weiteren Differenzierung. Unter den vorgestellten Übersetzungstheorien gibt es solche, die vornehmlich an einem Modell des Übersetzungsvorgangs interessiert sind, wie das Übersetzbarkeitsmodell per tertium comparationis (3.7), das Modell des Übersetzungsvorgangs als interlingualer Transfer (4.2), die potentiellen Entsprechungen (4.3), das übersetzungsmethodische Dreischritt-Modell (6.2), die Formeln der allgemeinen Translationstheorie (12.1), das Faktorenmodell der Translation (13.2), das Konzept des translatorischen Handlungsgefüges (13.3), das Zirkelschema des Translationsprozesses (14.2), ein Flußdiagramm der mentalen Prozesse (17.3). Solche reinen Theorien und Modellentwürfe versuchen das, was beim Übersetzen „passiert", möglichst stringent zu beschreiben, um dadurch ein Bewußtsein von der Gesamtproblematik zu schaffen. Ohne eine solche Grundlegung sind speziellere Anwendungen wenig sinnvoll. Einige Beiträge haben die Ordnung der Disziplin einer Übersetzungsforschung selbst zum Gegenstand, wobei diese als wesentlich deskriptive Wissenschaft (10.2) oder als integrative Interdisziplin dargestellt (11.1), sowie auch als der Handlungstheorie untergeordnet wird (12.1). Inwieweit sich diese Konzepte verbinden lassen, ist noch nicht klar.

Andere Forschungsarbeiten wenden sich mehr der Frage zu, „wie die Ergebnisse des konkreten Übersetzens aussehen sollten". Hier gibt es normative Ansätze wie das verfremdende Übersetzen „heiliger Originale" (2.2), der fertigkeitsorientierte Transfer (4.6), die Stylistique comparée (5.2) und Fehleranalyse (5.5), die normativen Äquivalenzforderungen (6.4), die texttypologische Orientierung (7.6) und Übersetzungskritik (7.7), die pragmatische Strategie des Übersetzens (8.4), die Forderung nach Deverbalisierung (15.2). Daneben finden sich praxisbezogen beschreibende Ansätze wie die Sprachinhaltsforschung (2.3), die literarische Übersetzung (9.1-4), die Dekonstruktion (2.6), die Beschreibung von Übersetzungsproblemen (14.3), das hermeneutische Verstehen (16.2), der Blick in die Black Box des Übersetzers (17.1).

Im Bereich der theoretischen wie der angewandten Übersetzungswissenschaft gibt es Ansätze, die auch speziell didaktisch ausgerichtet sind, wie die Übersetzungsprozeduren der Stylistique comparée (5.2), die übersetzungsorientierte Texttypologie (7.6), die Aspektlisten (7.8), die Anwendung der Sprechakttheorie (8.2-3), der didaktische Übersetzungsauftrag (14.2), die Kategorien des Übersetzens (16.3), die Protokolle des lauten Denkens (17.4). Ein wesentlicher Anstoß für übersetzungswissenschaftliche Forschung und Entwicklung von Theorien ist ja die Aufgabe, das Übersetzen zu lehren und zu lernen. Entsprechende Forschungsergebnisse können sowohl das didaktische Vorgehen des Lehrenden fundieren, als auch dem Lernenden bestimmte Übersetzungsstrategien vermitteln. Schließlich können professionelle Übersetzer ihre Praxis anhand wissenschaftlicher Kriterien gegenüber Auftraggebern begründen.

Forschungsinteresse

Im Blick auf die verschiedenen Forschungsansätze dürfte es schwierig sein zu sagen, „was besser oder was schlechter ist". Jede wissenschaftliche Darstellung ist legitim, solange sie wissenschaftlichen Ansprüchen genügt, und dann bringt sie auch einen Erkenntnisfortschritt. Die einzelnen Studien resultierten jeweils aus einem unterschiedlichen Forschungsinteresse, und sie wären vielfach ohne andere vorhergehende Arbeiten gar nicht denkbar. Ein neuer Anstoß zum Nachdenken entsteht immer aus der Kritik an einem bestimmten Punkt eines anderen theoretischen Ansatzes. So entwickelt sich ein wissenschaftlicher Fortschritt, ohne daß dabei das Ältere sogleich „falsch" oder unbrauchbar würde. Dessen Sinn besteht vielmehr gerade darin, etwas aufgezeigt zu haben, wo andere weitersuchen können. Deswegen ist es hier auch nicht unbedingt erforderlich, sich nur auf „große Schulen" zu konzentrieren und alles andere auszublenden. Gerade die Vielfalt und Komplexität ist ja das Problem und das Interessante an den Übersetzungstheorien.

Es war aber auch ein Anliegen der vorliegenden Einführung, den Leser und die Leserin dazu anzuregen, sich selbst ein Urteil zu bilden. Es herrscht durchaus eine gewisse „Deutungskonkurrenz", ein Wettbewerb um wissenschaftliche Anerkennung. Entscheidend ist es, ein verbreitetes „Scheuklappendenken" abzulegen, bei dem nur bestimmte Aussagen selektiv zur Kenntnis genommen werden. Ein breiterer Überblick über die Übersetzungsforschung schärft gewiß das eigene Urteilsvermögen, auch wenn (und gerade weil) er gleichzeitig den Absolutheitsanspruch des einzelnen Ansatzes stark relativiert.

Die Berücksichtigung zahlreicher, interdisziplinär und multiperspektivisch gewonnener Einsichten zum Übersetzen könnte so tatsächlich einmal zu einer „allgemeinen Übersetzungstheorie" führen.

Freilich sind die vorliegenden Ansätze nicht unmittelbar miteinander zu vergleichen: oft beziehen sie sich (z. T. unausgesprochen) nur auf bestimmte Textformen. Schon allein deswegen ist ihre Reichweite begrenzt. Manchmal wurden die gleichen Einsichten unabhängig voneinander an verschiedenen Stellen gewonnen, und in einer Zusammenschau wie der vorliegenden tun sich dann überraschende Querverbindungen auf. Außerdem werden dieselben wissenschaftlichen Termini von verschiedenen Autoren mit unterschiedlicher Bedeutung belegt. So kann etwa „Textlinguistik" sich einerseits auf die Analyse syntaktischer Strukturen auf der Textebene beziehen, dann aber auch in pragmatischer Perspektive auf die Betrachtung eines Text-in-Situation. „Semantik" erscheint als Bezeichnung eines linguistischen Forschungsbereichs, als Bedeutungsdimension in Texten und als Benennung einer translatorischen Kategorie. „Kognition" heißt manchmal das Denken insgesamt, manchmal nur das logische Denken im Gegensatz zur Intuition. Wie unterschiedlich „Übersetzungswissenschaft" interpretiert wird, hat die gesamte Darstellung gezeigt. Natürlich werden die eigenen Begriffe meist genau definiert, doch sollte der Studierende darauf besonders achten, um nicht aufgrund falscher Voraussetzungen zu einem Fehlurteil zu gelangen. Umgekehrt wird häufig genug mit neuer Terminologie nur das schon Bekannte wiederholt.

Problembewußtsein

Dieses Studienbuch kann kaum mehr leisten, als ein kritisches Problembewußtsein im Bereich der Übersetzungstheorien zu schaffen – und vielleicht auch ein wenig Interesse für eigene weiterführende Studien. Und wer sich aus dem Blickwinkel der Praxis mit Übersetzungstheorien befaßt, könnte vielleicht dahin geführt werden, das eigene Verhalten beim Übersetzen genauer zu durchdenken. Die Übersetzungswissenschaft ist in bezug auf die Praxis keineswegs „gänzlich irrelevant", wie von vielen praktisch tätigen Übersetzerinnen und Übersetzern immer wieder behauptet worden ist. Nur eine Praxis, die sich durch Theorie zur Reflexion anregen läßt, kann für sich den Anspruch der Professionalität erheben und wird verantwortlich tätig sein.

Um diesen Denkprozeß anzuregen, werden nachstehend anhand von fünf gegenstandsbezogenen Fragen einige „Antworten" zusammengestellt, die einzelne Übersetzungstheoretiker, speziell in ihrer charakteristischen Diktion gegeben haben.

1. Wie wird der Forschungsgegenstand „Übersetzen" definiert?

a) Übersetzen ist die schriftliche Umsetzung eines Textes in eine andere Sprache (Duden).

b) „Eine Übersetzung ist das Resultat einer sprachlich-textuellen Operation, die von einem AS-Text zu einem ZS-Text fährt, wobei zwischen ZS-Text und AS-Text eine Übersetzungs- (oder Äquivalenz-)relation hergestellt wird" (KOLLER 1992:16).

c) „Translation is an operation performed on languages: a process of substituting a text in one language for a text in another" (CATFORD 1965:1). „Translation may be defined as follows: the replacement of textual material in one language (SL) by equivalent textual material in another language (TL)" (ebd.:20).

d) Übersetzen stellt die „optimale Synchronisation des ausgangssprachlichen und des zielsprachlichen Textes dar" (WILSS 1977:69). „Jede Übersetzung stellt demnach den mehr oder minder erfolgreichen Versuch einer Synchronisation von syntaktischen, lexikalischen und stilistischen Regelapparaten zweier Sprachen, einer Ausgangs- und einer Zielsprache, dar" (WILSS 1977:13).

e) „Translating consists in reproducing in the receptor language the closest natural equivalent of the source-language message, first in terms of meaning and secondly in terms of style" (NIDA/TABER 1969:12).

f) Übersetzen ist ein interlingualer Kommunikationsvorgang, wobei jeweils zwei alternierende Enkodierungs- und Dekodierungsvorgänge erforderlich sind (KADE).

g) Translation ist eine Sondersorte sprachlichen Handelns (VERMEER).

h) Translation ist Oberbegriff zu Übersetzen und Dolmetschen (KADE).

i) „Translation ist ein Informationsangebot in einer Zielkultur und deren Sprache über ein Informationsangebot aus einer Ausgangskultur und deren Sprache" (REIß/VERMEER 1984:105).

j) Übersetzen ist Eingliedern eines fremdkulturellen Textes in eine Zielkultur (TOURY).

k) „Nous voyons dans l'interprétation le modèle de base, la forme élémentaire, de toute traduction de textes" (SELESKOVITCH/LEDERER 1984:10).

l) „Wer Texte übersezt, muß sie zunächst verstehen. (...) Texte, die verstanden sind, vermitteln nicht allein Informationen, sondern Mitteilungen, die als Bewußtseinsinhalte dem Hörer, Leser oder Übersetzer präsent sind..." (PAEPCKE 1986:104).

m) Übersetzen heißt, eine Mitteilung für bestimmte Empfänger so weitergeben, daß Verständigung möglich wird (STOLZE).

n) Übersetzen ist „eine spezifische Form sprachlichen Handelns und Sichverhaltens" (WILSS 1988:35).

o) Es gilt, daß „unter einer Übersetzung 'jede Art des Empfangens einer manifesten Intention' verstanden wird, das erst durch eine 'Vermittlung' möglich wird" (GERZYMISCH-ARBOGAST 1994:15).

2. Was wäre der Inhalt einer Wissenschaft vom Übersetzen?

a) „Unter Übersetzungstheorie verstehe ich die Erarbeitung eines Darstellungs- und Begründungszusammenhangs für die Beschreibung, Erklärung und Beurteilung von Übersetzungsprozessen und deren Resultaten, der möglichst objektiv und intersubjektiv nachvollziehbar sein soll" (WILSS 1988, 6).

b) „Die Übersetzungswissenschaft ist die Wissenschaft, die Übersetzen und Übersetzungen mit unterschiedlichem Erkenntnisinteresse und unter Anwendung der Methoden verschiedener Disziplinen unter den verschiedenen Aspekten zu beschreiben, zu analysieren und zu erklären versucht" (KOLLER 1992:123).

c) „Eine vollständige Translationstheorie müßte also Regeln angeben (können), wie (Erwartungen über) Zielsituationen analysiert werden und sich daraus Bedingungen für das Zustandekommen von Translationen ableiten" (REIß/VERMEER 1984:85).

d) „Translation ist „eine kommunikative Handlung, an der verschiedene 'Partner' beteiligt sind – einer davon ist der Translator. Um seine Aufgabe erfüllen zu können, muß er die Bedingungen und Faktoren des Translationsvorgangs und seine eigene Rolle im Spannungsfeld dieser Bedingungen genau kennen" (NORD 1989:96).

e) Die deskriptive Übersetzungsforschung beschreibt die Entstehungsbedingungen sowie Wirkungen von Texten, die als Übersetzungen gelten (DTS).

f) Eine angewandte Übersetzungswissenschaft sammelt und beschreibt diejenigen sprachwissenschaftlichen und kognitiven Methoden, welche im Sinne translatorischer Kategorien die individuelle Übersetzungslösung begründen helfen (STOLZE).

g) Als Prozeßforschung ist sie eine prospektive Wissenschaft, „die den Übersetzungsprozeß faktorisiert und die dem Übersetzungsvorgang zugrundeliegenden Transferstrategien untersucht" (WILSS 1977:67).

h) Die psycholinguistische Übersetzungswissenschaft geht von der Frage aus: "Was läuft in den Köpfen von Übersetzern ab, wenn sie übersetzen?" (KRINGS)

3. In welchem Verhältnis stehen Textvorlage und Übersetzungstext zueinander?

a) Dasselbe Gemeinte in beiden Texten ist durch ein tertium comparationis vergleichbar (KOSCHMIEDER).

b) Die unveränderte Botschaft zeigt sich in verschiedener sprachlicher Form (NIDA).

c) AS- und ZS-Übersetzungsäquivalente sind in gegebener Situation austauschbar (CATFORD).

d) „Die ideale Übersetzung eines literarischen Werks ist in jeder Hinsicht mit ihrer Vorlage identisch" (FRANK 1988:194) (SFB Göttingen).

e) „Die wahre Übersetzung ist durchscheinend, sie verdeckt nicht das Original, steht ihm nicht im Licht, sondern läßt die reine Sprache, wie verstärkt durch ihr eigenes Medium...aufs Original fallen (BENJAMIN).

f) Jedes Translat ist ein „Informationsangebot in einer Zielsprache und deren -kultur (IA_Z) über ein Informationsangebot aus einer Ausgangssprache und deren -kultur (IA_Z)" (REIß/VERMEER 1984:76).

g) Beide Texte stehen in einem „Verhältnis der Stimmigkeit". Die Wahrheit der Mitteilung gehört beiden gemeinsam, wie bei einem Dialog (STOLZE).

4. Was tut der Übersetzer?

a) Es geht darum, „interlinguale Strukturdivergenzen auf inhaltlich und stilistisch adäquate Weise zu neutralisieren. (In dem Formulierungsprozeß wird vom) Übersetzer durch eine Folge von code-switching-Operationen eine von einem ausgangssprachlichen Sender (S,) produzierte Nachricht in einer Zielsprache reproduziert und sie damit dem zielsprachlichen Empfänger (E) zugänglich gemacht" (WILSS 1977:62). „Der Übersetzer (führt) auf der Basis as und zs Wissens „code-switching-Prozesse aus" (WILSS 1988:35).

b) Er operiert mit schemabasierten Transferprozeduren (WILSS 1992:182), wobei der Prozeß unidirektional und nichtumkehrbar ist. Oft steht er dabei „in einer übersetzungsprozessualen Konflikt- und Entscheidungssituation" (WILSS 1977:75).

c) Er führt eine syntaktische Ausgangstextanalyse durch, und nach dem Transfer der Grundstrukturen gelangt er zur Synthese der Übersetzung. Dabei sucht er nicht die formale, sondern die dynamische Äquivalenz des Ausdrucks (NIDA).

d) Er wendet bestimmte Techniken des Übersetzens im jeweiligen Sprachenpaar an (FRIEDERICH, GALLAGHER).

e) Er stellt eine „Hierarchie der in der Übersetzung zu erhaltenden Werte" auf (KOLLER 1992, 266).

f) Er steht in einem translatorischen Handlungsgefüge (HOLZ-MÄNTTÄRI).

g) Der Übersetzer analysiert den AT-in-Situation „im Hinblick auf das darin enthaltene 'Material' für die Herstellung des ZT. Die für diesen Auftrag relevanten inhaltlichen oder formalen AT-Elemente werden isoliert und mit Blick auf die Zielsituation in die Zielsprache bzw. -kultur übertragen so daß ein ZT hergestellt werden kann, der den ZT-Vorgaben entspricht und damit funktionsgerecht ist" (NORD 1989:105).

h) Er handelt skoposorientiert (VERMEER).

i) „Der Translator ist nicht Sender der Botschaft des AT, sondern ein Textproduzent-in-Z, der in fremdem Auftrag, aber unter Berücksichtigung der Loyalität gegenüber seinen Handlungspartnern einen funktionsgerechten ZT produziert" (NORD 1989, 100).

j) Er wendet die texttypspezifische Übersetzungsmethode an (Reiß).

k) „Als Experte für die Produktion von transkulturellen Botschaftsträgern, die in kommunikativen Handlungen von Bedarfsträgern zur Steuerung von Kooperation eingesetzt werden können, wird der Translator nicht als Mittler im Verlauf eines (zwei- oder mehrstufigen) Kommunikationsprozesses gesehen, sondern als eigenständig und eigenverantwortlich handelnder Experte in einem Gefüge über-, neben- und untergeordneter Handlungen" (HOLZ-MÄNTTÄRI 1986, 354).

l) Il faut que le traducteur trouve „au travers du dit qu'il a sous les yeux le vouloir dire qui animait l'auteur" (LEDERER).

m) Er formuliert, was er aus einem Text verstanden hat (PAEPCKE).

n) Er formuliert die verstandene Mitteilung für bestimmte Empfänger und begründet seine Übersetzungslösungen im Textganzen anhand der translatorischen Kategorien (STOLZE).

o) „Ausgangstext und Translat als zwei (!) Informationsangebote erlauben dem Translator dagegen legitim eine eigenverantwortliche schöpferische Entscheidung" (REIß/VERMEER 1984:75).

p) Er verarbeitet intuitiv-kreativ vielseitig einlaufende Informationen. Übersetzungslösungen sind spontane Funde, die dann kritisch bearbeitet werden (HÖNIG).

5. Was kann Übersetzungskritik leisten?

a) Sie zeigt inhaltliche Zugaben und Defizite (overtranslation and undertranslation) an bestimmten Textstellen auf (NEWMARK).

b) „Es ist die Aufgabe der Übersetzungskritik, die Prinzipien, von denen sich ein Übersetzer leiten läßt, d. h. seine implizite Übersetzungstheorie, durch den Vergleich von Original und Übersetzung(en) herauszuarbeiten" (KOLLER 1992:35).

c) Sie zeigt, welche Übersetzungsprozeduren vom Übersetzer angewendet wurden (Stylistique comparée).

d) Sie kontrolliert die sinngetreue Wiedergabe bei fakultativer Transposition (Stylistique comparée).

e) Sie zeigt Interferenzen mit der Ausgangssprache auf (Fehleranalyse).

f) Laute Protokolle können die Gedankenverläufe der Übersetzer aufzeigen. Dies kann didaktisch aufgearbeitet werden (KUßMAUL).

g) Sie fragt, ob eine Übersetzung zweckadäquat formuliert ist (VERMEER).

h) Sie zeigt die individuelle Weise auf, in der Übersetzer einen fremdkulturellen Text angeeignet haben (TOURY).

i) Sie zeigt den „Äquivalenzgrad bestimmter Übersetzungslösungen" auf (REIß/VERMEER 1984:168)

j) „In bezug auf die innersprachlichen Instruktionen untersucht nun der Kritiker bei den semantischen Elementen die Äquivalenz, bei den lexikalischen die Adäquatheit, bei den grammatikalischen die Korrektheit und bei den stilistischen die Korrespondenz ihrer Wiedergabe in der Übersetzung" (REIß 1971:68f).

k) Sie kann die relevanten Übersetzungsprobleme analysieren (NORD).

l) Sie vergleicht die Gesamtmenge von Sinnmerkmalen in Vorlage und Übersetzung (STOLZE).

m) Sie fragt danach, ob eine Übersetzung zielsprachlich adäquat und flüssig formuliert ist (LEDERER).

n) Sie vergleicht die scenes-Strukturen zwischen Vorlage und Übersetzung (VANNEREM/SNELL-HORNBY).

o) Sie begründet die übersetzerischen Entscheidungen intersubjektiv nachvollziehbar, relativ zu bestimmten Aspekten (GERZYMISCH-ARBOGAST).

19 Bibliographie

AMMAN, Margret (1990): *Grundlagen der modernen Translationstheorie - Ein Leitfaden für Studierende.* Heidelberg: TH (= translatorisches handeln 1).

APEL, Karl-Otto (1975): *Der Denkweg von Charles Sanders Peirce. Eine Einführung in den amerikanischen Pragmatismus.* Frankfurt: Suhrkamp..

ARNTZ, Reiner (Hrsg.) (1988): *Textlinguistik und Fachsprache. Akten des internationalen übersetzungswissenschaftlichen AILA-Symposions,* Hildesheim 13.-16. April 1987. Hildesheim/Zürich/New York: Olms.

ARROJO, Rosemary (1993): *Tradução, Deconstrução e Psicanálise.* Rio de Janeiro: Imago.

AUSTIN, John Lanshaw (1972): *Zur Theorie der Sprechakte.* Stuttgart: Reclam.

BASSNETT-MCGUIRE, Susan (1980): *Translation Studies.* London/New York; Methuen. Revised edition: London/New York: Routledge, 1991.

BAUSCH, K.-Richard (1968): „Die Transposition. Versuch einer neuen Klassifikation." In: *Linguistica Antverpiensia* II/1968, 29-50.

BAUSCH, K.-Richard/KLEGRAF, Josef/WILSS, Wolfram (1970/1972): *The Science of Translation: An Analytical Bibliography I (1963-1969); II (1970-72 and Suppl.).* Tübingen: Narr (TBL 21/33).

BEAUGRANDE, Robert de (1988): „Text and Process in Translation." In: R. ARNTZ (1988), S. 413-432.

BECHERT, Johannes/CLEMENT, Daniel/TÜMMEL, Wolf u. a. (1970): *Einführung in die Generative Transformationsgrammatik.* München: Hueber (Reihe Linguistik 2).

BENJAMIN, Andrew (1989): *Translation and the Nature of Philosophy. A New Theory of Words.* London/New York: Routledge.

BENJAMIN, Walter (1923): „Die Aufgabe des Übersetzers". In: H. J. STÖRIG (1969), S. 156-169.

BIERWISCH, Manfred (1967): „Einige semantische Universalien in deutschen Adjektiven". In: Hugo STEGER (Hrsg.) (1970): *Vorschläge für eine strukturale Grammatik des Deutschen.* Darmstadt: Wissenschaftliche Buchgesellschaft (Wege der Forschung CXLVI), S. 269-318.

BRAUNROTH, Manfred/SEYFERT, Gernot/SIEGEL, Karsten /VAHLE, Fritz (1978): *Ansätze und Aufgaben der linguistischen Pragmatik.* Kronberg: Athenäum (Athenäum Taschenbücher 2091).

BRETTSCHNEIDER, G./LEHMANN,C. (Hrsg.) (1980): *Wege zur Universalienforschung.* Tübingen: Narr (TBL 145).

BÜHLER, Karl (1934): *Sprachtheorie. Die Darstellungsfunktion der Sprache,* Jena. 2. Aufl., Stuttgart 1965: Gustav Fischer. Neudruck Stuttgart 1982 (UTB 1159).

BUßMANN, Hadumod (1990): *Lexikon der Sprachwissenschaft.* (2., völlig neu bearbeitete Auflage). Stuttgart: Kröner.

276

CARY, Edmond (1963): *Les grands traducteurs français*. Genève: Georg.

CATFORD, J. C. (1965): *A Linguistic Theory of Translation. An Essay in Applied Linguistics*. London: Oxford University Press.

CHOMSKY, Noam (1965): *Aspects of the theory of syntax*. Cambridge, Mass. – Dt.: *Aspekte der Syntaxtheorie*, Frankfurt/M 1969.

CHOMSKY, Noam (1966): *Cartesian Linguistics. A Chapter in the history of Rationalist Thought*. New York/London. – Dt.: *Cartesianische Linguistik. Ein Kapitel in der Geschichte des Rationalismus*. Tübingen 1971: Niemeyer.

DEDECIUS, Karl (1986): *Vom Übersetzen. Theorie und Praxis*. Frankfurt am Main: Suhrkamp (stb 1258).

DELISLE, Jean/WOODSWORTH, Judith (eds.) (1995): *Translators through History*. Amsterdam/Philadelphia: John Benjamins Publishing Co./Unesco Publishing.

DERRIDA, Jacques (1967): *De la grammatologie*. Paris: Minuit. – Dt. *Grammatologie*. Frankfurt: Suhrkamp 1974.

DERRIDA, Jacques (1972): *La Dissémination*. Paris: Seuil.

DERRIDA, Jacques (1987): „Des Tours de Babel". In: Ders.: *Psyché. Inventions de l'autre*. Paris: Galilée, 207-245. – Auch in: GRAHAM, J. F. (Ed.): *Difference in Translation*. Ithaca/London: Cornell UP 1985, S. 165-207.

ECO, Umberto (1972): *Einführung in die Semiotik*. München: Fink (UTB 105), (^{8}1994, autorisierte dt. Ausgabe von Jürgen Trabant).

FILLMORE, Charles J. (1977): „Scenes-and-frames semantics." In: A. Zampolli (ed.) (1977): *Linguistic Structures Processing*. Amsterdam: New Holland, S. 55-81.

FORGET, Philippe (Hrsg.) (1984): *Text und Interpretation*. München: Fink (UTB 1257).

FRANK, Armin Paul (1987): „Einleitung". In: *Die literarische Übersetzung. Fallstudien zu ihrer Kulturgeschichte*. Band I Göttinger Beiträge zur Internationalen Übersetzungsforschung, hrsg. v. B. SCHULTZE. Berlin: Erich Schmidt 1987, S. ix-xvii.

FRANK, Armin Paul (1988): „Rückblick und Ausblick." In: *Die literarische Übersetzung. Fallstudien zu ihrer Kulturgeschichte*. Band II Göttinger Beiträge zur Internationalen Übersetzungsforschung, hrsg. v. H. KITTEL. Berlin: Erich Schmidt 1988, S. 180-206.

FRANK, Armin Paul (Hrsg.) (1988*)*: *Die literarische Übersetzung: Der lange Schatten kurzer Geschichten. Amerikanische Kurzprosa in deutschen Übersetzungen*. Hrsg. v. Armin Paul FRANK. Berlin: Erich Schmidt (1989) (Band III Göttinger Beiträge zur Internationalen Übersetzungsforschung).

FRANK, Manfred (1977): *Das individuelle Allgemeine. Textstrukturierung und -interpretation nach Schleiermacher*. Frankfurt am Main: Suhrkamp.

FRIEDERICH, Wolf (1969): *Technik des Übersetzens (Englisch und Deutsch). Eine systematische Anleitung für das Übersetzen ins Englische und ins Deutsche für Unterricht und Selbststudium*. München: Hueber.

GADAMER, Hans-Georg (1960): *Wahrheit und Methode. Grundzüge einer philosophischen Hermeneutik*. 5. Aufl. 1986. Tübingen: J.C.B. Mohr (Paul Siebeck).

GALLAGHER, John Desmond (1981): *Cours de Traduction allemand-français*. München/Wien: Oldenbourg.

GALLAGHER, John Desmond (1982): *German-English Translation*. München/Wien: Oldenbourg.

GECKELER, Horst (1971): *Strukturelle Semantik und Wortfeldtheorie*. München: Fink.

GECKELER, Horst (1973): *Strukturelle Semantik des Französischen*. Tübingen: Niemeyer (Romanistische Arbeitshefte 6).

GECKELER, Horst (Hrsg.) (1978): *Strukturelle Bedeutungslehre*. Darmstadt: Wiss. Buchgesellschaft (Wege der Forschung Bd. 426).

GENTZLER, Edwin (1993): *Contemporary Translation Theories*. London/New York: Routledge.

GERZYMISCH-ARBOGAST, Heidrun (1994): *Übersetzungswissenschaftliches Propädeutikum*. Tübingen: Francke (UTB 1782).

Grammaire générale et raisonnée ou la Grammaire de Port-Royal, hrsg. v. Herbert Ernst BREKLE. Stuttgart 1966.

GÜLICH, Elisabeth/RAIBLE, Wolfgang (1977): *Linguistische Textmodelle. Grundlagen und Möglichkeiten*. München: Fink (UTB 130).

HARWEG, Roland (1968): *Pronomina und Textkonstitution*. München: Fink (Beihefte zu Poetika 2).

HENSCHELMANN, Käthe (1980): *Technik des Übersetzens Französisch-Deutsch*, Heidelberg: Quelle & Meyer.

HERMANS, Theo (ed.) (1985): *The Manipulaton of Literature. Studies in Literary Translation*. London/Sydney: Croom Helm/ New York: St. Martin's Press.

HILTY, Gerold (1971): „Bedeutung als Semstruktur". In: *Vox Romanica* 30, 242-263.

HOLMES, James S. (1985): „The State of Two Arts: Literary Translation and Translation Studies in the West Today." In: H. BÜHLER (Hrsg.) (1985): *X. Weltkongreß der FIT - Der Übersetzer und seine Stellung in der Öffentlichkeit*. Wien: W. Braumüller, S. 147-153.

HOLMES, James S. (1988): *Translated! Papers on Literary Translation and Translation Studies*. Ed. by Raymond van den Broek. Amsterdam: Rodopi.

HOLZ-MÄNTTÄRI, Justa (1984): *Translatorisches Handeln. Theorie und Methode*. Helsinki: Suomalainen Tiedeakatemia.

HOLZ-MÄNTTÄRI, Justa (1986): „Translatorisches Handeln - theoretisch fundierte Berufsprofile." In: M. SNELL-HORNBY (1986), S. 348-374.

HOLZ-MÄNTTÄRI, Justa (1993): „Textdesign - verantwortlich und gehirngerecht." In: J. HOLZ-MÄNTTÄRI/C. NORD (1993), S. 301-320.

HOLZ-MÄNTTÄRI, Justa/NORD, Christiane (Hrsg.) (1993): *TRADUCERE NAVEM. Festschrift für Katharina Reiß*. Tampere: studia translatologica, ser. A vol. 3.

HÖNIG, Hans G. (1989): „Die übersetzerrelevante Textanalyse." In: F. G. KÖNIGS (Hrsg.) (1989): *Übersetzungswissenschaft und Fremdsprachenunterricht. Neue Beiträge zu einem alten Thema*. München: Goethe-Institut, S. 121-145.

HÖNIG, Hans G. (1995): *Konstruktives Übersetzen*. Tübingen: Stauffenburg (Translation Bd. 1).

HÖNIG, Hans G./KUßMAUL, Paul (1982*): Strategie der Übersetzung. Ein Lehr- und Arbeitsbuch*. 4. Aufl. 1996. Tübingen: Narr (TBL 205).

278

HUMBOLDT, Wilhelm v.: *Über die Verschiedenheit des menschlichen Sprachbaues und ihren Einfluß auf die geistige Entwicklung des Menschengeschlechts.* Mit einem Nachwort hrsg. v. H. Nette. Darmstadt: Wiss. Buchgesellschaft 1949.

JÄGER, Gert (1975): *Translation und Translationslinguistik.* Halle (Saale): Niemeyer.

JAKOBSON, Roman (1959): „Linguistische Aspekte der Übersetzung." In: W. WILSS (1981), S. 189-198.

JUMPELT, R. W. (1961): *Die Übersetzung naturwissenschaftlicher und technischer Literatur. Sprachliche Maßstäbe und Methoden zur Bestimmung ihrer Wesenszüge und Probleme.* Berlin-Schöneberg: Langenscheidt.

KADE, Otto (1963): „Aufgaben der Übersetzungswissenschaft: Zur Frage der Gesetzmäßigkeit im Übersetzungsprozeß." In: *Fremdsprachen* 7 (1963) Nr. 2, S. 83-94.

KADE, Otto (1968): *Zufall und Gesetzmäßigkeit in der Übersetzung.* Leipzig: VEB Verlag Enzyklopädie (= Beihefte zur Zeitschrift Fremdsprachen, I).

KADE, Otto (1968a): „Kommunikationswissenschaftliche Probleme der Translation". In: W. WILSS (1981), S. 199-219.

KADE, Otto (1971): „Das Problem der Übersetzbarkeit aus der Sicht der marxistisch-leninistischen Erkenntnistheorie." In: *Linguistische Arbeitsberichte* 4/1971, Leipzig, 13-28.

KADE, Otto (1980): *Die Sprachmittlung als gesellschaftliche Erscheinung und Gegenstand wissenschaftlicher Untersuchung.* Leipzig: VEB Verlag Enzyklopädie (Übersetzungswissenschaftliche Beiträge 3).

KATZ, J. J./ FODOR, J. A. (1963): „Die Struktur einer semantischen Theorie". In: Hugo STEGER (Hrsg.) (1970): *Vorschläge für eine strukturale Grammatik des Deutschen.* Darmstadt: Wissenschaftliche Buchgesellschaft (Wege der Forschung CXLVI), S. 202-268.

KLEIBER, Georges (1993): *Prototypensemantik. Eine Einführung.* (Übersetzung von Michael Schreiber). Tübingen: Narr (studienbücher).

KLOEPFER, R. (1967): *Die Theorie der literarischen Übersetzung.* Romanisch-deutscher Sprachbereich. München (Freiburger Schriften zur romanischen Philologie, 12).

KOLLER, Werner (1992): *Einführung in die Übersetzungswissenschaft.* 4. völlig neu bearbeitete Auflage. Heidelberg/Wiesbaden: Quelle & Meyer (UTB 819).

KÖNIGS Frank G. (1989): „Übersetzungsdidaktik und Psycholinguistik. Gedanken und Befunde zu einer ebenso zwangsläufigen wie notwendigen Verbindung." In: Ders.: (Hrsg.): *Übersetzungswissenschaft und Fremdsprachenunterricht. Neue Beiträge zu einem alten Thema.* München: Goethe-Institut 1989, S. 147-178.

KÖNIGS, Frank G. (1993): „Text und Übersetzer: Wer macht was mit wem?" In: J. HOLZ-MÄNTTÄRI/C. NORD (1993), S. 229-248.

KOSCHMIEDER, Erwin (1965): *Beiträge zur allgemeinen Syntax.* Heidelberg: Winter. „Das Gemeinte" (1953), S. 101-106. „Das Problem der Übersetzung", S. 107-115. Letzeres auch in: W. WILSS (1981), S. 48-59.

KRINGS, Hans P. (1986): *Was in den Köpfen von Übersetzern vorgeht. Eine empirische Untersuchung zur Struktur des Übersetzungsprozesses an fortgeschrittenen Französischlernern.* Tübingen: Narr (TBL 291).

KRINGS, Hans P. (1988): „Blick in die 'Black Box' - Eine Fallstudie zum Übersetzungsprozeß bei Berufsübersetzern." In: R. ARNTZ (1988), S. 393-412.

KURZ, Ingrid (1986): „Das Dolmetscher-Relief aus dem Grab des Haremhab in Memphis. Ein Beitrag zur Geschichte des Dolmetschens im alten Ägypten." In: *Babel* 2/1986, 73-77.

KUßMAUL, Paul (1993): „Empirische Grundlagen einer Übersetzungsdidaktik: Kreativität im Übersetzungsprozeß." In: J. HOLZ-MÄNTTÄRI/C. NORD (1988), S. 275-286.

KUßMAUL, Paul (1995): *Training the Translator.* Amsterdam/Philadelphia: John Benjamins Publishing (Benjamins Translation Library vol. 10).

LADMIRAL, Jean-René (1979): *Traduire: théorèmes pour la traduction.* Paris: Payot.

LADMIRAL, Jean-René (1988): „Epistémologie de la traduction". In: R. ARNTZ (1988), S. 35-47.

LADMIRAL, Jean-René (1993): „Sourciers et ciblistes". In: J. HOLZ-MÄNTTÄRI/C. NORD (1988), S. 287-300.

LEDERER, Marianne (1994): *La Traduction aujourd'hui. Le modèle interprétatif.* Paris: Hachette.

LEECH, Geoffrey N./SHORT, Michael H. (1981): *Style in fiction. A linguistic introduction to English fictional prose.* London: Longman.

LEFEVERE, André (1992): *Translation, Rewriting and the Manipulation of Literary Fame.* London/New York: Routledge.

LEVÝ, Jirí (1967): „Übersetzung als Entscheidungsprozeß". In: W. WILSS (1981), S. 219-235.

LEVÝ, Jirí (1969): *Die literarische Übersetzung. Theorie einer Kunstgattung.* (Dt. von W. Schamschula). Frankfurt am Main: Athenäum.

LEWANDOWSKI, Theodor (1975 a/b/c): *Linguistisches Wörterbuch*, 3 Bände. 5. Aufl. 1990. Heidelberg: Quelle & Meyer (UTB 1518).

MALBLANC, André (1968): *Stylistique comparée du français et de l'allemand. Essai de représentation linguistique comparée et étude de traduction.* Paris: Didier (Bibliothèque de stylistique comparée II).

MORRIS, Ch. W. (1946): *Signs, Language and Behavior.* New York.

MOUNIN, Georges (1963): *Les problèmes théoriques de la traduction.* Paris: Gallimard.

MOUNIN, Georges (1967): *Die Übersetzung. Geschichte, Theorie, Anwendung.* München: Nymphenburg (Sammlung Dialog 20).

NEWMARK, Peter (1981): *Approaches to Translation.* Oxford/New York: Pergamon (Language Teaching Methodology Series).

NEWMARK, Peter (1988): *A Textbook of Translation.* London/New York: Prentice Hall.

NEWMARK, Peter (1991): *About Translation.* Clevedon: Multilingual Matters (Topics in translation 1).

280

NIDA, Eugene A. (1964): *Toward a Science of Translating: With Special Reference to Principles and Procedures Involved in Bible Translating*. Leiden: E. J. Brill.

NIDA, Eugene A./TABER, Charles R. (1969): *Theorie und Praxis des Übersetzens, unter besonderer Berücksichtigung der Bibelübersetzung*. Weltbund der Bibelgesellschaften.

NORD, Christiane (1989): „Textanalyse und Übersetzungsauftrag." In: *Übersetzungswissenschaft und Fremdsprachenunterricht. Neue Beiträge zu einem alten Thema*, hrsg. v. F. G. KÖNIGS. München: Goethe-Institut 1989, S. 95-119.

NORD, Christiane (1991): *Textanalyse und Übersetzen. Theoretische Grundlagen, Methode und didaktische Anwendung einer übersetzungsrelevanten* Textanalyse. (1.Aufl. 1988). Heidelberg: Groos.

NORD, Christiane (1993): *Einführung in das funktionale Übersetzen. Am Beispiel von Titeln und Überschriften*. Tübingen: Francke (UTB 1734).

NORD, Christiane (1997): *Translating as a Purposeful Activity. Functionalist Approaches Explained*. Manchester: St. Jerome Publishing (Translation Theories Explained vol. I).

NÖTH, Winfried (1975): *Semiotik. Eine Einführung mit Beispielen für Reklameanalysen*. Tübingen: Niemeyer.

OGDEN, C. K./RICHARDS, I. A. (1923): *The Meaning of Meaning*, New York. 10th ed. London 1949. – Dt.: *Die Bedeutung der Bedeutung. Eine Untersuchung über den Einfluß der Sprache auf das Denken und über die Wissenschaft des Symbolismus*. (Übers. v. Gert H. Müller). Frankfurt: Suhrkamp 1974.

PAEPCKE, Fritz (1986): *Im Übersetzen leben - Übersetzen und Textvergleich*. Hrsg. v. K. Berger und H.-M. Speier. Tübingen: Narr (TBL 281).

PAEPCKE, Fritz (1986a): „Die Illusion der Äquivalenz. Übersetzen zwischen Unschärfe und Komplementarität." In: E. GRÖZINGER/A. LAWATY (Hrsg.): *Suche die Meinung. Festschrift Karl Dedecius*. Wiesbaden: Harrassowitz, S. 116-151.

PEIRCE, Charles Sanders (1967/1970*): Schriften. Eine Auswahl*. 2 Bände. Hrsg. v. K.-O. APEL, Frankfurt: Suhrkamp.

POPOVIC', Anton (1970): „The concept 'Shift of Expression' in Translation Analysis", In: J. S. HOLMES, F. de HAAN, A. POPOVIC' (eds.) (1970): *The nature of Translation*. The Hague: Mouton.

POPOVIC', Anton (1977): „Übersetzung als Kommunikation". (Übers. v. K.-H. Freigang) In: W. WILSS (1981), S. 92-111.

REIß, Katharina (1971*): Möglichkeiten und Grenzen der Übersetzungskritik*. München: Hueber (hueber hochschulreihe 12).

REIß, Katharina (1976*): Texttyp und Übersetzungsmethode. Der operative Text*. Kronberg/Ts. 3. Aufl. 1993, Heidelberg: Groos.

REIß, Katharina/VERMEER, Hans J. (1984): *Grundlegung einer allgemeinen Translationstheorie*. 2. Aufl. 1991. Tübingen: Niemeyer (Linguistische Arbeiten 147).

SAUSSURE, Ferdinand de Saussure (1916): *Cours de linguistique générale*. Publ. par Charles Bally. 4. Éd. Paris: Payot 1979. – Dt. (1967): *Grundfragen der Allgemeinen Sprachwissenschaft*. Hrsg. v. P. v. Polenz, 2. Aufl., Berlin: De Gruyter.

SCHMIDT, Lothar (Hrsg.) (1973): *Wortfeldforschung. Zur Geschichte und Theorie des sprachlichen Feldes*. Darmstadt: Wiss. Buchgesellschaft (Wege der Forschung Bd. CCL).

SCHREIBER, Michael (1993): *Übersetzung und Bearbeitung. Zur Differenzierung und Abgrenzung des Übersetzungsbegriffs*. Tübingen: Narr (TBL 389).

SEARLE, John Roger (1971): *Sprechakte. Ein sprachphilosophischer Essay*. Frankfurt am Main: Suhrkamp.

SEELE, Astrid (1995): *Römische Übersetzer - Nöte, Freiheiten, Absichten*. Darmstadt: Wissenschaftliche Buchgesellschaft.

SELESKOVITCH, Danica/LEDERER, Marianne (1984): *Interpréter pour traduire*. Paris: Didier Erudition.

SHANNON, C. E./ WEAVER, W. (1949): *The mathematical theory of communication*, vol. III. Urbana.

SNELL-HORNBY, Mary (1984): „The linguistic structure of public directives in German and English." In: *Multilingua* 4, 203-211.

SNELL-HORNBY, Mary (1988): *Translation Studies. An Integrated Approach*. Amsterdam/Philadelphia: John Benjamins.

SNELL-HORNBY, Mary (1991): „Übersetzungswissenschaft: Eine neue Disziplin für eine alte Kunst?". In: *Mitteilungsblatt für Dolmetscher und Übersetzer*, Bonn 1/1991, 4-10.

SNELL-HORNBY, Mary (Hrsg.) (1986): *Übersetzungswissenschaft - Eine Neuorientierung*. 2. Aufl. 1994. Tübingen: Francke (UTB 1415).

STACHOWITZ, R. (1973): *Voraussetzungen für maschinelle Übersetzung: Probleme, Lösungen, Aussichten*. Frankfurt am Main.

STEGMÜLLER, W. (1974): *Glauben, Wissen, Erkennen. Das Universalienproblem einst und jetzt*. 3. Aufl. Darmstadt: Wissenschaftliche Buchgesellschaft.

STEINER, George (1975): *After Babel. Aspects of Language and Translation*. London: Oxford University Press.

STOLZE, Radegundis (1982): *Grundlagen der Textübersetzung*. Heidelberg: Groos.

STOLZE, Radegundis (1992): *Hermeneutisches Übersetzen. Linguistische Kategorien des Verstehens und Formulierens beim Übersetzen*. Tübingen: Narr (TBL 368).

STOLZE, Radegundis (1993): „Mitteilen und Erklären – Kompensatorische Übersetzungsstrategien bei Verständnisbarrieren." In: J. HOLZ-MÄNTTÄRI/ C. NORD (1988), S. 261-274.

STÖRIG, Hans Joachim (Hrsg.) (1969): *Das Problem des Übersetzens*. Darmstadt: Wissenschaftliche Buchgesellschaft. Fortdruck der 2. Aufl. 1973 (Wege der Forschung Bd. VIII).

TOURY, Gideon (1989): „Well, what about a LINGUISTIC theory of LITERARY translation?" In: *Bulletin CILA 49*, mars 1989 (Organe de la Commission interuniversitaire suisse de linguistique appliquée), Neuchâtel, S. 102-105.

TOURY, Gideon (1995): *Descriptive Translation Studies and beyond*. Amsterdam/Philadelphia: John Benjamins (Benjamins translation library vol. 4).

TRUFFAUT, Louis (1963): *Grundprobleme der Deutsch-Französischen Übersetzung*. München: Hueber.

TYTLER, Alexander Fraser. Lord Woodhouselee (1791): *Essay on the principles of translation*. Ed. J. F. Huntsman. Reprint 1978. Amsterdam: Benjamins.

VATER, Heinz (1992): *Einführung in die Textlinguistik*. München: Fink (UTB 1660).

VANNEREM, Mia/SNELL-HORNBY, Mary (1986): „Die Szene hinter dem Text: 'scenes-and-frames semantics' in der Übersetzung". In: M. SNELL-HORNBY (1986), S. 184-205.

VERMEER, Hans J. (1978): „Ein Rahmen für eine allgemeine Translationstheorie". In: *Lebende Sprachen* 23/1978, 99-102.

VERMEER, Hans J. (1986): „Übersetzen als kultureller Transfer". In: M. SNELL-HORNBY (1986), S. 30-53.

VERMEER, Hans J. (1992): *Skizzen zu einer Geschichte der Translation*. Frankfurt am Main: Verlag Interkulturelle Kommunikation.

VERMEER, Hans J. (1996): *A skopos theory of translation (Some arguments for and against)*. Heidelberg: Textcontext Verlag.

VERNAY, Henri (1974): „Möglichkeiten und Grenzen einer sprachwissenschaftlichen Beschreibung des Übersetzungsvorgangs." In: W. WILSS/G. THOME (Hrsg.): *Aspekte der theoretischen sprachenpaarbezogenen und angewandten Sprachwissenschaft*. Heidelberg 1974, S. 1-9.

VINAY, Jean-Paul/DARBELNET, Jean (1958): *Stylistique comparée du français et de l'anglais. Méthode de traduction*. Paris: Bibliothèque de stylistique comparée. 4ème éd. 1968.

VINAY, Jean-Paul/DARBELNET, Jean (1995): *Comparative Stylistics of French and English: A Methodology for Translation*. Tr. and ed. by J. C. Sager & M.-J. Hamel. Amsterdam/Philadelphia: John Benjamins.

WANDRUSZKA, Mario (1959): *Der Geist der französischen Sprache*. München: Piper.

WANDRUSZKA, Mario (1969): *Sprachen vergleichbar und unvergleichlich*. München: Piper.

WANDRUSZKA, Mario (1979): *Die Mehrsprachigkeit des Menschen*. München: Piper.

WANDRUSZKA, Mario (1984): *Das Leben der Sprachen. Vom menschlichen Sprechen und Gespräch*. Stuttgart: DVA.

WANDRUSZKA, Mario (1991): „*Wer fremde Sprachen nicht kennt...*" *Das Bild des Menschen in Europas Sprachen*. Darmstadt: Wissenschaftliche Buchgesellschaft.

WEINRICH, Harald (1970): *Linguistik der Lüge*. Heidelberg: Lambert Schneider.

WEISGERBER, Leo (1950ff): *Von den Kräften der deutschen Sprache*, Bde. 1 - 4. Düsseldorf: Schwann. I) *Grundzüge der inhaltbezogenen Grammatik*. 4. Aufl. 1971. II) *Die sprachliche Gestaltung der Welt*. 4. Aufl. 1973. III) *Die Muttersprache im Aufbau unserer Kultur* (1957), IV) *Die geschichtliche Kraft der deutschen Sprache* (1959).

WHORF, B. Lee (1963): *Sprache, Denken, Wirklichkeit. Beiträge zur Metalinguistik und Sprachphilosophie*. (Übersetzung v. Peter Krausser.) Reinbek bei Hamburg: Rowohlt (rororo 174).

WILSS, Wolfram (1977): *Übersetzungswissenschaft. Probleme und Methoden*. Stuttgart: Klett.

WILSS, Wolfram (1980): „Semiotik und Übersetzungswissenschaft". In: Ders. (Hrsg.): *Semiotik und Übersetzen*. Tübingen: Narr (Kodikas/code Supplement 4), S. 9-22.

WILSS, Wolfram (1988): *Kognition und Übersetzen. Zu Theorie und Praxis der menschlichen und der maschinellen Übersetzung*. Tübingen: Niemeyer.

WILSS, Wolfram (1992): *Übersetzungsfertigkeit. Annäherungen an einen komplexen übersetzungspraktischen Begriff*. Tübingen: Narr (TBL 376).

WILSS, Wolfram (Hrsg.) (1981): *Übersetzungswissenschaft*. Darmstadt: Wissenschaftliche Buchgesellschaft (Wege der Forschung Bd. 535).

WINTER, Alexander (1992): *Metakognition beim Textproduzieren*. Tübingen: Narr (ScriptOralia 40).

WITTGENSTEIN, Ludwig (1953): *Philosophische Untersuchungen - Philosophical Investigations (D - E)*. Teil I. Oxford: Blackwell.

WOLF, Michaela (Hrsg.) (1997): *Übersetzungswissenschaft in Brasilien. Beiträge zum Status von „Original" und Übersetzung*. Tübingen: Stauffenburg (Translation Bd. 3).

ZIMA, Peter V. (1994): *Die Dekonstruktion*. Tübingen: Francke (UTB 1805).

20 Register

Personenregister

Sachregister

narr studienbücher

Heinz J. Weber
Dependenzgrammatik
Ein *interaktives* Arbeitsbuch
2., überarbeitete Auflage 1997,
162 Seiten, 2 Disketten
ISBN 3-8233-4950-3

Gertraude Heyd
**Aufbauwissen für den
Fremdsprachenunterricht** (DaF)
Ein Arbeitsbuch
Kognition und Konstruktion
1997, 218 Seiten
ISBN 3-8233-4962-7

Regina Hessky / Stefan Ettinger
Deutsche Redewendungen
Ein Wörter- und Übungsbuch
für Fortgeschrittene
1997, LIII, 327 Seiten
ISBN 3-8233-4960-0

Andreas Michel
**Einführung in
das Altitalienische**
1997, XIII, 375 Seiten
kt. ISBN 3-8233-4961-9
geb. ISBN 3-8233-4988-0

Wolfram Wilss
Übersetzungsunterricht
Eine Einführung
Begriffliche Grundlagen
und methodische Orientierungen
1996, X, 229 Seiten
ISBN 3-8233-4958-9

Alfred Wollmann
**Präpositionalphrasen
im Englischen**
Eine Einführung
1996, 255 Seiten
ISBN 3-8233-4920-1

Monika Schwarz / Jeannette Chur
Semantik
Ein Arbeitsbuch
2., überarb. Aufl. 1996, 223 Seiten
ISBN 3-8233-4951-1

Christine Palm
Phraseologie
Ein Arbeitsbuch
1995, XII, 130 Seiten
ISBN 3-8233-4953-8

Alwin Fill
Ökolinguistik
Eine Einführung
1993, X, 151 Seiten
ISBN 3-8233-4952-X

George Kleiber
Prototypensemantik
Eine Einführung
Übersetzt von Michael Schreiber
1993, VIII, 153 Seiten
ISBN 3-8233-4955-4

Jörg Keller / Helen Leuninger
**Grammatische Strukturen –
Kognitive Prozesse**
Ein Arbeitsbuch
1993, XIV, 306 Seiten
ISBN 3-8233-4954-6

 Gunter Narr Verlag Tübingen
Postfach 2567 · D-72015 Tübingen · Fax (07071) 7 52 88
Internet: http://www.narr.de · E-Mail: narr-francke@t-online.de

narr studienbücher

Rosemarie Buhlmann /
Annelies Fearns
**Handbuch
des Fachsprachenunterrichts**
Unter besonderer Berücksichtigung
naturwissenschaftlich-technischer
Fachsprachen

6., überarb. u. erw. Auflage, 1997, 440 Seiten
ISBN 3-8233-4965-1

In den letzten Jahren hat die Nachfrage
nach Fachsprachenunterricht – insbesondere in Mittel- und Osteuropa, deutlich zugenommen. Besonderes Interesse gilt dem Fachsprachenunterricht
im Bereich "Wirtschaftsdeutsch" und
Deutsch der Naturwissenschaften und
der Technik. Das Handbuch des Fachsprachenunterrichts will interessierten
Lehrern, Aus- und Fortbildern, Didaktikern, Kursplanern und Curriculumsde-
signern Grundlagenwissen, methodisch-
didaktische Einsichten und Strategien
vermitteln, die sie in die Lage versetzen,
dieser Herausforderung erfolgreich zu
begegnen. Es informiert über fachsprachliche Besonderheiten auf morpho-
syntaktischer, lexikalischer, textlicher
und stilistischer Ebene, über das Spannungsfeld zwischen allgemeinsprachli-
chem und fachsprachlichem Unterricht,
über Ziele des Fachsprachenunterrichts,
über die Situation von Lehrer und Lerner,
über die Technik der Kursplanung und
Kurserstellung und über Instrumente der
Lehrwerkanalyse und -beurteilung. Es
enthält rund 100 Seiten Übungstypolo-
gien zum Lesen von Fachtexten, zu fachsprachlichen Phänomenen und zur Produktion von Fachtexten und beschäftigt
sich mit Faktoren der interkulturellen
Fachkommunikation im Bereich der Wirt-
schaft, der Naturwissenschaften und der
Technik.

Göran Hammarström
Französische Phonetik
Eine Einführung

3., vollst. überarb. u. erw. Aufl. 1997,
170 Seiten
ISBN 3-8233-4966-X

Die 3. Auflage der bewährten Einführung
in die französische Phonetik wurde vollständig überarbeitet und erweitert.
Das klar und verständlich geschriebene
Studienbuch gibt Einblick in die Grundfragen der kontrastiven Phonetik und
eignet sich aufgrund seiner Praxisorien-
tiertheit hervorragend sowohl als Se-
minargrundlage als auch zum Selbststudium.

Maxim W. Sergijewskij
**Einführung in das
ältere Französisch**
Herausgegeben von Uwe Petersen,
Wolfgang Kaufmann und
Heinrich Kohring

1997, 160 Seiten
ISBN 3-8233-4964-3

In der romanischen Sprachgeschichte
ist wohl kein Weg weiter als der von Rom
nach Paris. Das heißt, unter allen Nach-
folgesprachen des Lateinischen, der alten Sprache Roms und seiner Umgebung, hat sich keine so weit von ihrer
Grundlage entfernt wie das moderne
Französisch. Dessen drei Vorstufen, das
Vulgärlateinische, das Altfranzösische
und das Mittelfranzösische, werden in
diesem Band systematisch beschrieben.
Darin wird zugleich der relativ rasche
Wandel vom "synthetischen" Typus des
Lateinischen zum "analytischen" Typus
des Französischen anschaulich.

 Gunter Narr Verlag Tübingen

Postfach 2567 · D-72015 Tübingen · Fax (07071) 7 52 88
Internet: http://www.narr.de · E-Mail: narr-francke@t-online.de